C. M. Ewan

Er will nicht gehen

C. M. Ewan

ER WILL NICHT GEHEN

Thriller

Deutsch von Bettina Spangler

blanvalet

Die Originalausgabe erschien 2023 unter dem Titel »The House Hunt«
bei Macmillan, ein Imprint von Pan Macmillan, London.

Penguin Random House Verlagsgruppe FSC® N001967

2. Auflage 2024

Dieses Werk wurde vermittelt durch die Literarische Agentur Thomas
Schlück GmbH, 30161 Hannover.

Redaktion: Susann Rehlein
Umschlaggestaltung: © Johannes Wiebel | punchdesign,
unter Verwendung von Motiven von stock.adobe.com
(LeitnerR, slavun, doomu, Luke)
JaB · Herstellung: DiMo
Satz: KCFG – Medienagentur, Neuss
Druck und Bindung: GGP Media GmbH, Pößneck
Printed in Germany
ISBN 978-3-7645-0881-4

Dieses Buch widme ich meiner Agentin
Camilla Bolton sowie meiner Verlegerin Vicky Mellor,
mit großem Dank und tiefer Hochachtung.

Sie haben eine neue Sprachnachricht.
Heute, 15:36

Lucy, Bethany hier. Ich bin leider spät dran, stecke noch in einer Besichtigung fest. Verrückter Tag. Also ... ich weiß, Sie sind nicht scharf darauf, die Interessenten selbst durch Ihr Haus zu führen, aber würde es Ihnen etwas ausmachen, schon mal mit der Tour zu starten, bis ich da bin? Der potenzielle Käufer heißt Donovan. Ich bin der Ansicht, Ihr Haus ist die perfekte Immobilie für ihn. Wenn Sie ernsthaft verkaufen wollen ... wäre er der Richtige ... Rufen Sie mich bitte einfach zurück, falls Sie ein Problem damit haben, dann versuche ich, einen neuen Termin mit ihm zu finden. Aber falls ich nichts mehr von Ihnen höre, bin ich so schnell wie möglich da. In Ordnung? Gut. Viel Erfolg!

1

Die Paranoia pirscht sich an mich heran, sobald Sam das Haus verlässt und ich den Staubsauger anschalte. Es dauert nicht lange, und mich überkommt der panische Gedanke, ich wäre nicht allein.

Ein Prickeln rieselt über meine Wirbelsäule. Unwillkürlich versteife ich mich.

Dann drehe ich mich um.

Ich drehe mich *jedes Mal* um.

Dabei weiß ich ganz genau, dass hinter mir niemand ist oder vielmehr sein *kann*, weil ich Sam nämlich mit eigenen Augen habe gehen sehen und genau gehört habe, wie er die Haustür hinter sich zugezogen hat. Ich habe ihm zum Abschied sogar zugewinkt, als er noch einmal kurz stehen blieb und mir vom Gartentor aus zulächelte.

Nie ist da irgendwer.

Also mache ich mich wieder ans Staubsaugen und das Spiel beginnt von vorn. Da ist das ohrenbetäubende Brüllen des Staubsaugers. Das Kribbeln auf meinem Rücken. Die nagende Angst, dass, wenn ich mich nicht auf der Stelle umdrehe und nachsehe, dann …

Was ich da tue, hat absolut nichts mehr mit Vernunft zu tun. Das ist mir sonnenklar. Und natürlich habe ich auch mit Sam schon mehrfach darüber gesprochen. Nicht dass es ihn in irgendeiner Form überraschen würde. Wir haben uns unzählige Male über das unterhalten, was mir zugestoßen ist – viel zu oft, wie ich finde. Sam macht gern Witze darüber und meint, das ist bei ihm eben Berufsrisiko.

Ich stellte den Staubsauger aus, hielt den Atem an und streckte den Rücken durch – und ja, ich drehte mich noch einmal um und sah nach. Als hinter mir keiner stand, atmete ich erleichtert auf und blickte hoch zum Oberlicht.

Ich war im hinteren Zimmer im Dachgeschoss, mein absoluter Lieblingsplatz im ganzen Haus. Der Raum war selbst an bedeckten und windigen Tagen wie heute lichtdurchflutet und verströmte eine Aura tiefer Ruhe und Klarheit, woran es mir selbst leider viel zu oft mangelte.

Dieser Raum war für mich ein sicherer Ort.

Ich schüttelte meine Nervosität ab und verstaute den Staubsauger an seinem Platz im Einbauschrank unter der Dachschräge. Dann fischte ich mein Handy aus den Jeans und überprüfte die Uhrzeit.

Ich plante, während der Besichtigung in einem nahe gelegenen Café zu warten. Ich würde mir ein Buch mitnehmen, mir eine Tasse Earl Grey mit Zitrone bestellen und versuchen, mich zu entspannen. Sobald die Besichtigung vorüber wäre, könnte Bethany mich anrufen und mir mitteilen, wie es gelaufen war. Mit etwas Glück wäre heute vielleicht der Tag, an dem wir ein akzeptables Angebot bekamen.

Erst jetzt bemerkte ich die Sprachnachricht auf meiner Mailbox und sofort bohrte sich Furcht in meine Eingeweide.

Noch bevor ich die Nachricht abhörte, überkam mich eine dunkle Vorahnung. Bethanys Worte gaben mir den Rest.

Ich legte auf. Meine Kehle wurde eng, und meine Hände begannen, unkontrolliert zu zittern.

Immer mit der Ruhe, Lucy.

Noch eine Viertelstunde bis zur Besichtigung.

Absagen kam jetzt nicht mehr infrage.

Klar konnte ich die Sache jederzeit abblasen, aber das wäre unhöflich. Außerdem konnten wir es uns nicht leisten, einen potenziellen Käufer zu vergraulen.

Mein Mund war staubtrocken. Ich presste mir den Handballen gegen die Stirn und kämpfte krampfhaft gegen die sich anbahnende Panikattacke an.

Mittlerweile steckten wir bis zum Hals in Schulden. Zum einen waren da die Darlehen, die Sam wegen der Renovierungskosten aufgenommen hatte, und als diese aufgebraucht waren, kamen noch die Kreditkartenabrechnungen hinzu, die Monat für Monat höher wurden. Sam hatte schlaflose Nächte deswegen. Aber für uns beide bedeuteten der Verkauf dieses Hauses und unsere Entscheidung, London für immer den Rücken zu kehren, noch so viel mehr. Wir wollten komplett neu anfangen.

Bethany. Ich mochte diese Frau, obwohl sie in so gut wie jeder Hinsicht die typische Immobilienmaklerin war. Sie konnte extrem penetrant und unverschämt sein und das Lügen fiel ihr so leicht wie das Atmen. Aber zumindest bekannte sie sich ganz offen dazu, was ja in gewisser Weise auch eine Art von Ehrlichkeit war.

Nachts, wenn Sam sich im Bett herumwälzte, während ich in der Stille auf das leise Klicken des Schlosses an der Badezimmertür lauschte – auf das metallische Krächzen einer unbekannten Stimme –, da war mein rettender Strohhalm die Erinnerung an Bethany und wie sie das erste Mal in ihrem sündhaft teuren Mantel und mit der auffälligen Brille bei uns vor der Tür stand. Damals war sie ohne langes Vorgeplänkel ins Haus gerauscht und hatte angefangen, wie ein Wasserfall zu reden, von wegen Wertermittlung, wie geschmackvoll wir die Einrichtung ausgewählt und wie sehr wir die Nummer 18 Forrester Avenue dadurch aufgewertet hätten.

Ich vertraute ihr auf Anhieb – so sehr man einer Immobilienmaklerin eben vertrauen kann. In letzter Zeit hatte ich mich immer wieder bei dem Gedanken ertappt, dass ich hoffte, wir könnten auch nach dem Verkauf des Hauses in Kontakt bleiben. Aber gleichzeitig wurmte es mich, dass sie mich nicht früher über ihr Zuspätkommen in Kenntnis gesetzt hatte. Ich wurde den Verdacht nicht los, dass sie mich ganz bewusst hatte auflaufen lassen.

Und? Jetzt musst du eben das Beste aus der Situation machen.

Ich lief die Treppe hinunter, den Korridor im ersten Stock entlang und dann weiter ein Stockwerk tiefer ins Wohnzimmer. Mein Blick huschte fieberhaft umher, auf der Suche nach etwas, das ich übersehen haben könnte.

Im ganzen Haus brannte Licht. Aus dem Blumenladen um die Ecke hatte ich einen Strauß frischer Lilien mitgebracht. Sie standen in einer Keramikvase auf dem marmornen Wohnzimmertisch. Die honigfarbenen Dielenbretter glänzten. Erst heute Morgen hatte ich jede einzelne Lamelle der hellen Holzjalousien von Staub befreit. Sie waren eine Spezialanfertigung für das große Erkerfenster, das nach vorne rausging.

Okay. Alles in Ordnung.

Ich wirbelte herum und blickte zur offenen Küche, die eine Ebene tiefer lag und über ein paar Stufen vom Wohnbereich aus zu erreichen war. Ich hatte keinen Kaffee aufgebrüht. Bethany hatte mich vorgewarnt. Das entspreche zu sehr dem Klischee. Trotzdem hatte ich dafür gesorgt, dass alles blitzsauber und ordentlich aufgeräumt war.

Im Zuge der Renovierungsarbeiten am Haus hatten wir den Großteil der Wände im Erdgeschoss eingerissen, um einen großzügigen, offenen Wohnraum zu schaffen. Den Abschluss bildete eine Fensterfront mit einer doppelten Stahltür im Industriestil, durch die man in einen bescheidenen kleinen Garten gelangte. Wir hatten fast sämtliche Arbeiten im Alleingang durchgeführt, hatten den Vorschlaghammer geschwungen und Wände verputzt. Einzig die elegante Küche hatten wir von Profis einbauen lassen, ausgestattet mit qualitativ hochwertigen Schränken und High-End-Geräten. Die Arbeitsflächen aus Granit und die Kochinsel hatten allein so viel gekostet wie ein Mittelklassewagen.

Früher oder später macht sich das bezahlt, hatte Sam mir versichert und mit rot geränderten Augen von seinen Kalkulationstabellen zu mir aufgesehen, sein wild vom Kopf abstehendes Haar war mit einer feinen Staub- und Schmutzschicht überzogen. Zu dem Zeitpunkt war ich mir nicht sicher gewesen, wen von uns beiden er damit eigentlich überzeugen wollte. *Sie mag zwar teuer sein, ist aber genau das, was Leute, die ein solches Haus kaufen, haben wollen. Wenn sich unsere Investition lohnen soll, ist das die beste Entscheidung.*

Mir schwirrte der Kopf. Ich überlegte, was Sam wohl dazu sagen würde, wenn er wüsste, dass ich ernsthaft in Erwägung zog, einen Wildfremden durch unser Haus zu führen. Wahrscheinlich wäre er im ersten Moment sprachlos. Und nach einigem Überlegen würde er mich liebevoll in seine Arme ziehen, mir über den Rücken streichen und mir erklären, dass es vielleicht an der Zeit war, mich meinen Ängsten zu stellen.

Doch leider hatte ich nicht die Möglichkeit, ihn zu fragen. Sam steckte mitten in einer Vorlesung und müsste gleich im Anschluss zu seiner Selbsthilfegruppe. Bestimmt hatte er sein Telefon gar nicht an.

Außerdem hatte Bethany mir in ihrer Nachricht versichert, sie sei unterwegs. Ich wäre also ohnehin nicht lange mit dem Interessenten allein.

Nervös kaute ich auf der Innenseite meiner Wange herum

und warf einen Blick zu dem grünen Samtsofa, auf dem ich Mantel und Schal bereitgelegt hatte. Ich nahm die Kleidungsstücke von der Lehne, trug sie nach oben und hängte sie zurück in den begehbaren Kleiderschrank im umgebauten ehemaligen Gästezimmer, das direkt an unser Schlafzimmer grenzte.

Ich ging zum Bett und zog die Tagesdecke glatt, die ich für Besichtigungen bewusst auf einer Seite zurückschlug. Am Kopfende waren diverse Daunenkissen und kleinere Dekokissen gegen das überdimensionale Brett gelehnt, das ich in einer mehrtägigen Aktion eigenhändig gepolstert und mit Stoff bezogen hatte. Dieses Kopfbrett war an der Wand befestigt, die den Schlafraum vom angrenzenden Badezimmer trennte. Das Arrangement erinnerte an eine schicke Suite in einem Boutique Hotel. Mein Ziel war es gewesen, ein Ambiente für erholsamen Schlaf zu schaffen, etwas, das bei uns leider nicht immer funktioniert hatte.

Bitte, mach, dass er unser Käufer ist.

Mein Blick fiel auf den Ganzkörperspiegel gleich neben der Tür. Eine blasse, sichtlich mitgenommene Frau Anfang dreißig mit Sorgenfalten rund um Augen und Mund starrte mir entgegen. Mein Haar war locker zurückgebunden, ich trug einen weiten Aran-Pullover und bequeme Jeans. Vielleicht sollte ich mich schicker anziehen?

Doch bevor ich dem Impuls nachgeben konnte, klingelte es an der Tür.

2

Er war zu früh.

Zwar nicht allzu viel, aber es reichte aus, um mich komplett aus der Bahn zu werfen. Die Türklingel-App auf meinem Handy vibrierte und brummte. Klar hätte ich die Benachrichtigungsfunktion einfach ausstellen können. Am einfachsten wäre es gewesen, nach unten zu gehen, die Haustür zu öffnen und ihn mit einem Lächeln zu begrüßen. Stattdessen stand ich unschlüssig da, zog das Handy aus der Gesäßtasche meiner Jeans und starrte auf das Abbild des Mannes, der vor unserer Haustür stand.

Meine Hände zitterten. Ich hatte einen kupfrigen Geschmack im Mund.

Er hielt den Kopf gesenkt, deshalb konnte ich sein Gesicht nicht richtig erkennen. Eigentlich sah ich hauptsächlich seinen Scheitel. Er hatte lockige graue Haare, der Kragen seines dunkelblauen Wollmantels war aufgestellt. Seine Hände steckten in braunen Lederhandschuhen. Er hatte sie vor seinem Körper locker ineinander verschränkt. Seine Schultern waren breit, er wirkte insgesamt athletisch.

Wenn ich nur sein Gesicht sehen könnte.

Mein Blick ging zu den Jalousien. Die Lamellen waren schräg gestellt. Spontan traf ich eine Entscheidung. Ich drückte auf die Antworttaste auf meinem Handy.

»Ja, hallo?«

Ich ließ es möglichst beiläufig klingen, als erwartete ich eine

Paketlieferung. Der Mann blickte zur Kamera auf, ein offenes, ungezwungenes Lächeln auf den Lippen. Ich hatte ihn noch nie gesehen, aber das half mir auch nicht weiter.

Er wirkte wie ein Womanizer, hatte markante Augenbrauen und auffallend blaue Augen. Seine Kinnpartie war von einem dunklen Bartschatten überzogen. Er wirkte leicht abgespannt. Unter dem eleganten Wollmantel trug er einen beigen Rollkragenpullover.

»Mein Name ist Donovan.« Die dünne Haut um seine Augenwinkel herum kräuselte sich, als er sich ein kleines Stück zur Seite neigte und auf das Schild vor unserem Haus deutete. »Zu verkaufen« stand darauf. Es war an der Seite zum Nachbargrundstück hin an der Ziegelmauer befestigt. Der restliche Garten wurde von einer Hecke abgeschirmt, die wir eigenhändig gebändigt und in Form gebracht und der Privatsphäre wegen behalten hatten. »Ich bin wegen der Hausbesichtigung hier.«

»Eine Sekunde.«

Ich machte ein Foto von ihm und schrieb Bethany.

Nur zur Kontrolle: Ist das der Mann, der den Besichtigungstermin mit Ihnen vereinbart hat? Ein Mr. Donovan?

Mir war bewusst, dass Bethany meine übertriebene Vorsicht seltsam finden könnte, vielleicht sogar neurotisch, aber das war mir in diesem Moment egal. Wenn ich ihren Interessenten schon persönlich durchs Haus führen sollte, brauchte ich ihre Bestätigung als Rückversicherung.

Die üblichen drei tanzenden Punkte erschienen im Feed, und während ich gebannt auf Bethanys Antwort wartete, machte sich ein banges Ziehen in meiner Brust bemerkbar. Noch einmal öffnete ich den Tür-Feed in der App.

Der Mann war ein Stück zurückgetreten und neigte sich gerade etwas zur Seite zum Erkerfenster, um das Mauerwerk in

Augenschein zu nehmen. Dann wanderte sein Blick weiter zum Dach.

Hinter ihm überblickte ich die Forrester Avenue. Die Häuserzeile aus abwechselnd farbig gestrichenen und unverputzten roten Backsteinbauten im viktorianischen Stil gegenüber. Die knorrigen alten Platanen zu beiden Seiten der Straße. Autos und gewerbliche Fahrzeuge, die Stoßstange an Stoßstange geparkt standen, bedeckt mit einer Schicht heruntergewehten Herbstlaubs. Es waren überwiegend BMWs und Range Rover. Ein paar Porsches waren ebenfalls darunter.

Aktuell herrschte kein Durchgangsverkehr, aber auf dem Gehsteig fuhr ein kleines Mädchen in der rot-grauen Uniform der örtlichen Grundschule auf einem Roller vorüber, gefolgt von einer Frau im Regenmantel. Sie starrte im Laufen auf ihr Handy. Die Schultasche des Kindes baumelte an ihrer Hüfte.

Bethanys Antwort erschien auf dem Display.

Jep! Donovan ist sein Vorname. Verraten Sie ihm ruhig, dass ich Single bin … viel Spaß!

Erleichtert stieß ich die Luft aus und tippte eine rasche Antwort.

Okay, danke. Wie lange brauchen Sie hierher?

Aber diesmal kam keine Antwort.

Ich ließ mein Handy zurück in die Tasche gleiten, schloss die Augen und redete mir gut zu, dass ich das hier schaffen konnte, dass alles gut laufen würde. Dann ballte ich die Hände entschlossen zu Fäusten und ging zur Treppe.

Ich war schon fast unten im Erdgeschoss, als ich von draußen einen gellenden Schrei hörte.

3

Ich riss die Tür auf und stellte fest, dass der Mann verschwunden war. Hastig schlüpfte ich in meine Schuhe und wagte mich auf den Gehsteig jenseits unserer Hecke. Er kniete mit dem Rücken zu mir vor unserem Grundstück. Langsam näherte ich mich ihm. Da sah ich das Mädchen auf dem Boden liegen.

Das Kind war gestürzt und schrie vor Schmerzen. Der Roller lag mit sich drehenden Rädern nicht weit von ihr auf dem Pflaster.

»Hey«, sagte Donovan sanft. Seine Stimme klang tief und rau. »Hey, alles wird gut.«

Behutsam nahm er ihre Hände in seine behandschuhten. Sie hatte sich die Innenfläche der einen Hand aufgeschürft, in der blutigen Wunde steckten kleine Steinchen. Ihre graue Strumpfhose war an einem Knie aufgerissen und sie hatte bei dem Sturz einen Schuh verloren. Ihre Wangen waren tränenüberströmt, die Augen vor Schreck weit aufgerissen und sie zitterte am ganzen Leib.

»Wo hast du denn solche Stunts gelernt? Ich muss schon sagen, das war wirklich beeindruckend.«

Blinzelnd und mit bebenden Lippen sah sie zu ihm auf. Sie schluchzte. Ihr Atem bildete in der kalten, feuchten Luft kleine Nebelschwaden.

»Ach, mein Liebling«, gurrte die Frau, die jetzt neben dem Kind in die Hocke ging. Ich nahm an, dass es sich um die Mutter handelte. »Ich sagte doch, du musst besser aufpassen.«

»Ich glaube nicht, dass was gebrochen ist«, sagte Donovan. »Scheint nur eine Schürfwunde zu sein.«

Ob er Arzt war? Bei näherer Betrachtung wirkten seine Augen müde und verquollen. Vielleicht hatte er gerade seine Schicht im Charing Cross Hospital oder im Queen Mary's beendet. Möglicherweise wollte er aus beruflichen Gründen in dieser Gegend eine Immobilie kaufen.

Offenbar spürte er meine Gegenwart, denn jetzt drehte er sich um und sah lächelnd zu mir auf. Ich merkte, wie ich rot wurde.

»Ich bin Lucy, aus der Nummer 18.« Verlegen deutete ich hinter mich auf die geöffnete Haustür.

»Ah, hallo, Lucy.« Dann sah er wieder zu dem Mädchen und ein besorgter Ausdruck huschte über sein Gesicht. »Ich nehme an, Sie haben nicht zufällig ein sauberes Taschentuch oder Ähnliches bei sich?«

»Leider nein, aber ich laufe schnell rein und hole Verbandszeug.«

Ich eilte ins Haus, zog das Erste-Hilfe-Set unter der Spüle hervor und kramte sterile Wundauflagen und Heftpflaster heraus. Als ich wieder nach draußen kam, steckte Donovan dem Mädchen gerade den Schuh zurück an den Fuß. Die Frau dankte ihm wortreich und legte ihm die Hand auf den Unterarm. Dabei sah sie ihm eindringlich in die Augen.

»Hier, bitte.« Ich hielt ihr die Auflagen und das Pflaster hin, und sie griff danach, sichtlich verstimmt über die Unterbrechung.

Die Frau hatte langes blondes Haar, war schlank und trug ein eng anliegendes Etuikleid über kniehohen Stiefeln. Frauen wie sie, in teurer Kleidung und mit viel Make-up, sah ich häufig in sündhaft teuren SUVs vor dem Tor der nahen Grundschule anhalten, um ihre Kinder abzusetzen.

Nicht zum ersten Mal kam mir der Gedanke, dass ich in diesem Wohnviertel völlig fehl am Platz war. Ich hatte mit diesen reichen Schnöseln hier in Putney einfach nichts am Hut.

Sam hatte das Haus von seinen Großeltern mütterlicherseits geerbt. Ansonsten hätten wir es uns niemals leisten können, in einer so schicken Gegend zu wohnen. Wir hatten tief in die Tasche gegriffen und unser Budget stark überzogen, um das Haus für den Verkauf zu modernisieren.

Während die Frau eine der Wundauflagen aufriss und dem Mädchen damit das Knie säuberte, verschränkte ich die Arme vor der Brust und sah mich zu unserem Grundstück um. Das Haus war dreistöckig. In einer der Dachgauben befand sich eine doppelte Glastür, durch die man auf einen kleinen Balkon gelangte. Die Fassade war zitronengelb, die Fensterrahmen erstrahlten in frischem Weiß. Die Haustür war knallrot lackiert.

»Vielen Dank noch mal für Ihre Hilfe«, wandte die Frau sich mit samtig-rauchiger Stimme wieder an Donovan. »Sie waren überaus freundlich.«

»Ich bitte Sie, das ist doch selbstverständlich.«

Donovan half dem Mädchen hoch und richtete den Roller auf. Und während die Kleine mit schmerzverzerrter Miene humpelnd darauf zuging, trat er beiseite und hob die Hand an den Hinterkopf, mit einem Mal sichtlich verlegen.

»Tja, dann passen Sie mal gut auf sich auf.«

»Oh, das werden wir«, sagte die Frau lachend. »Es war wirklich nett, Sie kennenzulernen.«

Wir sahen den beiden hinterher. Die Frau drehte sich noch einmal um und winkte ihm, mich würdigte sie keines Blickes.

»Tut mir leid«, sagte er.

»Nein, nicht doch, Sie haben das Richtige getan.«

Jetzt sah er mir fest in die Augen, als wäre ihm meine Meinung tatsächlich wichtig, und für einen kurzen Moment erlag auch ich seinem Charme. Er war wirklich gut aussehend.

»Sie sind die Eigentümerin dieses Hauses?«, fragte er.

»Es gehört meinem Freund.«

»Verstehe.« Wieder schenkte er mir ein Lächeln. »Und Bethany, ist sie schon drinnen?«

Ich runzelte die Stirn. »Hat sie Ihnen denn nicht Bescheid gegeben?«

»Weswegen denn? Oh, ach herrje!« Seine Augenbrauen schossen panisch nach oben, und er klopfte seine Manteltaschen ab, als suchte er sein Telefon. »Hat sie den Termin abgesagt? Hat man Ihnen bereits ein Angebot gemacht, das Sie angenommen haben?«

»Nein, nichts dergleichen«, versicherte ich ihm und erklärte, Bethany sei nur spät dran und habe mich gebeten, die Hausführung schon mal ohne sie zu beginnen.

Irgendetwas an der Art, wie ich das sagte, musste ihn alarmiert haben, obwohl ich mein Unbehagen krampfhaft zu verbergen versuchte, denn jetzt stutzte er und legte den Kopf leicht schief.

»Ist das für Sie in Ordnung?«

»Ich ...«

»Denn falls nicht, kann ich warten. Mir macht das nichts aus. In circa einer halben Stunde muss ich aber weg. Hat Bethany gesagt, wie lange sie braucht?«

Das hatte sie nicht. Dass sie nicht geantwortet hatte, bedeutete hoffentlich, dass sie bald hier wäre, obwohl um diese Zeit üblicherweise auf den Straßen viel los war. Es war bereits später Nachmittag, das schwache Oktoberlicht begann, allmählich zu schwinden.

Instinktiv ging ich auf die Zehenspitzen, als könnte ich so vielleicht ihren Mini mit dem Firmenlogo erspähen, der in unsere Richtung gebraust kam. Im selben Moment spürte ich ein seltsames Stechen in der Brust.

In unserer Straße hingen noch zwei weitere Schilder mit der Aufschrift »Zu verkaufen«. Sam und ich hatten uns beide Immobilien im Internet angesehen, kaum dass sie auf den Markt gekommen waren. Das eine Haus hatte einen ultraschicken Glasanbau. Das andere verfügte über ein extra Badezimmer und lockte noch dazu mit einem relativ moderaten Verkaufspreis. Eine Reihe weiterer Häuser verbarg sich hinter Gerüsten und Sperrholzwänden, ganze Trupps von Bauarbeitern und Handwerkern waren dahinter am Schuften. Es war nicht schwer, zu erraten, dass einige von diesen Objekten früher oder später ebenfalls zum Verkauf stünden.

Ich spürte, wie Donovan meinem Blick folgte, vielleicht las er meine Gedanken. Und auf einmal wusste ich, was ich zu tun hatte.

»Nein, nicht nötig«, sagte ich zu ihm. »Bitte, treten Sie ein.«

4

Sam

Die Entfernung zwischen Forrester Avenue Nummer 18 und der London School of Economics, die zwischen Covent Garden und Holborn lag, betrug knapp unter sechs Meilen. Zu Fuß brauchte man etwas weniger als zwei Stunden, aber heute hatte Sam die Tube genommen, genauer gesagt die District Line von Putney Bridge nach Temple. Von dort aus war es ein zehnminütiger Spaziergang. Er hatte vor einer Gruppe schläfriger Erstsemester seine Grundlagenvorlesung zum Thema »Wahrnehmung und Gedächtnis« gehalten, und jetzt musterte er die vier Fremden, die vor ihm Platz genommen hatten.

Der Seminarraum im ersten Stock war in jeder Hinsicht unspektakulär. Er war mit dem gleichen strapazierfähigen grauen Teppichboden ausgelegt, hatte die gleichen weißen Wände und die gleichen grauen Platten an den abgehängten Decken wie die meisten anderen Seminarräume im Universitätskomplex. Natürlich fanden sich hier auch das übliche Whiteboard, der gleiche fleckige Schwamm und die gleichen Stifte. Die gleiche u-förmige Anordnung von Tischen und Stühlen.

Doch es gab zwei entscheidende Unterschiede.

Der erste befand sich außerhalb des Raums, gleich neben der Tür, wo unter der Zimmernummer – 22A – ein kleiner Bildschirm hing. Auf diesem hatte Sam die Worte PRIVATTREFFEN eingegeben.

Der andere befand sich im Raum selbst. Sam hatte in der

Mitte des Zimmers sechs Stühle im Kreis aufgestellt. Zumindest begnügte er sich vorerst mit sechs, denn es ließ sich nur schwer vorhersagen, wie viele Personen tatsächlich auf seine Anzeige reagieren würden.

Leiden Sie an lähmenden Ängsten oder Phobien?
Würden Sie gerne im Rahmen einer Selbsthilfegruppe darüber reden?

»Und, wie geht es Ihnen allen damit, dass Sie hier sind?«, fragte Sam an die Gruppe gewandt.

Die Fremden lächelten ihm scheu zu, wechselten verunsicherte Blicke, starrten verlegen auf ihre Hände. Für einen Moment herrschte betretene Stille im Raum, bis eine stilvoll gekleidete junge Frau in Jeanskleid, bunter Halskette und dunkler Leggins das Eis brach.

»Etwas nervös?«

»Ja, ich auch«, pflichtete der hochgewachsene, durchtrainierte junge Mann in Sportkleidung ihr bei, der neben ihr saß. Er hatte einen geschliffenen Akzent, eine mustergültige Haltung und blonde Locken. Auf der linken Brustseite seines langärmeligen Shirts, das er zu kurzer Sporthose über Leggins trug, prangte das Logo des Uni-Ruderclubs.

»Ich hoffe eigentlich in erster Linie darauf, dass ich hier Hilfe bekomme«, sagte ein schlankes Mädchen mit dunklem Lidschatten, violettem Lippenstift und schwarzem Haar, wahrscheinlich eine Studentin im letzten Semester. Sie hatte eine Reihe von Piercings im Ohr und einen Ring in der Unterlippe. Die schwarze Ledertasche auf dem Boden neben ihr stand offen, Ordner und Lehrbücher quollen daraus hervor.

»Ich weiß eigentlich gar nicht, was ich erwarten soll.«

Diese letzte Antwort, fast geflüstert, kam von dem mageren

und glupschäugigen Kerl in engem V-Ausschnitt-Pulli und grauen Skinny-Jeans. Er hatte nicht aufgehört zu zappeln, seit er angekommen war. Sam hatte den Jungen schon öfter am Hauptschalter der Universitätsbibliothek gesehen. Es wunderte ihn nicht, dass er sein Schlüsselband, das ihn als Mitarbeiter auswies, vor seiner Ankunft abgelegt hatte.

»In Ordnung.« Sam nickte und lächelte, als hätten die Teilnehmer genau das gesagt, was er erwartet hatte. »Als Erstes möchte ich Ihnen allen versichern, dass Sie diesen Raum als Ihren Safe Space betrachten können. Ich gehe davon aus, dass Sie alle Ihre Einverständniserklärungen abgegeben haben. Ich selbst bekomme sie nicht zu sehen. Sie brauchen niemandem Ihren Namen zu nennen. Und Sie brauchen mir auch keinerlei Details zu Ihrer Identität zu verraten.«

Ich will nur alles über die schrecklichen Ängste und Phobien hören, die Sie plagen.

In Wahrheit konnte Sam sämtliche Anzeichen mühelos erkennen. Die nervöse Unruhe. Die trockene, schuppige Haut und den gehetzten Blick sowie die aufgesprungenen Lippen. Das gequälte Lächeln und die misstrauische Abneigung dagegen, seinem Blick zu begegnen. Es war, als trüge jeder von diesen jungen Menschen ein zutiefst beschämendes, belastendes Geheimnis mit sich herum.

Es war nicht die erste Selbsthilfegruppe, die Sam ins Leben gerufen hatte. Im Lauf der letzten drei Jahre hatte er bereits einige vergleichbare Gruppen geleitet. Das war gemeinnützige Tätigkeit, wie die Universität es vom gesamten akademischen Lehrpersonal erwartete. Und gleichzeitig hatten sich für ihn durch diese Gruppen einige interessante Forschungsmöglichkeiten ergeben und genau darin lag seine eigentliche Leidenschaft. So wie seine Karriere derzeit stagnierte, von der Dauerbelastung durch seine Lehrtätigkeit einmal ganz abgesehen, erhielt er immer seltener die Gelegenheit für reine Forschungsaktivitäten. Und genau deshalb spürte er jetzt dieses gewisse Prickeln. Das Schöne an Phobien war ja, dass man nie genau sagen konnte, womit man es zu tun bekäme. Und falls sich eine der Teilnehmerinnen oder einer der Teilnehmer gleich hier und heute bereit erklärte, sich im weiteren Verlauf einer näheren Beurteilung zu unterziehen …

»Keine Namen?« Der kultivierte junge Mann brachte ihn mit seiner Frage zurück ins Hier und Jetzt.

»Vorerst ja«, bestätigte Sam. Er ließ den Blick über die Gesichter vor sich wandern und registrierte dabei deutliche Anzeichen von Erleichterung. »Das heute ist unsere erste Sitzung. Warten wir ab, wie es uns beim nächsten Mal geht.«

Falls es ein nächstes Mal gab, denn Sam konnte aus Erfahrung sagen, dass nicht alle Teilnehmer wiederkamen.

Die versprochene Anonymität war in diesem Zusammenhang hilfreich. Und das nicht nur, weil sie zu einer entspannteren Atmosphäre unter den Gruppenmitgliedern beitrug. Die Wahrheit war: Sam musste höllisch achtgeben, dass er sich nicht zu sehr von diesen Leuten einnehmen ließ. Professionelle Distanz war unabdingbar, er musste seine Klientinnen und Klienten möglichst als potenzielle Fallstudien und nicht als Individuen betrachten. Schon aus Selbstschutz.

Nicht dass ihn das davon abgehalten hätte, ihnen allen gleich seinen ganz persönlichen Kategorisierungsstempel aufzudrücken. Der Bibliothekar war natürlich *der Bibliothekar*. Die junge Frau im Jeanskleid mit der bunten Perlenkette um den Hals war *die Künstlerin*. Die Studentin mit dem blassen Gesicht, den schwarzen Haaren und den zahlreichen Piercings war *Depri-Girl*. Blieb nur noch der junge Mann in Sportsachen mit den nagelneuen Turnschuhen. Er war *der Sportler*.

»Warten wir noch fünf Minuten ab«, erklärte Sam und

fischte sein Handy aus der Tasche, um nach der Uhrzeit zu sehen. Da fiel sein Blick auf das kleine Flugzeugsymbol in der linken oberen Ecke des Displays. »Ach ja, eins noch. Wenn Sie bitte alle Ihre Handys auf Flugzeugmodus umstellen könnten, wäre ich Ihnen überaus dankbar.«

Allgemeines Geraschel war zu hören, als die Anwesenden in ihre Aktentaschen, Rucksäcke und Handtaschen langten, um seiner Bitte nachzukommen.

Im selben Moment schwang die Tür auf und ein junger Mann mit Glatzenansatz und hochrotem Gesicht streckte den Kopf ins Zimmer. Er war leicht untersetzt und hatte eine Knubbelnase, die ihm ganz offensichtlich irgendwann im Laufe seiner Jugend gebrochen worden war.

»Ist das hier der richtige Raum für Typen, die vor lauter verrückter Gedanken halb durchdrehen?«, fragte er mit tiefer, rauer Stimme.

Der Schläger, entschied Sam im selben Augenblick.

»Ganz so drastisch würde ich es nicht formulieren«, antwortete er dem Nachzügler. »Aber treten Sie doch bitte ein und nehmen Sie Platz.«

5

»Alle Achtung«, entfuhr es Donovan. »Das ist wirklich unglaublich.«

Erleichterung ließ mich durchatmen.

Ich schob die Haustür zu und drehte mich um, hielt mich aber mit dem Rücken dicht an der Wand, während Donovan in den offenen Wohnbereich trat und dabei mit einer Hand seinen Mantel aufknöpfte.

Jetzt war ich also mit diesem Fremden allein. Mein Herz fing an zu rasen. Ich spürte, wie sich der Knoten in meinem Magen fester zusammenzog. Langsam und tief holte ich Luft. Die Haustür war immer noch in Reichweite.

Im Notfall konnte ich jederzeit nach draußen stürmen, auch wenn mein Gehirn im Moment wirklich alles daransetzte, um mich vom Gegenteil zu überzeugen.

»Es gefällt Ihnen also?«, fragte ich.

»Was für eine Frage! Das Haus ist umwerfend.«

Ich riss den Blick von der Haustür los und spürte trotz meiner Furcht ein angenehmes Prickeln auf der Kopfhaut. Einen wohligen Schauer, wie ich ihn manchmal beim Friseur beim Schneiden und Stylen erlebte.

Es freute mich sehr, das zu hören. Denn der springende Punkt war: Wir *mussten* verkaufen, aber gleichzeitig hoffte ich, dass der Käufer es genauso sehr liebte wie wir. Mir war natürlich bewusst, dass wir nicht allzu wählerisch sein durften, das konnten wir uns nicht leisten, aber es würde mir unendlich viel bedeuten, wenn wir jemanden fänden, der unsere ganze harte Arbeit zu schätzen wüsste.

»Dieses Weiß.« Er sah sich bewundernd um und deutete auf die Wände. Jetzt wagte auch ich mich einen winzigen Schritt vor. Dabei legte ich Daumen und Zeigefinger um mein linkes Handgelenk, um zu verhindern, dass ich mich vor lauter Nervosität kratzte.

»Es hat einige Zeit gedauert, bis wir den richtigen Farbton gefunden hatten.«

»Es … wertet den gesamten Wohnraum gewaltig auf.«

»Der Meinung sind wir auch.«

Tatsächlich war das für uns die größte Herausforderung beim gesamten Renovierungsprozess gewesen. Das Haus hatte vorher schrecklich düster gewirkt. Die Schiebefenster waren mit dem Alter rissig geworden und blind von Staub und Schmutz. Die Wände waren mit zahlreichen Schichten verschiedener dunkler Blumentapeten zugekleistert gewesen. In den Deckenkehlungen und auf den Stuckleisten hatte sich ebenfalls Schmutz abgelagert, stellenweise waren Letztere abgebröckelt und in einem eigenartigen scheckigen Braunton gestrichen, der an Nikotinflecken erinnerte.

Ich hatte das alles radikal ändern wollen. Jedem Raum neues Leben einhauchen.

»Ist dieser Kamin noch im Originalzustand?«

»Ja, das ist er.« Wieder ein winziger Schritt vorwärts. »Ich liebe die Maserungen im Marmor«, schwärmte ich.

»Und die Fliesen?«

»Die wurden erneuert. Die alten Fliesen waren zu stark beschädigt, aber ich habe Fotos davon gemacht und bei einem Händler für nicht mehr lieferbare Baumaterialien genau die gleichen aufgetrieben. Wir wollten so originalgetreu wie möglich renovieren.«

»Sind die Bodendielen noch die ursprünglichen?«, fragte er und rollte mit fragender Miene auf die Fußballen.

»Ja. Jede einzelne.«

Als hätte ich es geahnt. Die Bodendielen waren für mich ein absolutes Herzensprojekt gewesen. Ich hatte die zerschlissenen Teppiche, unter denen sie sich verbargen, eigenhändig herausgerissen, hatte die Bretter behutsam abgeschliffen, neu lackiert und dabei den anfallenden Staub in jeder Ritze des Hauses verteilt. Ich hatte bei den Schleifarbeiten eine Schutzbrille und Mundschutz getragen und trotzdem nicht verhindern können, dass ich wochenlang von einem trockenen Husten geplagt wurde.

Donovan ging in die Hocke und strich mit behandschuhten Fingerkuppen über den Lack. Dann sah er mich lange an.

»Falls ich dieses Haus nicht kaufe, geben Sie mir dann trotzdem den Namen des Bauunternehmens? Die Sorgfalt und das handwerkliche Geschick, die in diese Arbeit geflossen sind, finde ich beachtlich.«

»Wir haben fast alles selbst gemacht.«

»Im Ernst?« Er war baff. »Ist Ihr Freund im Baugewerbe tätig?«

»Nein.« Ich musste lachen. »Sam ist Dozent für Psychologie und Verhaltensforschung.«

Und er wäre sicher der Letzte, der abstreiten würde, dass er in Sachen *do it yourself* kein Naturtalent war. Sam war groß und schlaksig mit widerspenstigen dunklen Haaren. Ich liebte ihn, aber er war eher dafür gemacht, im Hipster-Café um die Ecke Toast mit Avocadocreme und Macchiato mit Hafermilch zu bestellen, als fürs Aufhängen von Regalen. Manchmal war es die reinste Tortur gewesen, ihm zuzuschauen, wie er mühsam Säcke voll feuchtem Putz und Schutt herumwuchtete, um sie zu einem der vielen Container draußen auf der Straße zu befördern.

»Und Sie?«, fragte Donovan.

Ich zuckte die Achseln. »Es ist verblüffend, was man aus Büchern alles lernen kann.«

»Irgendetwas sagt mir, dass Sie viel zu bescheiden sind.«

»Nun, ich habe ein klein wenig Erfahrung im Interior Design.«

»Ah. Das erklärt so einiges.« Er sah sich aus seiner kauernden Haltung heraus noch einmal um.

»Wir haben tatsächlich keine Kosten und Mühen gescheut«, beeilte ich mich zu sagen. »Ich habe mich in den letzten Jahren ganz auf die Renovierung dieses Hauses konzentriert.«

Daran war mehr Wahres, als er sich vielleicht vorstellen konnte. Möglicherweise sogar mehr, als ich mir selbst eingestehen wollte. Lange Zeit hatte ich mich mies gefühlt, weil ich kein eigenes Geld verdiente. Mit meiner neu gegründeten Agentur für Raumgestaltung war ich leider kläglich gescheitert. Aber Sam hatte mich nach und nach davon überzeugen können, dass ich ihm damit im Grunde einen großen Gefallen tat. Denn so konnte ich für ihn die Renovierungsarbeiten überwachen und die gestalterische Planung übernehmen. Dadurch ersparte ich ihm die Kosten für sehr viele Arbeitsstunden. Nach Abschluss der Arbeiten wollte er das fertige Haus fotografieren und ein Verkaufsportfolio erstellen. Dieses sollte ich dann meiner zukünftigen Kundschaft präsentieren. Sofern ich je wieder den Mut aufbrächte, mich noch einmal auf den Arbeitsmarkt zu begeben …

»Haben Sie dieses Haus gezielt als Renovierungsobjekt erworben?«

»Nein. Es hat früher Sams Großeltern gehört. Sie sind in den frühen Sechzigern hier eingezogen, aber ursprünglich stammt das Haus natürlich aus der Viktorianischen Ära.«

»Natürlich.« Donovan erhob sich und ging auf das Erkerfenster zu. Vorsichtig teilte er die Lamellen der Jalousien und betrachtete die einzelnen Fensterflügel dahinter. »Darf ich?«

»Nur zu.«

Er löste den Sicherheitsriegel, der das nächstgelegene Fenster geschlossen hielt, und bewegte das Schiebeelement nach oben. Dank des verborgenen Gegengewichtmechanismus glitt es mühelos hinauf, bis es auf etwa zwei Dritteln der Gesamthöhe von der Pufferung abgebremst wurde.

»Haben Sie die Fenster austauschen lassen?«, erkundigte er sich und strich mit den Fingerkuppen prüfend am Holzrahmen entlang.

»Letzten Endes haben wir uns dafür entschieden, ja. Wir haben lange hin und her überlegt, aber schlussendlich sind wir zu der Überzeugung gelangt, dass es besser wäre, neue Fenster mit doppelter Verglasung einbauen zu lassen. Wir haben allerdings eine hohe Summe in möglichst authentische Fensterrahmen investiert.«

Von der Straße her war Lärm zu hören. Das Röhren eines vorüberfahrenden Fahrzeugs. Ein lauter Ruf von einem der Bauarbeiter draußen auf der Straße. Das monotone Piepsen von einem zurücksetzenden Auto.

Die typische Geräuschkulisse der Großstadt.

Die vielen Menschen, der Lärm und die Hektik hatten immer schon beruhigend auf mich gewirkt. Donovan schloss das Fenster und schob den Riegel vor und es herrschte Stille.

Ich sah zu, wie er die Jalousien sorgfältig in die ursprüngliche Position brachte, die Lamellen schräg stellte, den Mechanismus betrachtete und schließlich anerkennend brummte. Für eine Sekunde wirkte er nachdenklich, sein Blick schien nach innen gerichtet, als wäre er mit den Gedanken woanders.

»Die viele Mühe, die Sie hier investiert haben.« Mit diesen Worten wandte er sich mir zu und zog dabei seine Handschuhe hoch. Vielleicht hätte ich das Thermostat doch ein paar Grad höher einstellen sollen. »Warum wollen Sie verkaufen, wenn Sie mir die Frage gestatten?«

Weil wir keine andere Wahl haben, wollte ich sagen.

Doch stattdessen rang ich mir ein Lächeln ab und lieferte ihm die vorgefertigte Antwort – die Begründung, die wir auch Bethany aufgetischt hatten.

»Wir lieben dieses Haus, und es ist uns nicht leichtgefallen, es zum Verkauf auszuschreiben, aber es ist an der Zeit, dass wir London den Rücken kehren.«

Er nickte bedächtig und ging auf die Regale zu, die in die Nische neben dem Kamin eingebaut waren. Er beugte sich vor und musterte ein gerahmtes Foto, auf dem Sam und ich zu sehen waren.

Sam hatte das Bild letzten Sommer mit einer seiner alten Kameras mit Selbstauslöser aufgenommen. Wir hatten an einem der Picknicktische draußen vor dem nahe gelegenen Pub gesessen. Sam hatte auf dem Foto die Arme um mich gelegt. Ich hatte mich gegen ihn gelehnt, die Sonnenbrille in die Haare hochgeschoben. Ich sah glücklich aus und völlig entspannt, aber ich erinnere mich gut, wie niedergeschlagen ich damals war.

Es gab auch noch andere Aufnahmen. Der Großteil unverstellte Schnappschüsse, die mich in Heimwerkermontur bei verschiedenen Arbeiten am Haus zeigten. Da waren Fotos, auf denen ich das Badezimmer flieste, die Decke im Schlafzimmer strich, Tapeten aufhängte. Sam war schon von frühester Kindheit an begeisterter Hobbyfotograf. Es war eine Leidenschaft, die er von seinem Großvater geerbt hatte. Er hatte dessen Ausrüstung zusammen mit dem Haus übernommen und sich im Laufe der Zeit noch einige hochpreisige Kameras und Objektive zugelegt. Es versetzte mir einen schmerzhaften Stich, als ich daran dachte, dass Sam seine komplette Ausrüstung vor einem halben Jahr auf eBay hatte verkaufen müssen, um das neu eingebaute Badezimmer zu finanzieren.

»Wohin gehen Sie denn, wenn Sie nicht in London bleiben wollen?«, erkundigte sich Donovan.

Ich scheute mich vor der Antwort. Mein Puls flatterte und meine Kehle war wie zugeschnürt. Als er mich abwartend ansah, erkannte ich bei ihm keine Spur von Schuldbewusstsein, dass er mit seiner Frage vielleicht zu weit gegangen war.

»Das haben wir noch nicht entschieden. Der gegenwärtige Plan ist, dass wir ein Jahr lang reisen. Etwas von der Welt sehen. Sam will unbedingt nach Kanada. Ich würde ja lieber an exotischen Stränden in der Sonne liegen und im Meer schwimmen.«

In seiner Wange zuckte ein Muskel. »Klingt abenteuerlich.«

»Möchten Sie sich jetzt die Küche ansehen?«

6

Sam

»Gut. Dann wollen wir mal.« Sam sah die fünf Anwesenden einen nach dem anderen an. »Als Erstes sollte ich Ihnen wohl ein bisschen etwas über mich selbst erzählen. Ich bin Assistenzprofessor hier am Institut für Psychologie und Verhaltensforschung. Mein wissenschaftliches Interesse gilt vor allem der Frage, wie wir Glück quantifizieren und den Menschen helfen können, ihr Verhalten zu ändern, damit sie mehr positive Entscheidungen treffen, die zu einem glücklicheren und gesünderen Lebensstil führen. Aber – und das ist der Punkt, an dem Sie alle ins Spiel kommen – mindestens genauso fasziniert bin ich von Phobien jeder Art. Und ja, die richtig abgefahrenen Phobien reizen mich am allermeisten.«

Künstlerin und Depri-Girl schenkten ihm dafür jede ein Lächeln. Der Sportler richtete sich auf seinem Stuhl etwas gerader auf, ebenso aufmerksam wie alarmiert. Der Schläger stierte ihn finster an und kratzte sich den Bauch, während der Blick des Bibliothekars immer wieder nervös zur Tür wanderte, als wollte er am liebsten abhauen.

»Was ich damit sagen will: Bitte machen Sie sich locker. Denn ganz gleich, mit welchen Ängsten Sie heute hierhergekommen sind, ich werde sie so oder so höchst faszinierend finden. Und falls es Sie beruhigt: Ich glaube nicht, dass Sie mir irgendetwas erzählen wollen, was ich noch nicht gehört habe.«

Sam machte eine kurze Pause, um die Stimmung im Raum

zu sondieren. Die Mehrheit der Anwesenden schien ihm noch zu folgen. Er ging davon aus, dass der Schläger sich zunächst eher reserviert geben würde, und es überraschte ihn nicht im Geringsten, dass der Bibliothekar etwas Schreckhaftes ausstrahlte. Aber die Erfahrung hatte ihn gelehrt, wie wichtig es war, seine Referenzen und seine Erwartungen offenzulegen, um eine vertrauensvolle Grundlage für ein gewinnbringendes Gespräch zu schaffen.

Er beugte den Oberkörper leicht vor, stützte die Ellbogen auf seine Oberschenkel und legte die Fingerkuppen beider Hände aneinander. Eine etwas arg inszenierte Geste, aber sie tat ihre Wirkung.

»Ich will Ihnen einen kurzen Überblick über Phobien geben«, fuhr er fort. »Vielleicht fragen Sie sich, ob Sie wirklich an einer solchen leiden, und falls ja, ob sie überhaupt der Rede wert ist. Wie dem auch sei, ich möchte, dass Sie wissen, dass ich da bin, um Ihnen zu helfen. Ich kann Ihnen Strategien aufzeigen, Übungen mitgeben, die Sie zu Hause ausprobieren können, und ich kann Ihnen Therapeutinnen und Therapeuten nennen, falls es konkret wird.«

»Wie sehen diese Übungen aus?«, erkundigte sich der Schläger.

»Darauf gehe ich später näher ein, wenn das für Sie in Ordnung ist.«

»Was, wenn sie nichts bringen?«

»Die Chancen, dass sie wirken, stehen sehr gut. Viele der Teilnehmerinnen und Teilnehmer meiner früheren Selbsthilfegruppen haben sie als sehr nützlich empfunden.«

»Na, das ist doch beruhigend.« Die Künstlerin grinste und zog die Schultern hoch.

»Gut. Eine andere Sache, die ich von vornherein klarstellen sollte, ist folgende: Wir alle sind in unserem Leben Ängsten und Stress ausgesetzt. Das ist vollkommen normal. Ich zum Beispiel versuche aktuell, ein Haus zu verkaufen, das ich geerbt habe. Und obwohl das ja eigentlich eine gute Sache sein sollte, stellt es mich doch vor einige Probleme. Da wären die finanziellen Sorgen, Überlastung, Schuldgefühle. Ständig kreisen meine Gedanken um Fragen, auf die es momentan keine Antworten gibt. Wird es mir gelingen, es zu verkaufen? Wann werde ich es verkaufen? Zu welchem Preis? Aber selbst wenn mir das Ganze schlaflose Nächte bereitet, handelt es sich um eine ganz gewöhnliche Sorge. Es ist ein Teil der alltäglichen Anstrengungen und Herausforderungen. Wenn wir von Phobien sprechen, meinen wir hingegen anhaltende, irrationale und übertriebene Ängste, die für die Betroffenen sehr kräftezehrend sein können, ihnen manchmal auch über den Kopf wachsen.«

Wieder machte er eine kurze Pause. Er war sich der aufmerksamen Stille im Raum bewusst, spürte, wie sie ihm nun alle fünf an den Lippen hingen, als hielte er vielleicht – nur vielleicht – den Schlüssel in der Hand, der sie aus den mentalen Käfigen, in denen sie festsaßen, befreien könnte.

»Bleibt eine Phobie unbehandelt, und ich nehme an, einige von Ihnen haben das selbst schon festgestellt, kann es mehr und mehr zu einer Herausforderung werden, den Alltag zu bestreiten.«

Der Schläger knurrte. »*Unmöglich* trifft es wohl eher.«

»Warum fangen wir dann nicht einfach mit Ihnen an?«, sagte Sam zu dem Mann. »Möchten Sie uns von Ihren Erfahrungen berichten?«

7

Donovan ging voraus die drei Stufen nach unten und auf die große Kochinsel zu. Drei hölzerne Barhocker standen entlang der Arbeitsfläche, mit Blick über die Kochinsel zum Herd, der sich in die graue Küchenzeile im Shaker-Stil an der gegenüberliegenden Wand einfügte. An der Seite zum Wohnbereich hin hatten wir ein Bücherregal einbauen lassen.

Ich blieb zurück, hielt Distanz.

»Man sieht, dass Sie hier einiges reingesteckt haben«, sagte Donovan und klopfte anerkennend mit den Knöcheln auf die Arbeitsplatte aus Granit.

»Ja, das haben wir.«

Mir war es beinahe peinlich, dass die Küche so luxuriös ausgestattet und großzügig war, wo die Mahlzeiten, die wir darin zu uns nahmen, doch eher bescheiden ausfielen. Sam und ich kochten nur selten aufwendigere Gerichte. Und das nicht nur, weil wir es uns im Augenblick nicht leisten konnten. Unsere Geschmäcker waren recht einfach, worüber Sam gerne Witze machte. Erst letzte Woche hatte er eine pompöse Show abgezogen, als er mir bei Kerzenschein Suppe und ein Sandwich servierte.

»Wann wurde sie eingebaut?«

»Vor etwas weniger als drei Monaten. Einige der Schränke sind noch leer. Das war eine der letzten Arbeiten, die durchgeführt wurden. Die Geräte sind durchgehend von höchster Qualität. Es gibt einen Dampfbackofen. Eine amerikanische

Kühl-Gefrier-Kombi. Eine eingebaute Kaffeemaschine. Sam hat mich außerdem dazu überredet, uns zwei Spülmaschinen zuzulegen.«

»Zwei Spülmaschinen? Wofür das?«

»Nun, während die eine läuft, belädt man die andere. So bleiben die Oberflächen sauber, nichts steht herum.«

»Hm. Ist Ihrem Mann so etwas wichtig?«

Ich verspürte einen leichten Groll. »Uns beiden.«

Er nickte, streckte die Hand nach dem Wasserhahn aus Messing aus und ließ einen dampfenden Strahl heißes Wasser ins Spülbecken laufen. Er drehte den Hahn wieder zu und ließ ein zufriedenes Brummen vernehmen.

»Das Haus ist wirklich in makellosem Zustand.«

»Wir haben es gerne ordentlich.«

»Ich wünschte, ich könnte das Gleiche über meine Wohnung sagen. Sieht es hier immer so aus oder haben Sie die Räume für den Verkauf extra auf Vordermann gebracht?«

Er fragte es beiläufig, aber mir war klar, dass er damit ausloten wollte, wie dringend wir verkaufen mussten.

Jetzt ist Vorsicht geboten.

»Wenn ich ehrlich bin, ist es ein bisschen was von beidem.«

»Mir ist aufgefallen, dass fast alle Fotos im Haus Sie bei den Renovierungsarbeiten zeigen. War das Bethanys Vorschlag?«

Ich spürte, wie ich innerlich die Schutzschilde hochfuhr. Ich glaubte, genau zu wissen, worauf er hinauswollte. Die allgemeine Empfehlung lautete, dass man bei Besichtigungen weitestgehend auf alles Private verzichten sollte. Dass man also keine persönlichen Sachen wie Familienfotos und Fotos von Freunden herumstehen ließ. Schließlich sollte der potenzielle Käufer sich vorstellen können, selbst im besichtigten Objekt zu wohnen. In Wirklichkeit aber hatte unser Entschluss, Fotos vom Renovierungsprozess aufzuhängen, nicht das Geringste mit Bethany zu tun, geschweige denn mit irgendeinem wertvollen Ratschlag ihrerseits.

Natürlich würde ich mich hüten, einem Wildfremden den eigentlichen Grund für das Fehlen von Familienfotos auf die Nase zu binden. Denn die bittere Wahrheit war, dass ich keine Familie mehr hatte, die sie hätten zeigen können. Als ich vor einigen Jahren nach London zog, hatte ich kurz zuvor herausgefunden, dass mein Ex mich mit meiner besten Freundin betrog. Ich hatte sämtliche Verbindungen zur Vergangenheit gekappt und den Kontakt zu so gut wie allen Leuten, die mich an mein früheres Leben erinnerten, abgebrochen. Damals war ich fest entschlossen gewesen, in der Stadt komplett neu anzufangen.

Bei Sam verhielt es sich ähnlich. Fotos seiner Eltern an den Wänden wären für ihn zu schmerzhaft gewesen. Sie waren gestorben, als er noch ein Teenager war, lange bevor wir beide uns kennenlernten. Seine Großeltern hatten ihn bei sich aufgenommen. Ein weiterer Grund, weshalb ihm dieses Haus so viel bedeutete.

»Entschuldigen Sie«, sagte Donovan und machte eine abwehrende Geste. »Geht mich nichts an.« Er trat ans Ende der Kücheninsel, wo er in die Hocke ging, um etwas unter der Arbeitsplatte zu begutachten. »Hübscher Weinkühlschrank.«

»Danke.«

»Wer von Ihnen ist hier der Sauvignon-Blanc-Fan?«

»Das bin in erster Linie ich.«

Tatsächlich trank Sam in der Regel eher Lager, zu den seltenen Gelegenheiten, wo er überhaupt Alkohol trank, wohingegen ich mir fast jeden Abend ein Glas Wein genehmigte. Manchmal, wenn die Angst mich packte und nicht mehr losließ, trank ich klammheimlich auch schon am Nachmittag.

»Können Sie mir etwas über die Nachbarn erzählen?«, erkundigte sich Donovan. Er richtete sich auf und ging auf die großen Lofttüren am gegenüberliegenden Ende des Küchenbereichs zu, gleich neben der eigenhändig von uns freigelegten Backsteinwand. Dort standen auch der große Esstisch aus Eiche und die beiden Bänke, über die ich Schaffelle gebreitet hatte.

Ich sah zu, wie er den Hals reckte, um nacheinander zu den beiden Reihenhäusern rechts und links von unserem zu spähen.

»Auf der einen Seite lebt ein Paar mit zwei Kindern im Teenageralter. Sie arbeiten beide als Anwälte im Stadtzentrum. Die Kinder sind fast den ganzen Tag über in der Schule.«

»Sie spielen nicht zufällig Schlagzeug, oder?«

»Nein, zum Glück nicht. Momentan sind sie in Urlaub. Die Kinder besuchen eine Privatschule, sie haben gerade Winterferien. Die Familie besitzt ein Wochenendhaus in Cornwall.«

»Und auf der anderen Seite? Das Haus, das fast an Ihres stößt?«

»Da wohnt John. Er ist Rentner.«

»Und dort drüben?« Er deutete auf die Rückseite des Reihenhauses, das den Garten hinter unserem Haus überragte. Es lag an der Parallelstraße.

»Hab keinen Schimmer, tut mir leid. Das ist London.«

Eine Sekunde lang kam es mir vor, als hätte er mich nicht gehört. Er starrte immer noch auf die Rückseite des Hauses, bis mir dämmerte, dass ich vielleicht ein paar Worte mehr darüber verlieren sollte, wenn ihm seine Privatsphäre schon so wichtig war. Krampfhaft überlegte ich, was Bethany in so einem Fall antworten würde.

»Nun, ich kann Ihnen versichern, dass sie sich so gut wie nie im hinteren Garten aufhalten. Vom Obergeschoss aus werden Sie erkennen, dass er ziemlich verwildert ist, er wird kaum genutzt. Im Grunde sind es nur das Badezimmerfenster und dieses eine Schlafzimmerfenster, von denen aus man zu uns herübersehen kann, deshalb hatten wir nie irgendwelche Bedenken.«

Er schwieg, schien meine Antwort abzuwägen, ehe er auf den Schlüssel im Schloss ungefähr auf Höhe seiner Hüfte deutete.

»Kann ich mal einen Blick rauswerfen?«

»Selbstverständlich.«

Rasch drehte er den Schlüssel um, schob die Tür auf und trat hinaus in den Garten. Meine kleine Wohlfühloase.

Der Platz war begrenzt, deshalb hatte ich alles möglichst schlicht gehalten. Die Terrassenfliesen aus Porzellan hatten einen modernen bläulichen Grauton und funkelten wie Eis an einem regnerischen Tag. Wir hatten sie exakt auf einer Höhe mit dem Fußboden im Haus verlegt und von einem Elektriker ein paar dezente Bodenstrahler einbauen lassen. Die Backsteinmauern ringsum hatte ich weiß gestrichen und abschließend hatten Sam und ich darauf Lamellenzaunelemente montiert, wie sie gerade in Mode waren. In der hinteren Ecke befand sich unter einem Sonnensegel ein von Hochbeeten eingefasster Sitzbereich, ringsum Blumentöpfe, mit Formschnittpflanzen, Lavendel und Küchenkräutern.

Während Donovan sich den Außenbereich ansah, ging ich auf die offen stehende Tür zu, stützte mich am Metallrahmen ab und lehnte den Oberkörper hinaus in die kühle, feuchte Luft.

Ich erinnerte mich an eine Situation, die noch gar nicht lange her war. Es war spätabends gewesen, ich hatte mit Sam dort draußen eng umschlungen zu Musik aus dem Küchenradio getanzt. Zugegeben, Sam ist ein lausiger Tänzer, aber nach und nach hatte er sich entspannt und auch von mir war die Anspannung abgefallen. Jetzt wurde mir schlagartig bewusst, dass wir mit dem Verkauf des Hauses nicht nur jede Menge Blut, Schweiß und Tränen hinter uns ließen, sondern uns auch von einer ganzen Reihe schöner Momente verabschieden mussten.

»Und, wie finden Sie es?«, fragte ich Donovan.

Er starrte wieder am Nachbarhaus empor und musterte es eindringlich. »Es gibt keinen Hintereingang zum Haus?«

»Nein. Der Garten beginnt gleich hinter dieser Mauer. Zwischen den Grundstücken verläuft keine Gasse.«

»Gab es jemals Probleme deswegen?«

»Nicht für uns. Im Gegenteil, es trägt zu einer besseren Privatsphäre bei. Und es ist um einiges sicherer.« Instinktiv hob ich die Hand an die Kehle. Dann überspielte ich meine unbedachte Geste, indem ich auf den Kaffeetisch und die Stühle deutete. »Das hier ist ein richtig ruhiges Fleckchen. Vor allem im Frühling und im Sommer sitzt man hier wunderbar.«

»Mhm.«

Es wurmte mich, dass er kein besonderes Interesse an meiner Sitzecke zeigte. Ich war mit dem Ergebnis überaus zufrieden gewesen. Stattdessen legte er den Kopf in den Nacken, schirmte mit beiden Händen seine Augen ab und betrachtete die Rückseite unseres Hauses.

»Das Dach ist neu«, erklärte ich ihm. »Der Austausch der Dachziegel war das Erste, das wir in Angriff genommen haben.«

»Sie finden immer genau die richtigen Worte, Lucy.«

»Ach ja?«

»Sobald Bethany hier eintrifft, werde ich ihr mitteilen müssen, dass sie bald arbeitslos werden könnte.« Er nahm die Arme herunter und ließ den Blick noch einmal flüchtig über den Außenbereich schweifen. »Hat sie gesagt, wann sie hier eintrifft?«

»Nein. Nur dass sie so schnell wie möglich hier sein wollte.«

Er starrte mich eindringlich an, als würde er durch mich *hindurch*sehen – und in dem Moment spürte ich es. Das Prickeln auf meiner Haut. Das ungute Gefühl, dass sich jemand von hinten an mich heranschlich.

Nicht jetzt.

Aber ich kam nicht dagegen an.

Ich nutzte seine Frage zu Bethanys Verbleib als Vorwand, drehte mich auf dem Absatz um und lehnte mich demonstrativ zur Seite, um durch die Küche zur Haustür zu spähen.

Ein Anflug von Erleichterung.

Da war niemand.

»Wollen wir uns als Nächstes den Keller ansehen?«

Ich drehte mich wieder zu ihm um und erschrak. Er stand direkt neben mir.

»Entschuldigung«, sagte er. »Ich wollte Ihnen keinen Schrecken einjagen.«

8

Sam

»Mein Problem ist das Erbrechen«, sagte der Schläger.

»Ach ja, das kenne ich«, warf der Athlet ein. »Ich hatte auch mal Bulimie.«

»Nein, so meine ich das doch nicht. Ich rede von *echter* Übelkeit. Von ...«

Der Schläger unterbrach sich und hob die geballte Faust vor den Mund. Seine Wangen und Augen traten hervor und seine Brust hob und senkte sich unregelmäßig. Er trug ein ausgewaschenes Polo-Hemd, und Sam beobachtete mit wachsender Besorgnis, wie sich seine andere Hand über das Krokodilemblem auf Höhe seines Herzens legte.

»Schon gut«, beruhigte Sam ihn und registrierte gleichzeitig, wie die anderen Gruppenmitglieder instinktiv zurückwichen. »Lassen Sie sich Zeit.«

Der bullige Kerl nickte und ließ den eierförmigen Kopf hängen, die Faust immer noch krampfhaft vor den Mund gepresst. In dieser Haltung starrte er auf den Boden zwischen seinen Füßen und atmete schwer. Als er wieder aufblickte, war sein Gesicht hochrot, die Augen feucht. Er wischte sich über die Lippen, bevor er weitersprach.

»Tut mir leid. Mein Problem ist ... *Kotze*«, presste er mit belegter Stimme hervor und bedeckte noch einmal seinen Mund. »Ich ertrage Erbrochenes einfach nicht.« Er schüttelte den Kopf. »Ich ertrage noch nicht mal den Gedanken daran. Da ist diese ständige Angst, mich übergeben zu müssen. In letzter Zeit ist es besonders schlimm.«

Sam bekundete durch verständnisvolles Nicken sein Mitgefühl, auch wenn er insgeheim einen leichten Anflug von Enttäuschung verspürte. Solche Geschichten hatte er schon tausendfach gehört. Es war eine Ewigkeit her, seit er das letzte Mal etwas wirklich Überraschendes zu hören bekommen hatte. Nicht dass er das dem Schläger unbedingt auf die Nase binden musste.

»Können Sie sich erinnern, wann das anfing?«

Der Boxer leckte sich über die Lippen und fixierte ihn mit einem gequälten Blick. »Irgendwie war das wohl immer schon da, aber dann, vor ein paar Monaten ...« Er verstummte wieder, hob eine Hand an den Mund, senkte wie vorhin schon den Kopf und atmete keuchend. Er brauchte einen Moment, bevor er weitersprechen konnte, und Sam gab ihm die Zeit. »Ich bin Taxifahrer, wissen Sie? Und hatte dieses schwangere Mädel in meinem Cab. Tja, und dann hat sie mir einfach ...« Er verzog das Gesicht. »Ich wusste nicht, was ich tun soll, die Situation hat mich komplett überfordert. Ich musste anhalten und aussteigen und einen Kumpel anrufen, damit der kommt und mir hilft. Am Ende musste er das Taxi zu einem Reinigungsdienst bringen, damit die sich darum kümmern. Trotzdem konnte ich es hinterher immer noch riechen.«

»Das war sicher nicht leicht.«

»Es war ein Albtraum, Mann. Und jetzt krieg ich jedes Mal Panik, wenn ich einen Fahrgast abhole. Die Tür fällt zu, und mir kommt sofort der Gedanke, wird der wohl ...? Werde ich ...?« Er fächelte vor seinem Gesicht herum, als müsste er einen imaginierten Geruch wegwedeln. »Und dann, gerade weil ich daran *denke*, wird mir kotzübel, und ich muss den Wagen anhalten, denn wenn ich ...«

»Wir können es uns ungefähr vorstellen, danke«, sagte Depri-Girl angewidert.

»Ach ja? Na, dann mach doch du gleich weiter«, gab der Schläger gereizt zurück. »Weswegen bist du da?«

9

Ich zog mich ins Haus zurück, umrundete die Kücheninsel und stand verdruckst da, aus jeder Pore Unbehagen verströmend. Mit beiden Händen klammerte ich mich an der Kante der Arbeitsfläche fest und rang mir ein Lächeln ab, als Donovan die Tür zum Garten hinter sich zuschob und absperrte. Dann drehte er sich zu mir um und musterte mich.

»Lucy? Alles in Ordnung mit Ihnen?«

Die Tür zum Keller befand sich nur wenige Schritte entfernt zu meiner Linken, gleich hinter der Küchenzeile. Der große Treteimer stand direkt vor der Tür, wir mussten nicht oft in den Keller. Sam bewahrte dort in erster Linie das Werkzeug auf, das wir für die Renovierungsarbeiten gebraucht hatten. Aber das war nicht der einzige Grund, warum der Abfalleimer ausgerechnet an der Stelle stand. Er war eine Art Sicherheitsbarriere für mich. Wenn auch eine rein psychische.

»Sie werden das vielleicht seltsam finden«, sagte ich.

»Wer weiß? Vielleicht ja nicht.«

Er klang so gefasst. So ruhig und geduldig. Das brachte mich abermals zu der Überlegung, ob er womöglich Erfahrung im medizinischen Bereich hatte. Jedenfalls schien er gut mit labilen und verletzten Menschen umgehen zu können.

»Ich kann nicht in den Keller runtergehen.«

Ich stieß die Worte so hastig hervor, als wollte ich es möglichst schnell hinter mich bringen, wie wenn man ein Pflaster herunterriss.

»Okay«, entgegnete er gedehnt.

»Ich leide an Klaustrophobie«, erklärte ich rasch.

»Ach so, alles klar. Als ich gerade erwähnte, dass ich in den Keller runtergehen will, da …«

Er deutete wortlos auf die Tür und ich verzog das Gesicht, beugte mich leicht vor und hielt mir die Seite.

»Tut mir leid. Allein beim Gedanken daran wird mir ganz anders.«

»So schlimm?«

Ich schlug die Augen nieder und nickte. In Wirklichkeit aber war es noch viel schlimmer. Ich spürte, wie sich von den Rändern meines Bewusstseins her ein düsterer Schatten in mein Sichtfeld drängte. Natürlich hatte Sam da unten richtig Arbeit reingesteckt, von den Fotos, die er mir gezeigt hatte, wusste ich, dass es dort unten überhaupt nicht düster, feucht oder schmuddelig war. Die Räume waren gut beleuchtet und luftig, und Sam hatte viele Tage damit verbracht, alten Krempel zu entsorgen, die Wände zu streichen, die gefliesten Böden zu fegen und zu wischen und eine Werkbank einzurichten. All das wusste ich und trotzdem hatte ich beim Gedanken an den Keller ausschließlich Bilder von undurchdringlicher Schwärze und Feuchtigkeit vor Augen.

»Mir geht es auch mit Aufzügen so. Und Tunneln. Selbst in unterirdischen Parkhäusern kriege ich Zustände. Es ist einfach die Vorstellung, dass da keine Fenster sind, ich fühle mich eingesperrt und …«

»Ja, ich verstehe.«

Aber er erfasste mit Sicherheit nicht das ganze Ausmaß meiner Angst. *So viel* würde ich ihm nicht anvertrauen.

Es ist alles nur in deinem Kopf. Du kannst es jederzeit kontrollieren. Das sind nur Gedanken, sie gehen vorüber.

Beinahe glaubte ich, Sams Stimme zu hören. Er hatte mich

in der Vergangenheit durch genügend Panikattacken begleitet, mir den Rücken gestreichelt, mir sanft über die Haare gestrichen. Das, was ich an unserer Beziehung am meisten schätzte, war die Tatsache, dass ich mich in seiner Gegenwart verletzlich zeigen konnte, dass ich mich jederzeit darauf verlassen konnte, dass er für mich da wäre, und das, obwohl ich mir nicht sicher gewesen war, ob ich je wieder einem Menschen vertrauen könnte, nach allem, was mit meinem Ex gewesen war. Wobei ich mir manchmal durchaus Gedanken machte, weil ich sicher nicht der spaßigste Umgang war. Mehr als einmal hatte ich Sam gegenüber angemerkt, wie frustrierend es für ihn sein müsse, dass seine Methoden bei mir nicht recht fruchteten. Ich wusste, dass sie vielen der Teilnehmerinnen und Teilnehmern seiner Selbsthilfegruppen geholfen hatten, schließlich hatte ich die zahlreichen Dankeskarten und Geschenke in seinem Büro gesehen.

Sam aber lächelte jedes Mal nur milde und versicherte mir, das sei für ihn kein Problem. Mein Fall sei einfach nur etwas komplexer und hartnäckiger als andere. Und obwohl mir bewusst war, dass er wahrscheinlich recht hatte – denn ich wusste natürlich besser als jeder andere, wie sehr dieses traumatische Erlebnis meine Phobie verschärft hatte –, kam ich nicht gegen das Gefühl an, ihn zu enttäuschen.

Es dauerte einen Moment, bis ich realisierte, dass Donovan sich nachdenklich übers Kinn strich und den Blick zwischen mir und der Kellertür hin und her wandern ließ.

»Es gibt da nur ein Problem«, sagte er schließlich. »Wenn ich ehrlich bin, ist der Keller, den ich in den Plänen gesehen habe, für mich einer der größten Kaufanreize. Ich besitze eine Reihe von Fitnessgeräten und Gewichten. Wenn ich ein Haus kaufe, will ich nicht, dass das Zeug mir im Weg herumsteht. In der Objektbeschreibung stand, dass der Keller komplett ausgebaut ist, deshalb …«

»Ja, das ist er.«

»Gut. Im Grunde ideal für mich. Die Räume da unten. Wenn es also geht, würde ich gern einen Blick hinunterwerfen.«

»Oh, sicher doch! Aber würde es Ihnen etwas ausmachen, zu warten, bis Bethany eintrifft?«

»Klar. Warum nicht. Wollen Sie mir dann vielleicht das Obergeschoss zeigen?«

10

Sam

»Also, mein Problem ist das Schlafen«, sagte Depri-Girl.

»Inwiefern?«, hakte Sam nach.

Die junge Frau schob die Hände in die Taschen ihres Hoodys – er war schwarz, mit einer Anime-Figur auf der Brust –, dann zog sie die Schultern nach vorn und machte sich ganz klein.

»Schlafen macht mir Angst«, sagte sie und senkte den Kopf, verbarg ihr Gesicht hinter einem Vorhang aus Haaren. »Ich habe Panik, dass ich im Schlaf sterben könnte. Dass ich nicht wieder aufwache. Oder dass jemand mich im Schlaf überfällt.«

»Du lieber Himmel«, sagte der Schläger.

Verschüchtert sah sie zu Sam auf, und er nickte, ermutigte sie zum Weitersprechen. Jetzt, da er ihr seine Aufmerksamkeit schenkte, bemerkte er die verquollenen Partien um Mund und Augen, vielleicht hatte ihr Teint sogar einen leichten Stich ins Gelbliche.

»Das, was Sie da beschreiben, kommt weit häufiger vor, als Sie vielleicht glauben«, versicherte er ihr. »Dieses Krankheitsbild nennt sich Somniphobie.«

»Ich weiß, ich habe es gegoogelt. Aber …« Sie hob ratlos die Schultern. »Ich habe keinen Schimmer, woher diese Angst kommt.«

»Möglicherweise gibt es keine konkrete Ursache. Oder es spielen mehrere Faktoren eine Rolle. Viele Phobien können multiple Ursachen und komplexe Auslöser haben, die zufällig zusammenkommen oder sich überlagern.«

»Früher hatte ich keine Probleme damit, aber dann hatte ich plötzlich diese Vorstellung im Kopf, dass ich im Schlaf sterben könnte, und dann ging diese Angst nicht mehr weg und …«

Sie unterbrach sich, um sich übers Auge zu streichen. Dabei rutschte ihr Ärmel ein Stück zurück und entblößte etwas an der Innenseite ihres Handgelenks, das nach unzähligen kleinen Schnittwunden oder Abschürfungen aussah. Die Künstlerin atmete scharf ein, weshalb Sam annahm, dass sie die Verletzungen ebenfalls bemerkt hatte.

»Ich bin einfach so unendlich müde.« Die Stimme des Mädchens brach. »Die ganze Zeit. Selbst während ich hier sitze, bin ich im Zweifel, wie viel von alldem hier real ist, wenn überhaupt. Ich habe höllische Kopfschmerzen, krieg keinen Bissen runter.«

»Tut mir leid, das zu hören«, gab Sam zurück.

»Armes Ding«, sagte die Künstlerin.

»Hast du es schon mal mit Schlaftabletten versucht?«, fragte der Bibliothekar.

»Nein.« Depri-Girl schüttelte vehement den Kopf. »Die würden alles nur schlimmer machen.«

»Sport?«, schlug der Sportler vor.

»Ja, manchmal.« Ein brüchiges Lächeln. »Wenn ich mich dazu aufraffen kann, was nicht oft vorkommt.«

»Was passiert, wenn Sie schlafen?«, fragte Sam. »Sie müssen doch hin und wieder schlafen.«

Sie zog sich die Ärmel ihres Kapuzenshirts über die Hände und hielt den Stoff mit den Nägeln fest. Ihr abgeblätterter Nagellack hatte denselben dunklen Lilaton wie ihr Lippenstift.

»Es ist unerträglich. Wenn ich schlafe, dann nie richtig tief, weil ich so angespannt bin und vor lauter Angst versuche, immer ein Auge offen zu halten und … bitte, ich will einfach nur, dass es aufhört.«

Sie sah Sam flehend an. Es wurde still im Raum, keiner rührte sich.

Das wollten sie alle, das wusste er. Sie wollten, dass ihre Phobien endlich ein Ende hatten.

Die große Herausforderung – vielleicht sogar der schwierigste Part überhaupt – war, ihnen zu helfen, ohne überzogene Versprechungen zu machen.

»Hierherzukommen, war schon mal ein erster entscheidender Schritt in diese Richtung«, sagte er. »Sich das Problem einzugestehen, Hilfe zu suchen. Sie dürfen sich selbst auf die Schulter klopfen, dafür, dass Ihnen das gelungen ist. Im Ernst, Sie können stolz auf sich sein.« Er wartete ab, bis sie dies mit einem Nicken und einem zaghaften Lächeln quittierte. Dann ließ er noch einige Sekunden verstreichen, ehe er sich dem Sportler zuwandte. »Und Sie? Sie sagten was von Hypochondrie?«

11

Als Donovan bereits auf halber Treppe war, sah er sich nach mir um und warf mir ein aufmunterndes Lächeln zu. Zaghaft streckte ich die Hand nach dem Geländer aus.

Babysteps. Einen Schritt nach dem anderen. Komm schon, du schaffst das.

Es fiel mir nicht leicht. Meine Beine waren taub. Meine Instinkte warnten mich, dringend Abstand zu halten. Aber auch wenn ich selbst nicht fassen konnte, dass ich ihm folgte, wusste ich, dass ich mich ausnahmsweise am Riemen reißen musste. In diesem Zusammenhang fiel mir einer von Sams Standardsprüchen ein. Während der Renovierungsphase hatte ich ihn oft genug zu hören bekommen, begleitet von einem wissenden Grinsen: *Veränderung erreicht man nur, indem man etwas verändert.*

Aber ich sprang nicht nur deshalb über meinen Schatten, weil wir das Haus zwingend verkaufen mussten. Ich tat es auch für mich. Denn ich musste das Erlebte früher oder später hinter mir lassen, daran führte kein Weg vorbei. Vielleicht war jetzt der Zeitpunkt gekommen.

»Tatsächlich ist das Sams Spezialgebiet«, platzte ich heraus.

»Ich verstehe nicht.«

»Irrationale Ängste. Wie meine Klaustrophobie. Das ist eines von Sams zentralen Forschungsgebieten. Er hat ganze Abhandlungen dazu geschrieben. Und er unterrichtet im Rahmen eines Bachelorstudiengangs.«

»Haben Sie beide sich so kennengelernt?«

»Um Himmels willen, nein.« Ich zwang mich zu einem Lachen. Gerade trat er auf den oberen Treppenabsatz, wo er stehen blieb und sich noch einmal zu mir umdrehte. Er sah mich an, als würde er auf weitere Anweisungen von mir warten.

»Wenn Sie einfach geradeaus weitergehen, gelangen Sie zum Gästezimmer«, erklärte ich.

»In Ordnung.«

Er setzte sich wieder in Bewegung und ich folgte ihm die Stufen hinauf.

»Sam und ich haben uns in einem Möbelhaus kennengelernt. Ich war dort angestellt«, rief ich hinter ihm her. »Das war, bevor er mit der Renovierung des Hauses begann. Er machte auf mich den Eindruck, als könnte er Hilfe gebrauchen.«

»Und da haben Sie sich seiner erbarmt?«

»So ungefähr.«

Ich war jetzt ebenfalls oben angekommen und blieb zögernd stehen. Das große Familienbadezimmer lag ein paar Schritte vor mir zur Rechten, Donovan stand neben der Tür.

Schwindel erfasste mich.

Tu's nicht.

Für einen alarmierenden Moment war mir, als würden sich die Wände auf mich zuschieben, mich erdrücken, Donovan ragte beängstigend groß vor mir auf, seine Umrisse wirkten verwaschen und undeutlich. Da er mit dem Rücken zu mir stand, hätte er jeder x-Beliebige sein können, ein Fremder, und genau darin lag mein Problem.

Ganz ruhig. Atme einfach.

»Dieses Haus hat Sie beide also zusammengebracht?«

»Könnte man so sagen.« Meine Stimme klang in meinen

Ohren ganz normal. »Sam hat mir damals erzählt, dass er vorhabe, ein komplettes Haus zu renovieren, aber nicht recht wisse, was da auf ihn zukommt. Ich habe wahrscheinlich erwähnt, dass ich ein wenig Erfahrung in Sachen Einrichten und Design habe. Er fragte mich, ob ich während meiner Mittagspause Zeit für einen Kaffee hätte. So fing alles an.«

Wobei ich mich nach wie vor nur verschwommen erinnerte. So ging es mir mit fast allem, was damals war. Ich war zu dem Zeitpunkt nicht in allerbester Verfassung. Ich schlief schlecht, war deprimiert, hatte Angstzustände, wagte mich kaum unter Leute. Meine Agentur ging gerade den Bach runter; deshalb arbeitete ich ja auch in diesem Möbelgeschäft.

Fragte man allerdings Sam, war unsere erste Begegnung so etwas wie eine Szene aus einer romantischen Filmkomödie. Er hatte mir die Story viele Male erzählt. Wie er vom ersten Moment an gewusst hatte, dass ich *die eine* für ihn war. Wie er bei unserem ersten Gespräch die ganze Zeit Angst hatte, etwas Falsches zu sagen und alles zu ruinieren. Dass er, während ich eine grobe Skizze erstellte und den Vorschlag machte, er solle sich bei der Entwicklung eines zusammenhängenden Gestaltungsschemas zunächst auf bestimmte Bereiche konzentrieren, an nichts anderes denken konnte als daran, wie er mich am besten wiedersehen könnte.

Sechs Wochen später zogen wir zusammen und machten uns an die Vorbereitungen für die Arbeiten am Haus. Es ging alles sehr schnell, fast ein wenig überstürzt, aber wie Sam es damals so schön ausdrückte: Manchmal *weiß* man es einfach.

»Hier entlang?«, fragte Donovan und deutete den Flur hinunter.

»Ja.«

Sein teuer aussehender Mantel bauschte sich hinter ihm, als er weiterging. Mit einem Anflug von schlechtem Gewissen fiel mir auf, dass ich ihn vorhin hätte auffordern sollen, Mantel und Handschuhe abzulegen, vielleicht hätte er etwas trinken wollen.

Insgeheim wusste ich natürlich, dass ich nicht daran gedacht hatte, weil ich Bethanys Ankunft so ungeduldig herbeisehnte und weil ich die Besichtigung nicht unnötig in die Länge ziehen wollte. Ich wollte das hier einfach nur möglichst schnell hinter mich bringen. Außerdem erinnerte mich die Tatsache, dass Donovan seinen Mantel anbehalten hatte, daran, dass er letzten Endes wieder von hier verschwinden würde. Er hatte selbst gesagt, er müsse in einer halben Stunde weg, und mittlerweile war er bestimmt schon an die zehn Minuten hier.

Zum ersten Mal kam mir der Gedanke, er könnte vielleicht noch eine weitere Besichtigung auf seiner Agenda haben. Es lag natürlich nahe, denn Bethany hatte mir erklärt, er sei hochmotiviert und wolle unbedingt etwas kaufen ...

Pass bloß auf, sonst vermasselst du das hier. Lass dich nicht von deinen Ängsten unterkriegen. Er will ein Haus kaufen. Jetzt sorg gefälligst dafür, dass es dieses Haus ist.

»Sie werden sehen, das Zimmer ist sehr hübsch«, sagte ich und gab mir alle Mühe, mich nicht von dem verzweifelten Unterton beirren zu lassen, der sich in meine Stimme geschlichen hatte. »Es ist das kleinste Schlafzimmer, bietet aber reichlich Platz.«

Er trat ein und stand einige Sekunden lang schweigend da. Ich schloss zu ihm auf und blieb im Türrahmen stehen.

»Und, wie finden Sie es?«, fragte ich.

»Ehrlich?« Er drehte sich zu mir um und sah mich nachdenklich an. Die Intensität seines Blicks brachte mich ein wenig aus dem Konzept. »Für mich ist es ein Schlafzimmer wie jedes andere auch.«

»Der Kamin ist voll funktionstüchtig.«

»Okay.«

»Momentan steht hier ein Standard-Doppelbett, man könnte aber auch ein Queensize- oder Kingsize-Bett unterbringen, wenn man möchte. Oder ein Einzelbett oder Stockbetten, falls Sie Kinder haben.«

Er wandte den Blick ab, ohne darauf einzugehen. Schwer zu sagen, ob er meinen Kommentar bewusst ignorierte. Ich konnte mir gut vorstellen, dass er gerissen genug war, mich zu durchschauen. Natürlich versuchte ich, mehr über ihn zu erfahren, genau wie er vorhin versucht hatte, sich ein Urteil über mich zu bilden. Es war das erste Mal, dass ich einem potenziellen Käufer für unser Haus persönlich begegnete, und mir war klar, dass Sam hinterher sämtliche Einzelheiten zu seiner Person würde hören wollen.

Ich stellte mir vor, wie er mich mit Fragen löcherte: *Hat er interessiert gewirkt? Wie groß war sein Interesse? Hat er auf dich den Eindruck gemacht, als könnte er uns ein faires Angebot machen?*

Wenn ich in Erfahrung brächte, ob Donovan Kinder hatte, würde uns das vielleicht helfen, einige von diesen Fragen zu beantworten. Die örtliche Grundschule galt als herausragend und zahlreiche berufstätige Eltern mit schulpflichtigen Kindern griffen tief in die Tasche, um in die Nähe dieser Schule ziehen zu können.

Das Thema Kinder hatte Sam auch angeschnitten, als wir mit der Renovierung dieses Zimmers am Fertigwerden waren. Ich stand gerade auf einer Trittleiter und befestigte einen Lampenschirm aus Rattan an der Decke, als er sich räusperte und sagte: »Weißt du, das hier wäre das perfekte Kinderzimmer.«

Ich war leicht ins Wanken geraten, deshalb hatte er mir eine Hand aufs Schienbein gelegt und mich gestützt.

»Aufpassen«, hatte er gesagt.

»Wir können es uns nicht leisten, hier zu wohnen«, hatte ich ausweichend geantwortet, den Blick angestrengt auf die Lampenfassung geheftet.

»Das stimmt. Aber manchmal tue ich gern so, als könnten wir es. Träumen wird wohl erlaubt sein.«

Ich war mit dem Aufhängen des Lampenschirms fertig und Sam schraubte die Glühbirne ein. Dann half er mir von der Leiter herunter.

»Was meinst du?«, flüsterte er.

Ich sah zu ihm auf und merkte, wie nervös er war, aber auch voller Hoffnung.

»Ein Baby?«, fragte ich zweifelnd.

»Warum nicht?«

Tief in mir drin jubilierte ich.

»Was ist mit Reisen?«, stellte ich die Gegenfrage.

»Wie wäre es, wenn wir das im Anschluss tun?«

»Es ist dir wirklich ernst damit?«

»Nichts könnte mich glücklicher machen.«

Während ich jetzt an diesen Tag zurückdachte, empfand ich tiefen Trost. Immerhin lag noch unsere gesamte Zukunft vor uns. Sobald wir einen Käufer für unser Haus gefunden hätten.

»Diese Tapete ist etwas ganz Besonderes«, redete ich weiter, jetzt etwas lauter.

»Ach ja? Was macht sie denn so besonders?«

Jetzt hatte er mich.

»Nun ja, in erster Linie vermutlich der Preis. Aber es handelt sich um einen Originalentwurf aus der Viktorianischen Ära.«

»Sie verstecken doch wohl nichts dahinter, oder?«, fragte er und klopfte mit den Knöcheln gegen die Wand.

»Bitte?«

»Ich meine so was wie Feuchtigkeit. Schimmel. Nichts für ungut, aber es gibt tatsächlich Verkäufer, die kleben einfach Tapeten drüber.«

Ich spürte, wie sich meine Augenbrauen kaum merklich zusammenzogen. Natürlich ärgerte ich mich über diese dreiste Unterstellung, mir war aber auch klar, dass ich mir nichts anmerken lassen durfte.

»Dann lautet die Antwort: Nein. Es gibt keine Feuchtigkeit und keinen Schimmel im Haus. Wir haben das Mauerwerk in diesem Zimmer vollständig freigelegt, genau wie in allen anderen. Wir haben die Wände komplett neu verputzt. Die Leitungen neu verlegt. Falls Bethany es vergessen hat zu erwähnen, das gesamte Haus wurde mit neuen Leitungen und Rohren ausgestattet.«

»Das haben Sie aber nicht alles selbst gemacht, oder?«

»Nicht die Leitungen, nein. Einige von den einfacheren Klempnerarbeiten haben wir übernommen, aber für den Rest haben wir einen Profi kommen lassen.«

Mit einem zufriedenen Brummen sah er zur Decke auf und ging dann zum Schiebefenster, von dem aus man einen guten Blick auf den seitlichen Anbau zur Rückseite des Hauses hin hatte. Er stützte sich mit beiden Händen auf dem Fenstersims ab und spähte nach draußen, den Körper zur Seite hin verdreht.

»Jetzt verstehe ich, was Sie vorhin meinten. In Bezug auf den Garten hinter dem Nachbarhaus. Sieht ein wenig aus wie eine Müllhalde, nicht wahr?«

»Tut mir leid, aber dafür können wir nichts.«

Er starrte noch eine Weile nach draußen, als hielte er Ausschau nach etwas, dann wandte er sich vom Fenster ab, vergrub die Hände in den Hosentaschen und fixierte wieder mich.

»Es tut mir leid«, sagte er. »Das ganze Haus ist wirklich erstklassig renoviert, und Sie hören das bestimmt nicht gern, aber falls ich hier einziehe, werde ich dieses Zimmer höchstwahrscheinlich zu meinem Home Office umfunktionieren.«

»Oh, dann sparen Sie sich Ihr Urteil lieber auf, bis sie Sams Arbeitszimmer oben gesehen haben.«

»Aha. Eine Überraschung.«

Es war schwer, darüber hinwegzusehen, wie attraktiv er war, wie selbstbewusst sein Auftreten. Ich beneidete Leute wie ihn.

Er gab ganz offensichtlich viel Geld für seine Kleidung und äußere Erscheinung aus. Ich war mir relativ sicher, dass sein beiger Pullover aus edelstem Kaschmir war. Seine Schuhe sahen aus wie handgefertigt.

Und verglichen mit Sam – nicht, dass ich das hätte tun sollen, aber trotzdem –, war seine körperliche Präsenz deutlich greifbar. Er hatte starke Arme. Eine athletische Haltung. Vielleicht spielte er Rugby, ertappte ich mich bei dem Gedanken. Viele Mediziner gingen meines Wissens dieser Sportart nach.

Plötzlich dämmerte es mir. Wir hatten uns schon eine Weile nicht mehr von der Stelle bewegt und ich starrte ihn ein wenig *zu* interessiert an.

Sag etwas, du Idiotin!

»Was machen Sie beruflich?«

Ein Wimpernschlag. Sein Lächeln wirkte für einen flüchtigen Moment angespannt.

»Ich bin gerade von einem Einsatz auf der anderen Seite des Großen Teichs zurück.«

Das war keine zufriedenstellende Antwort, und er dachte offenbar nicht daran, das weiter auszuführen.

Warum tut er so geheimnisvoll?, grübelte ich, aber er strahlte etwas aus, das mir deutlich sagte, wie falsch es wäre, ihn weiter zu bedrängen. Ich konnte Bethany später immer noch nach seinem Job fragen. Vorerst aber hatte es für mich oberste Priorität, ihn nicht zu vergraulen. Ich wollte ihm dieses Haus unbedingt verkaufen.

Er zog ein Smartphone aus der Tasche. »Haben Sie etwas

dagegen, wenn ich ein paar Fotos mache? Natürlich kann ich mir die Einzelheiten jederzeit online ansehen, aber so hätte ich die Bilder jederzeit griffbereit. Und einige von den Fotos, die diese Makleragenturen verwenden, also … verraten Sie Bethany bitte nicht, dass ich das gesagt habe, aber sie zeigen nicht immer die Wirklichkeit, finden Sie nicht?«

»In Ordnung.«

Er tippte einige Male auf das Display. Seine Handschuhe waren offenbar geeignet für Touchscreens.

»Es macht Ihnen wirklich nichts aus?«

»Warum sollte es?«

Er lächelte, als hätte ich wieder einmal genau das Richtige gesagt. Dann wandte er sich ab und machte ein paar Fotos von der einen Ecke des Raums, während ich mich dezent auf den Flur zurückzog.

12

Sam

»Also, bei mir ist es eigentlich ungefähr so, wie sie das eben beschrieben hat«, sagte der Sportler und deutete auf Depri-Girl.

Er hätte gut die Hauptrolle in einer Regency-Romanze übernehmen können, mit seinem scharf geschnittenen Kinn, den vollen, lockigen Haaren, der eleganten Haltung. Beim Eintreten hatte er Sam um einen halben Kopf überragt.

»Ich gehe in dem ständigen Bewusstsein durchs Leben, dass ich jederzeit sterben könnte. Aber eher an einem Herzinfarkt, nicht im Schlaf. Mein Vater hatte mit zweiundfünfzig einen Herzstillstand, er war auf der Stelle tot.«

»Tut mir leid, das zu hören«, gab Sam zurück. Einen derartigen Verlust konnte er nur allzu gut nachempfinden.

»Ich war erst zwölf. Es geschah aus heiterem Himmel. Ich war es, der ihn damals fand.« Der Sportler blinzelte ein paarmal hektisch und richtete den Blick starr auf das Whiteboard, um sich wieder zu sammeln. »Ich habe ihn sehr geliebt. Wir alle haben ihn geliebt.«

»Wie schrecklich«, sagte die Künstlerin. »Du warst noch so jung.«

Sam war überzeugt, dass er es sich nicht nur einbildete, dass die Künstlerin den Sportler mit etwas mehr als nur Mitleid ansah. Und der Sportler reagierte ganz ähnlich und hielt ihren Blick einen Hauch zu lange, als er ihr daraufhin dankbar zunickte.

»Ich kann mich in vielerlei Hinsicht glücklich schätzen. Meine Familie ist wohlhabend. Mein Vater hat ein erfolgreiches Unternehmen geleitet, das meine Mutter und mein Onkel nach seinem Tod weiterführen. Ständig bekomme ich von allen Seiten gesagt, ich solle endlich mit dem ewigen Grübeln aufhören und in die Zukunft schauen. Aber mal ehrlich, ich komme einfach nicht dagegen an. Ich habe fürchterliche Angst und bin hundertprozentig überzeugt, dass es mir genauso gehen wird wie meinem Vater. Da kann mir meine Familie noch so oft versichern, dass es nicht dazu kommen wird. Ich krieg es einfach nicht in meinen Kopf, keine Chance.«

»Bei mir ist es genauso«, flüsterte Depri-Girl.

Der Schläger rieb sich mit der flachen Hand über den Glatzenansatz. Er wirkte nicht sonderlich überzeugt. »Hast du dich schon mal untersuchen lassen, ob dir irgendwas fehlt?«

»Schon öfter, ja.«

»Und?«

Der Sportler sah den Schläger stirnrunzelnd an. Sam entging nicht, dass ihn die Frage irritierte. Wobei das in seinen Augen auch etwas Gutes haben konnte. Der Zweck dieser Selbsthilfegruppen bestand zum Teil auch darin, dass sich die Teilnehmenden gegenseitig auf den Zahn fühlten. Sams Erfahrung nach konnte das ein sehr wirksamer Faktor sein. Es brachte die Leute zum Nachdenken, wenn eine Person, die mit ganz ähnlichen Problemen zu kämpfen hatte, sie mit Fragen provozierte.

»Es macht keinen Unterschied«, sagte der Sportler. »Das ist ja das Vertrackte an diesen ganzen Phobien, oder nicht? Ich schätze, da geht es uns allen ähnlich. Die seelische Qual ist enorm. Ich ernähre mich gesund. Ich trinke nicht. Ich gehe jeden Tag ins Fitnessstudio. Aber ich kann mich noch hundert Mal untersuchen lassen, ohne dass die Ärzte irgendetwas feststellen, ich wäre trotzdem überzeugt, dass ihnen etwas entgangen sein muss. Und hätte immer noch Angst, überraschend an einem Herzinfarkt zu sterben.«

»Dafür bist du doch viel zu jung«, meldete sich der Bibliothekar zu Wort. »Statistisch betrachtet ...«

»Ja, statistisch betrachtet vielleicht«, pflichtete der Sportler ihm bei. »Aber was sagen Statistiken schon groß aus? Sie jonglieren mit irgendwelchen Durchschnittswerten. Keine noch so exakte Statistik hätte vorhersehen können, dass mein Vater so jung sterben würde. Er hatte keinerlei unentdeckte Vorerkrankungen. Statistiken tragen echt nicht das Geringste zu meiner Beruhigung bei. Dir geht es doch bestimmt genauso, stimmt's? Was hast du eigentlich für eine Phobie?«

13

Ich war schon fast zurück am Treppenabsatz, als Donovan hinter mir aus dem Schlafzimmer auftauchte und auf die Tür zu seiner Linken deutete.

»Ist das das große Badezimmer?«

»Ja.«

»Was dagegen, wenn ich einen Blick reinwerfe?«

Ich schüttelte den Kopf. Mir war sonnenklar, dass ich nicht zu viel sagen sollte. Es war klar, dass ich mich nicht gleichzeitig mit ihm dort drinnen aufhalten konnte. Das wäre für mich noch schlimmer als die Vorstellung, in den Keller zu gehen.

»Wow, wie geschmackvoll.«

Ich antwortete nichts darauf. Einfach, weil ich kein Wort herausbrachte. Ich lehnte mich leicht zur Seite, stützte mich mit einer Hand an dem Heizkörper hinter mir ab und kniff mir mit den Fingern der anderen in den Nasenrücken.

Die Angst wühlte in meinen Eingeweiden.

Etwas Bitteres kroch meine Kehle empor.

»Die Regendusche gefällt mir.«

Sag etwas.

»Das war Sams Idee. Er wollte damit den berühmten Wow-Effekt erzielen.«

»Tja, das war dann wohl ein Volltreffer. Sie können ihm gern ausrichten, ich hätte *wow* gesagt.«

Wenn ich mich ganz stark konzentrierte, konnte ich vielleicht Sams beruhigende Stimme hören, konnte mir vorstellen, wie er mir sagte, ich solle einatmen, dann wieder ausatmen. Wie er mich durch eine Meditationsübung begleitete. Wie er mir versicherte, ich sei in Sicherheit. Und wie er mich ganz fest in den Armen hielt, bis ich mich wieder beruhigte.

Aber sosehr ich auch versuchte, seine Stimme heraufzubeschwören, riss der Empfang immer wieder ab wie bei einem Radio, das rauschte und knarzte. Gleichzeitig stürmten wieder diese entsetzlichen Erinnerungen auf mich ein, und mit ihnen das ganze Leiden, die Aufregung und das Grauen …

Ein anderes Badezimmer. Zu einem anderen Zeitpunkt.

Partymusik und Gelächter, ein heiserer Schrei und das Klirren von Gläsern.

Eine Tür, die hinter mir zuging.

… Klick.

Ein Riegel, der vorgeschoben wurde.

Ein enger Raum.

Vier Wände.

»Ich habe dich beobachtet.«

»Lucy?«

Ich kehrte so schlagartig zurück in die Realität, dass sich die traumatischen Erinnerungsfetzen für einen grässlichen Moment über die Szene vor mir legten und mit ihr eins wurden.

Jetzt sah ich, wie Donovan den Oberkörper aus unserem Badezimmer lehnte. Aber gleichzeitig hatte ich eine schemenhafte, unbekannte Gestalt vor Augen, die auf mich zukam, einen Arm nach mir ausgestreckt, bis sie so dicht vor mir war, dass sie durch mich hindurchglitt wie ein Geist durch eine Wand.

»Lucy? Haben Sie gehört, was ich gesagt habe?«

»Hm?« Ich massierte mir mit der linken Hand die Schulter und dehnte meinen Nacken seitwärts, wie um eine Verspannung zu lösen.

»Ich habe gefragt, ob ich die Dusche laufen lassen kann. Will nur kurz den Wasserdruck testen.«

»Ist gut.«

Ein leises Schaben war zu hören, als ich mit den Nägeln über die Heizung kratzte.

»Fantastisch.«

Donovan verschwand wieder im Badezimmer und ich wandte mich nervös in die andere Richtung und spähte die Treppe hinunter zur Haustür.

Wo zum Teufel bleibt Bethany? Warum ist sie noch nicht hier?

Aus dem Badezimmer hinter mir hörte ich, wie der Hahn aufgedreht wurde. Ein unregelmäßiges Plätschern.

Das Zischen und Prasseln von Wasser, das in der Duschwanne landete.

Oh Gott. Mein Körper fühlte sich an, als stünde er unter Starkstrom. Ich spürte mein Blut bis in die Fingerspitzen pulsieren. Das hätte ich nicht tun sollen. Ich war nicht dazu *fähig*.

Es war jetzt genau 16 Uhr 19. Bethany musste bald hier sein.

Du musst nur noch ein kleines bisschen länger durchhalten. Du schaffst das.

Der Duschhahn wurde wieder zugedreht, nur noch ein paar vereinzelte Tropfen, dann angespannte Stille.

Ich überlegte, ob ich Sam rasch eine Nachricht schreiben sollte, ihm mitteilen, was hier los war. Klar würde er im Anschluss an seine Selbsthilfegruppe aufs Handy schauen, meine Lage auf Anhieb erfassen und mich bei der erstbesten Gelegenheit anrufen, wäre so was wie ein Strohhalm für mich, an den ich mich klammern konnte.

Aber bevor ich dem Impuls nachgeben konnte, trat Donovan rückwärts aus dem Badezimmer und hob sein Handy vors Gesicht, um ein Foto vom Badezimmer zu machen.

»Der Wasserdruck ist großartig«, sagte er. »Für eine gute Dusche würde ich alles tun.«

»Ich bin froh, dass sie Ihnen zusagt«, gab ich zurück und ließ mein Telefon verstohlen zurück in die Tasche gleiten.

Er schien nichts davon mitbekommen zu haben. Schließlich war er vollauf damit beschäftigt, den perfekten Blickwinkel für sein Foto zu finden.

»Langsam glaube ich, dieses Haus könnte für mich ein Volltreffer sein.«

Ein winziger Samen der Hoffnung keimte in meiner Brust auf und Wärme breitete sich von dort in mir aus.

Ich ertappte mich dabei, wie ich einen Schritt von der Wand und dem Heizkörper weg machte.

Du hast das im Griff. Lass dich nicht unterkriegen.

»Dann lassen Sie uns doch gleich noch rauf ins Dachgeschoss gehen«, sagte ich, bevor ich es mir anders überlegen konnte, weil mich der Mut verließ. »Dann zeige ich Ihnen mein absolutes Lieblingszimmer.«

14

Sam

»Das hier ist wirklich nicht der richtige Ort, um darüber zu reden«, sagte der Bibliothekar mit leiser, kraftloser Stimme.

Er schlug die Beine über, beugte sich mit verschränkten Armen vor und kratzte sich an den Oberarmen. Der oberste Knopf an seinem schmal geschnittenen Hemd saß so eng, dass er sich beim Schlucken über dem Adamsapfel auf und ab bewegte. Das Gesicht des jungen Mannes wirkte ausgezehrt und glänzte talgig, der Blick war leer.

»Ich weiß, wie schwer es manchmal fällt«, beschwor Sam ihn. »Aber Forschungen haben gezeigt, dass es sehr hilfreich sein kann, seine Ängste in Worte zu fassen. Außerdem ist es lohnend, sich die Perspektiven von anderen anzuhören.«

Der Bibliothekar antwortete nichts darauf, sondern schüttelte entschieden den Kopf. Seine strähnigen Haare tanzten ihm über die Stirn und gaben dabei den Blick auf eine Ansammlung von Pickeln frei.

»Warum versuchen Sie es nicht einfach? Ich bin überzeugt, Sie werden sich sofort besser fühlen.«

»Tut mir leid«, sagte er so leise, dass Sam Mühe hatte, ihn zu verstehen. »Ich bin mir nur nicht sicher, ob ich mich damit wohlfühle.«

»Ach, komm schon, Kumpel.« Der Schläger rieb sich die Hände wie ein Gewichtheber, bevor er sich zur Hantel beugte, um sie anzuheben. »Ich habe doch auch von meinem Problem erzählt. Peinlicher als das kann es ja wohl nicht sein, oder?«

Der Bibliothekar funkelte ihn aus seiner vornübergebeugten Haltung heraus finster an. Etwas Abweisendes lag auf seinen Zügen.

In dem Moment spürte Sam es. Da war eine Verschiebung in der Luft. Die Raumtemperatur fiel schlagartig um einige Grad ab. Die feinen Härchen auf seinen Unterarmen richteten sich auf.

»Könnte ich vielleicht als Erstes?«, mischte die Künstlerin sich ein, die diese Veränderung offenbar auch registrierte. »Mir macht es nichts aus.« Sie saß ganz vorne auf der Stuhlkante, beugte sich vor und lächelte Sam tapfer zu. »Ist das okay?«

15

Diesmal ging ich voraus und Donovan folgte mir. Ich stieg rasch die Treppe hinauf und betrat das Dachzimmer, noch bevor er die erste Stufe genommen hatte.

Ein Anflug von Erleichterung.

Wieder einmal ließ der Raum zuverlässig seine Magie auf mich wirken.

Die weißen Wände. Die großen Oberlichter.

Ich ging weiter hinein, stieß die Luft aus und krümmte nervös meine Finger und Zehen, während ich seinen sich nähernden Schritten lauschte.

Oben angekommen klappte ihm vor Überraschung der Kiefer auf.

»Jetzt verstehe ich, weshalb das Ihr Lieblingszimmer ist.«

Ich presste die Handflächen auf Hüfthöhe aneinander und spielte aufgeregt mit meinen Fingern, während er sich auf das Oberlicht zubewegte, das ihm am nächsten war, und sich auf die Zehenspitzen stellte. Der bereits dunkler werdende Himmel sorgte dafür, dass ich sein Spiegelbild in der Scheibe sehen konnte.

Dann wandte er sich dem Raum zu, blickte an mir vorbei zum Tagesbett. Es hatte ein weißes Gestell aus Metall und war mit Kissen in einem erdigen Graubraun und einem gestrickten Überwurf bedeckt.

Gleich gegenüber hing von einem der Deckenbalken ein eiförmiger Korbstuhl, die Sitzfläche ausgekleidet mit einem weichen Schaffell. Niedrige Regale zogen sich am Kniestock entlang, darin neben Büchern auch eine Stereoanlage, eine Lampe, ein paar Kerzen und Zimmerpflanzen.

»Was ist das? Ihre Ruhe-Oase?«

»Ich komme hier zum Lesen her. Wenn ich die Zeit dafür finde.«

Was zugegebenermaßen nicht oft vorkam.

Während des Renovierungsprozesses hatte ich den Großteil der Zeit bis spät in die Nacht gearbeitet, hatte geschmirgelt und geschliffen, geweißelt und tapeziert. Und sobald alles fertig war, war ich gegen den endlosen Schmutz und Staub, der sich im Haus angesammelt hatte, ins Feld gezogen. In der Regel war ich deshalb am Ende des Tages so müde, dass ich erschöpft ins Bett fiel, wo Sam meistens seine Forschungsunterlagen ausgebreitet hatte, die Lesebrille auf der Nase, um im Schein der Nachttischlampe, die auf einem alten Pappkarton auf dem Boden stand, bis in die frühen Morgenstunden zu lesen.

Während der heißen Umbauphase hatte dieser Raum mich durchhalten lassen, weil ich eine ganz bestimmte Vorstellung davon im Kopf hatte. Ich hatte ihn von Anfang an als meinen Rückzugsort betrachtet, meine Zuflucht, einen Ort, an dem ich in meinem Hängesessel sitzen, meine Design-Bücher studieren und darauf warten konnte, dass Sam mit einer Flasche Wein und einer Tüte Essen vom Take-away nach Hause kam.

Tief in meinem Herzen wusste ich, dass ich diesen Raum am meisten vermissen würde, sobald wir das Haus verkauft hätten. Nicht das Zimmer an sich, immerhin hatte ich bislang nicht annähernd genügend Zeit gefunden, um es ausgiebig zu nutzen, sondern das, wofür es für mich *stand*. Nämlich für die rosige Zukunft, die es mir zu verheißen schien.

»Hier oben kriegen Sie keine klaustrophobischen Zustände?«, erkundigte sich Donovan.

Ich deutete nach oben. »Fenster.«

»Verstehe.« Er trat an die Regale, schob seine Mantelschöße zurück und ging in die Hocke. Nachdem er sich einige der Buchrücken angesehen hatte, richtete er sich wieder auf und ging zur hinteren Wand, strich mit der flachen Hand über die glatte Oberfläche und drehte sich dann wieder um. Er sah an mir vorbei und begutachtete mit einem anerkennenden Blick die gegenüberliegende Seite. Mir entging nicht, wie er die Schrägen und die Abmessungen des Raums abschätzte.

»Eine kurze Frage. Würden Sie mich vor die Tür setzen, wenn ich Ihnen erklärte, dass ich das Zimmer hier wahrscheinlich zu einem Heimkino umfunktionieren würde?«

Ich lachte. »Könnten wir bitte so tun, als hätten Sie das nicht erwähnt?«

Da war eindeutig ein Knistern zwischen uns und ich wurde mir aufs Neue seines selbstsicheren Auftretens und seines Charismas bewusst.

»Sagten Sie nicht auch etwas von einem Arbeitszimmer im Dachgeschoss?«

»Ja, das ist nebenan. Bitte nach Ihnen.«

16

Sam

»Manchmal überkommt mich die schreckliche Vorstellung, dass ich verfolgt werde«, sagte die Künstlerin und hob die Hände, als wäre ihre Angst nichts Besonderes und im Grunde lächerlich.

Sie war Ende zwanzig und hatte etwas von einer Studentin. Sie war hübsch, mit fein geschnittenen Gesichtszügen. Ihr Haar sah aus wie frisch geföhnt und gestylt. Bei näherem Hinsehen allerdings bemerkte man die trockenen Hautstellen auf ihren Handrücken, er tippte auf Neurodermitis, und die wunden Stellen um ihre Fingernägel herum, wo sie sich die Haut abgezupft hatte.

»Ich habe Angst, wenn ich unterwegs bin. Wenn ich nach Hause komme auch. Ich spüre es körperlich. Da ist ständig dieses Gefühl, dass mir jemand folgt.«

»Das ist fies«, murmelte Depri-Girl.

»Ich bin mittlerweile völlig isoliert deswegen. Ich lebe allein und gehe wegen meiner Angst auch nicht mehr so oft aus. Ein paar Leute aus meinem Kollegenkreis fragen mich manchmal, ob ich was unternehmen will, aber ich lehne jedes Mal ab, weil ich so eine Scheißangst davor habe, hinterher alleine nach Hause zu gehen, vor allem im Dunkeln.«

»Fürchtest du dich vor jemand Bestimmtem?«, fragte der Sportler.

»Nein, das nicht.«

Sie lächelte dem Sportler zu, als hätte er genau die richtige Frage gestellt, die sie zum eigentlichen Kern ihrer Phobie brachte, als spürte sie, dass er sie besser verstand als irgendein anderer.

Sam wartete ab, erfreut zu sehen, dass die Gruppenmitglieder allmählich miteinander zu interagieren begannen. Seiner Erfahrung nach waren es genau die Gruppensitzungen, bei denen er sich zusehends weniger einmischen musste, die den besten Effekt erzielten.

»Ist dir jemals irgendwer aufgefallen?«, fragte der Schläger.

»Nein, nie.«

»Okay, aber wenn du niemanden gesehen hast …«

»Darum geht's hier doch gar nicht«, unterbrach der Sportler ihn und sein Blick schnellte sofort zu Sam, als ob er fürchtete, zu weit gegangen zu sein. »Entschuldigen Sie bitte die Unterbrechung.«

»Nein, schon gut. Warum erklären Sie nicht, was Sie denken?«

Der Sportler linste zu der Künstlerin, um sich ihr Okay zu holen. Sie lächelte und nickte ihm aufmunternd zu. »Bitte. Es hilft, wenn man jemand anderen darüber reden hört.«

»Tja«, sagte der Sportler und richtete sich auf seinem Stuhl auf. Sein Funktionsshirt lag eng an seinem muskulösen Oberkörper an. »Es geht nicht um irgendwelche handfesten Beweise, ist es nicht so? Im Grunde ist es doch wie mit meiner Angst vor einem Herzinfarkt.« Er deutete auf Depri-Girl. »Oder wie mit ihrer Sorge, nicht schlafen zu können.«

»Das ist aber mehr als nur pure *Sorge*«, gab Depri-Girl schnippisch zurück.

»Du hast recht. Ich entschuldige mich in aller Form. Was ich damit sagen will, ist, man glaubt etwas, fürchtet es, auch wenn es keinen berechtigten Grund dafür gibt.«

Wieder spähte er verstohlen zu Sam, als erwartete er, dass der seine Meinung dazu kundtat. Aber er hob nur die Augenbrauen und sah die übrigen Gruppenmitglieder einen nach dem anderen an, ermunterte sie, sich ebenfalls zu äußern.

»Der Meinung bin ich auch«, sagte die Künstlerin. »Ich weiß, dass ich mich mehr darum bemühen sollte, mich mit Leuten zu treffen, auszugehen und Kontakte zu knüpfen. Ich will mich nicht von meiner Angst unterbuttern lassen.«

»Tja, ich hatte immerhin diese eine Kundin, die mir ins Taxi gekotzt hat«, brummelte der Schläger.

»Und wie lange ist das her?«, fragte der Sportler ihn. »Schon eine ganze Weile, oder?«

»Aber er hat recht.« Die Künstlerin berührte die Hand des Sportlers, eine Geste, mit der sie ihm wohl danken wollte, dass er für sie in die Bresche sprang, während sie ihm gleichzeitig zu verstehen gab, dass sie sich sehr gut selbst zu verteidigen wusste. »Ich habe keinen echten Grund zu der Annahme, dass mich jemand verfolgt, es gab kein entsprechendes Ereignis. Ich bin meines Wissens noch nie gestalkt worden. Und ich wurde auch nicht bedroht. Und trotzdem kreisen meine Gedanken neuerdings um nichts anderes. Und wenn ich doch mal allein unterwegs bin, kriege ich ständig diese Panikattacken und bekomme keine Luft mehr. Dann kann ich nicht mehr klar denken. Ich hasse es, nach Hause zu kommen, weil ich dann jedes Mal das Gefühl habe, jemand war in meiner Abwesenheit da. Es ist grauenvoll.«

»Bei mir ist es genauso«, gestand Depri-Girl. »Zumindest was die Panikattacken betrifft.«

»Manchmal würde ich gern einfach mit dem Kopf gegen die Wand schlagen«, sagte der Sportler. »Nur damit die Gedanken endlich aufhören.«

»Das kenne ich«, pflichtete der Schläger ihm bei.

»Ich auch«, flüsterte der Bibliothekar und blickte auf, immer noch in derselben gekrümmten Haltung.

Alle Anwesenden wandten sich jetzt ihm zu, fast als hätten sie vergessen, dass er auch noch da war.

»Tja dann.« Die Künstlerin lächelte ihm aufmunternd zu. »Erzählst du uns jetzt etwas darüber?«

17

Als ich Donovan ins Arbeitszimmer folgte, stand er bereits hinter Sams Schreibtisch.

»Jagt ihr Freund nach Aliens?«, fragte er und deutete mit einem Nicken auf das gerahmte Plakat an der Wand.

Der Druck zeigte das verschwommene Bild eines Alien-Raumschiffs, unter dem der Slogan »I Want to Believe« prangte. Es war die Replik eines Posters, das in der Fernsehserie *Akte X* in Fox Mulders Büro an der Wand hing. Eine von Sams Lieblingsserien. Zu Beginn unserer Beziehung hatten wir uns sämtliche Staffeln gemeinsam noch einmal angesehen, auf dem Sofa gemütlich unter Decken gekuschelt.

»Geburtstagsgeschenk«, sagte ich. »Sam ist ein großer Fan von *Akte X*.«

»Ist es hier drin immer so ordentlich?«

»Es ist *nie* ordentlich hier drin.«

»Dann waren das also Sie?«

»In erster Linie sorge ich im Haus für Ordnung, ja. Allerdings hat er mir das Versprechen abgenommen, alles so zu lassen, wie er es arrangiert hat.«

Und abgesehen davon war es gar nicht mal *so* picobello aufgeräumt. Überall lagen Unterlagen und Ordner herum. Auf dem Boden stapelten sich Lehrbücher. Wir hatten extra einen kleinen Aktenschrank besorgt, damit Sam seine Forschungsunterlagen darin aufbewahren konnte, aber der war inzwischen am Überquellen.

»Würden wir das Haus nicht verkaufen … Ehrlich, ich bezweifle, dass man vom Teppich noch was sehen könnte.«

Donovan stupste mit der Fußspitze einen Stapel Bücher an. Obenauf lag ein Fachbuch über unterdrückte Erinnerungen. Ich hatte es einmal herausgezogen und durchgeblättert, als Sam nicht da war. Allerdings hatte ich darin nichts Neues über meinen Zustand erfahren. Zumindest nichts, was Anlass zur Zuversicht gegeben hätte. Offen gestanden hatte es meine Besorgnis sogar noch vertieft, in so klaren, klinischen Worten über das Thema zu lesen. Vermutlich war es nicht die gesündeste Herangehensweise gewesen, aber nach nicht mal der Hälfte hatte ich das Buch zugeschlagen und zurückgelegt.

Es hätte schlimmer sein können. Hier lagen alle möglichen Bücher herum, zu jeder Menge seltener und ungewöhnlicher psychischer Erkrankungen, Studien zum Thema Schizophrenie, zu extremen Fällen von Narzissmus, zu psychopathischen Erkrankungen, posttraumatischen Belastungsstörungen, ADHS, Schlaflosigkeit und Selbstverletzung. Bei einem so netten Typen wie Sam wunderte man sich schon, dass sein Interesse ausgerechnet den dunkelsten Ausprägungen der menschlichen Psyche galt.

»Ich kenne nicht viele Akademiker, die es sich leisten könnten, ein Haus in Putney zu renovieren«, sagte Donovan.

Ich begriff sofort, worauf er hinauswollte, weigerte mich aber, den Köder zu schlucken. Er war ganz offensichtlich auf Informationen, unsere finanzielle Situation betreffend, aus. Bislang hatte er am Haus nichts zu bemängeln gehabt, und falls er nach einem Weg suchte, den Preis zu drücken, hatte er sich mit mir garantiert die Falsche ausgesucht.

»Jetzt, da Sie dieses Zimmer gesehen haben, wollen Sie es sicher zu Ihrem Home Office machen, habe ich recht?«, sagte ich.

»Möglich.«

»Sam gefällt es hier oben, weil es so ruhig ist. Er kann sich komplett wunderbar konzentrieren, und wenn er nach unten kommt, verschwendet er keinen Gedanken mehr an die Arbeit.«

»Das kann er?« Donovan warf mir einen ungläubigen Blick zu. »Ich finde, wenn man von zu Hause aus arbeitet, ist man doch nie richtig weg vom Job.«

Ob er wohl aus Erfahrung sprach? Ich fragte nicht nach, denn mit meinen bisherigen Versuchen, herauszufinden, was er beruflich machte, hatte er mich auflaufen lassen.

Ich lächelte unbestimmt, nicht bereit, näher auf Sams Arbeitsgewohnheiten einzugehen. In Wahrheit wusste ich natürlich genau, wie recht er hatte. Ich liebte Sam. Wir hatten uns ein gemeinsames Leben aufgebaut. Wir hatten uns bei der Renovierung dieses Hauses beide an unsere Grenzen gebracht, um eine Grundlage für unsere Zukunft zu schaffen, und er hatte für mich gesorgt und mich nach allem, was mir widerfahren war, wieder aufgepäppelt.

Eines aber hatte ich lernen müssen zu akzeptieren, nämlich dass ein Teil von Sam nie vollständig anwesend war. Seine Gedanken kreisten ständig um andere Dinge, beschäftigten sich mit seiner Lehrtätigkeit oder seiner Forschungsarbeit. Manchmal hatte ich den Verdacht, dass er derart viel Zeit in das Studium von Verhaltenstheorien und anderer Leute Tics investierte, dass ihm gar kein Raum blieb, um ganz er selbst zu sein.

Da war es auch nicht eben hilfreich, dass er in seinem beruflichen Umfeld in letzter Zeit sehr viel Stress ausgesetzt war. Natürlich hatte ich mitbekommen, dass der akademische Betrieb stark von Konkurrenzkampf und Ellbogenmentalität geprägt war. Aber einiges von dem, das Sam mir über die internen politischen Winkelzüge in seiner Fakultät erzählt hatte, hatte mich schlichtweg schockiert.

Einer der Gründe, weshalb wir uns eine Auszeit nehmen und eine Weile auf Reisen gehen wollten, war der, dass Sams Karriereperspektiven gezielt unterminiert wurden. Es gab Kollegen, die den Wert und Nutzen der Selbsthilfegruppen, die Sam leitete, anzweifelten, aber ich bewunderte ihn dafür, dass er sich nicht davon abbringen ließ. Er war der festen Überzeugung, dass psychologische Forschungsprogramme positive Auswirkungen auf das reale Leben haben konnten und sollten.

Donovan ließ den Blick durch das Zimmer schweifen. Unwillkürlich fragte ich mich, ob er sich gerade seine eigenen Habseligkeiten hier drinnen vorstellte, ob er sich überlegte, wie es sich anfühlen würde, diesen Raum, dieses Haus für sich zu beanspruchen.

»Was ist mit dem Festnetztelefon?« Er deutete auf die Steckdose knapp oberhalb der Sockelleiste. »Ist das angeschlossen?«

»Kann sein. Sam und ich benutzen kein Festnetz. Wir telefonieren beide nur mit unseren Handys.« Ich deutete hinter ihn auf die Doppeltür in einer der beiden Dachgauben. »Haben Sie in den Plänen gesehen, dass es hier einen kleinen Balkon gibt?«

»Stört es Sie, wenn ich einen kurzen Blick nach draußen werfe?«

»Nur zu.«

Er schlenderte auf die Tür zu, streckte beide Hände aus und testete, wie stabil die Griffe waren. Dann sperrte er mit dem Schlüssel auf, der steckte, öffnete die Türflügel nach außen und trat hinaus.

Draußen dämmerte es bereits. Donovans Umriss zeichnete sich grau und skizzenhaft vor dem Schein der Straßenbeleuchtung ab, der durch das Geäst der Bäume unter uns durchsickerte.

Von meiner Position an der Tür aus hätte da genauso gut Sam stehen können, und prompt erinnerte ich mich daran, wie ich ihn das erste Mal beim Rauchen erwischt hatte. Er hatte betroffen geschaut, als ich rauskam und sofort den Geruch von Gras witterte. Aber dann hatte ich nur wortlos die Hand ausgestreckt und selbst einen Zug genommen. Ich rauchte nicht oft mit ihm, aber manchmal half es uns beiden beim Abschalten. Besonders vor dem Sex.

»Nettes Plätzchen.« Donovan beugte sich über die gemauerte Brüstung. Dann kehrte er zurück ins Zimmer und schloss die Tür hinter sich.

»Haben Sie noch irgendwelche Fragen?«, erkundigte ich mich. »Ich überlege, was Bethany Ihnen noch erzählt hätte, was ich vielleicht übersehen habe.«

»Ein paar Fragen hätte ich schon noch, aber die können warten. Was sehen wir uns als Nächstes an? Ihr Schlafzimmer?«

»Das große Schlafzimmer, ja«, gab ich zögernd zurück. »Gut, ich zeige es Ihnen.«

18

Der Bibliothekar stieß ein paarmal hastig die Luft aus, als ob er sich für sein großes Geständnis wappnete.

»Also, die Sache ist die. Ich habe Angst, ich könnte über jemanden herfallen«, haspelte er. Kaum waren die Worte heraus, schlang er beide Arme fest um seinen Oberkörper und schaukelte auf seinem Stuhl vor und zurück.

Stille im Raum.

Der Bibliothekar wog schätzungsweise um die sechzig Kilo. Es war schwer, sich jemanden vorzustellen, der rein körperlich weniger bedrohlich hätte wirken können als er.

Und trotzdem ...

Er hatte etwas an sich, eine Intensität ... Man gewann den Eindruck, er stünde unter derart heftiger Anspannung, dass er jederzeit ausrasten konnte.

»Haben Sie denn schon mal jemanden körperlich attackiert?«, hakte Sam behutsam nach und achtete darauf, seine Worte ruhig und unaufgeregt klingen zu lassen. Eine solche Phobie war nichts Ungewöhnliches, aber wenn er sich jetzt irgendetwas anmerken ließ, das auf eine Beunruhigung seinerseits hindeutete, würde sich das auf die Anwesenden übertragen wie eine ansteckende Krankheit. Schließlich hatte er es hier mit Menschen zu tun, die generell zu Ängsten neigten.

»N-nein«, stammelte der Bibliothekar.

»Schon mal versucht?«

Er verneinte mit einem Kopfschütteln.

»Haben Sie je einen anderen Menschen verbal oder körperlich misshandelt?«

Der Bibliothekar schüttelte wieder den Kopf. Er schien in sich zusammenzuschrumpfen. Seine Kleidung saß so eng, dass er wirkte wie vakuumiert.

»Damit keine Missverständnisse aufkommen, das sind also tatsächlich Gedanken, die Sie haben«, bemerkte Sam.

»Ja, die ganze Zeit!«

»Also auch jetzt?«, hakte Depri-Girl nach. »Ich meine, denkst du aktuell darüber nach, einem von uns wehzutun?«

Sam beobachtete, wie der Bibliothekar sich an der Sitzfläche seines Stuhls festklammerte, als müsste er sich davon abhalten, aufzuspringen.

»Scheiße«, murmelte Depri-Girl nur.

Der Sportler und der Schläger versteiften sich und rutschten unruhig auf ihren Plätzen herum.

»Meistens passiert es während der Arbeit«, redete der Bibliothekar schnell weiter. »Ich arbeite …«

»An einem öffentlichen Ort?«, kam Sam ihm rasch zu Hilfe.

»J-ja. An einem öffentlichen Ort.« Jetzt wippte er auf seinem Stuhl vor und zurück, so schnell, dass es den Eindruck machte, als säße er auf einem Schaukelpferd. »Manchmal, keine Ahnung, da denke ich darüber nach, mir einfach eine Schere zu greifen und jemanden damit abzustechen. Und wenn der Gedanke erst einmal da ist, geht er nicht wieder weg, und dann bin ich überzeugt, dass ich es tun werde, denn warum sollte ich sonst darüber nachdenken und …«

»Aber es sind nur Gedanken?«, fragte die Künstlerin, in einem Ton, der nahelegte, dass sie sich rückversicherte, während sie sich gleichzeitig bemühte, Verständnis für sein Dilemma zu zeigen. »Ich schätze, letzten Endes werden wir alle von schlechten Gedanken geplagt.«

»Ich … weiß nicht …«

»Dann lassen Sie uns doch etwas ausprobieren«, schlug Sam vor. »Sie alle nehmen sich jetzt einen Moment Zeit und denken darüber nach. Dann heben Sie die Hand, wenn Sie schon einmal darüber nachgedacht haben, jemandem wehzutun, und wenn der Gedanke noch so flüchtig war, einverstanden?«

19

Unser Schlafzimmer war groß und geräumig. Es lag vorne zur Straße hin und erstreckte sich über die komplette Breite des Hauses. Ich durchquerte es mit raschen Schritten, um Position beim schmiedeeisernen Kamin an der rückwärtigen Wand zu beziehen. Als ich mich umdrehte, stand Donovan bereits in der Tür und musterte mich interessiert.

»Früher waren das zwei separate Zimmer«, erklärte ich. »Wir haben die Trennwand herausgerissen. Um einen großen Raum zu schaffen.«

Er pfiff leise vor sich hin. »Ziemlicher Aufwand und nicht ohne Risiko.«

»Aber das war es wert, wie wir finden.«

Er trat in den begehbaren Kleiderschrank zu seiner Linken, stemmte die Hände in die Hüften und betrachtete die hell erleuchteten Regale, die Einbauschubladen und die Kleiderstangen.

»Sie haben nicht viele Kleidungsstücke im Schrank hängen.«

»Wir brauchen nicht viel, wenn wir reisen.«

Zugegeben, das war eine Notlüge. Aber eine relativ harmlose, wie ich mir einreden wollte. Denn in Wahrheit hatte ich mir den Großteil meiner Sachen bei den Renovierungsarbeiten und beim Herumwerkeln ruiniert, mit Farbflecken, Rissen und durchgescheuerten Knien, und Sam kam mehr oder weniger mit einer Handvoll Chinos und Karohemden klar, die er im Unterricht abwechselnd unter seiner abgetragenen Sportjacke trug.

Während Donovan sich ein Bild von unserem Kleiderschrank machte, nutzte ich die Gelegenheit und ging auf das nächstgelegene der drei Fenster zu, stellte die Lamellen der Jalousie schräg und spähte hinaus. Unter dem Fenster stand ein kleines weißes Sofa. Als ich mich vorbeugte, drückte ich mit dem Schienbein dagegen.

Keine Spur von Bethany.

Der Gehsteig war menschenleer. Auf der Straße war alles ruhig.

Versonnen dachte ich daran zurück, wie der Raum fast das ganze letzte Jahr über ausgesehen hatte, mit den frei gelegten Wänden und den nackten Dielenbrettern. Überall Staubplanen und Trittleitern und Malerausrüstung. Sam und ich hatten mitten in diesem Chaos geschlafen. An manchen Abenden hatten wir Pizza bestellt und sie nebeneinander auf dem Bett liegend gegessen, Reiseführer und Landkarten zwischen uns. Wir hatten Pläne geschmiedet, überlegt, wohin wir reisen würden, sobald die Arbeiten am Haus endlich abgeschlossen wären und wir es verkauft hätten. Damals waren wir in unserer eigenen kleinen Welt gewesen. Ich hatte kaum einen Gedanken daran verschwendet, was für Leute nach uns hier einziehen würden.

Ich war schon dabei, mich vom Fenster abzuwenden, da nahm ich aus dem Augenwinkel eine unscharfe Bewegung wahr. Es waren Autoscheinwerfer, ein Fahrzeug, das ein Stück weiter die Straße hinauf in einem engen Radius wendete. Ich kniff die Augen zu, um es besser erkennen zu können, aber dann wurden die Scheinwerfer ausgeschaltet und die Innenbeleuchtung im Wagen ging an. Ich erkannte die Fahrerin, sie wohnte nicht weit von uns.

»Halten Sie Ausschau nach Bethany?«, rief Donovan mir zu.

»Ich dachte, ich hätte ihr Auto gesehen, aber sie war es nicht.«

»Langsam glaube ich, Sie schafft es nicht mehr rechtzeitig.« Er fischte sein Handy aus der Manteltasche und schaute nachdenklich auf das Display. »Bei mir hat sie sich nicht gemeldet.«

»Sie wird bestimmt bald hier sein.«

Ich war natürlich alles andere als überzeugt davon, aber aus Gründen, die ich nicht genau benennen konnte, wollte ich mir das Donovan gegenüber nicht anmerken lassen.

Er schien meine Antwort abzuwägen, das Telefon immer noch in der Hand. Dann marschierte er plötzlich quer durchs Zimmer und stellte sich dicht neben mich – so dicht, dass ich regelrecht hörte, wie mir der Atem in der Kehle stockte – und spähte über meine Schulter nach draußen.

20

Sechs Hände waren in der Luft. Alle meldeten sich, auch Sam.

»Was gibt Ihnen das für ein Gefühl?«, fragte Sam an den Bibliothekar gewandt. »Zu sehen, dass wir das, was Sie da beschreiben, alle selbst schon einmal erlebt haben. An irgendeinem Punkt in unserem Leben hatten wir alle schon mal den Gedanken, jemand anderen zu verletzen.«

»Ich weiß nicht.« Der Bibliothekar leckte sich über die spröden Lippen, seine Zungenspitze schnellte hervor wie bei einer Echse. »Ich ... ich glaube, ich weiß, was Sie meinen. Und vielleicht war ich früher auch so. Wie ihr alle.«

»Ja?«

»Inzwischen bin ich jedoch davon überzeugt, dass es nur eines bedeuten kann, wenn ich jemandem wehtun will, nämlich dass ich es irgendwann *wirklich tun* werde. Und vielleicht ist es ja purer Selbstbetrug, dass ich überhaupt hier bin. Es ist fast, als wollte ich es mir selbst gegenüber rechtfertigen.

Dabei weiß ich doch genau, dass ich es definitiv *tun* werde. Wahrscheinlich nutze ich die Tatsache, dass ich heute an dieser Sitzung teilnehme, einfach nur schamlos als Vorwand. Denn so kann ich, wenn ich dann *tatsächlich* jemandem etwas angetan habe, immerhin behaupten, ich hätte versucht, mir Hilfe zu holen. Weil ich es in Wirklichkeit schon lange plane.«

Sam registrierte, wie Depri-Girl und die Künstlerin sich nervöse Blicke zuwarfen. Wie der Schläger sichtlich unruhig wurde. Und wie der Sportler Hilfe suchend zu ihm sah.

Und in dieser Situation blieb ihm gar nichts anderes übrig, als ihnen Hilfestellung zu geben.

»Das, was Sie da beschreiben, nennt sich in Fachkreisen Harm-OCD«, sagte er. »Es ist eine Form der Zwangsstörung, die wiederkehrende Angst davor, einem anderen Menschen Schaden zuzufügen, etwas Unrechtmäßiges zu tun oder ein Verbrechen zu begehen. Uns allen geistern von Zeit zu Zeit vergleichbare Gedanken durch den Kopf. Sie blitzen kurz auf und sind im nächsten Moment wieder verschwunden. Aber jetzt kommt das Entscheidende. Ich habe mich mit sehr vielen Menschen unterhalten, die genau das Gleiche durchgemacht haben wie Sie. Menschen, die daran dachten, anderen wehzutun, auf jede erdenkliche Art und Weise. Wollen Sie wissen, wie viele von ihnen letztlich tatsächlich einem anderen Menschen etwas Schlimmes angetan haben?«

Wieder leckte sich der Bibliothekar die Lippen. »Wie viele?«

Sam hob die rechte Hand und schloss Zeigefinger und Daumen zu einem Kreis.

»Null«, sagte er. »Keiner von ihnen. Derartige Ängste entbehren jeder realen Grundlage. Es ist eine Phobie wie aus dem Lehrbuch. Merken Sie sich bitte eins: Ich glaube nicht, dass Sie jemals irgendwem wehtun werden. Das passiert nur in Ihrer Fantasie.«

21

»Alles ruhig da draußen«, sagte Donovan.

Ich war wie versteinert.

Es fiel mir schwer, einen klaren Gedanken zu fassen. Mir war absolut nicht wohl dabei, dass er derart rücksichtslos in meine persönliche Distanzzone eingedrungen war.

»Wir lassen die untere Hälfte dieser Jalousien meistens geschlossen«, erklärte ich ihm, um abzulenken. »So haben wir mehr Privatsphäre. Das empfiehlt sich schon wegen des angrenzenden Badezimmers.«

Ich nutzte dies als Vorwand, um mich am Sofa vorbeizuschieben, einen Schritt von ihm wegzutreten und seine Aufmerksamkeit auf die gegenüberliegende Seite des Raums zu lenken, genauer gesagt auf die Trennwand hinter unserem Bett, an der auch das Kopfbrett befestigt war.

Eigentlich hatte ich erwartet, dass er beim Anblick des En-Suite-Badezimmers mehr Begeisterung zeigen würde. Es war noch luxuriöser ausgestattet als das große Familienbadezimmer. Hinter der Trennwand verbargen sich eine elegante bodengleiche Dusche, eine an der Wand montierte Toilette, ein Doppelwaschbecken mit einem riesigen Spiegel darüber und eine freistehende Kupferwanne.

Genau wie beim begehbaren Kleiderschrank gab es zum Nassbereich hin keine Türen oder sonstige Abgrenzungen. Man betrat den Raum einfach durch die beiden Öffnungen rechts und links von der Trennwand hinter dem Bett.

Ich hatte Sam den bewussten Verzicht auf Türen als ausgefallenes Design-Attribut verkauft, obwohl wir natürlich beide den eigentlichen Grund kannten, weshalb ich von diesem Arrangement so begeistert war. Allerdings war Sam sensibel genug gewesen, sich jede Bemerkung dazu zu verkneifen.

Ich verscheuchte den Gedanken mit hastigem Blinzeln und registrierte dann, dass Donovan mich anstarrte, als wartete er darauf, dass ich fortfuhr.

»Ähm …« Einen verstörenden Augenblick lang empfand ich ein eisiges Frösteln im Nacken, als hätte man meine Haut mit einem Eiswürfel berührt. »Möchten Sie es gerne sehen?«

»Aber gern«, sagte er und warf mir einen eigenartigen Blick zu – als würde er sich einer Aufgabe stellen, zu der ich ihn gar nicht bewusst herausgefordert hatte. Dann wandte er sich ab, ging am Bett vorbei auf die Trennwand zu und verschwand dahinter.

Kaum war er außer Sicht, stellte ich mich auf die Zehenspitzen und linste noch einmal runter auf die viel zu ruhige Straße. Nervös rieb ich mir den Unterarm durch den Stoff meines Pullovers.

Etwas kroch über meine Haut. Wie ein chemisches Flüstern. Eine instinktive Reaktion auf ein ungutes Gefühl, dessen Ursprung ich nicht auf Anhieb benennen konnte.

Eine Warnung?

Nein. Schluss mit diesen Gedanken.

Es macht keinen Unterschied, ob Bethany hier ist oder nicht.

Es ist so oder so bald überstanden.

»Diese Badewanne hat wirklich Stil«, rief Donovan mir hinter der Trennwand hervor zu.

Eine Steifheit erfasste meinen Körper, während ich aus dem Fenster starrte. Da war ein langsames Ticken in meinen Blutbahnen.

Der Gedanke an Donovan hinter dieser Wand machte mich nervös. Ich war ihm so nahe. Aber noch schlimmer fand ich, dass ich ihn nicht sehen konnte.

Nicht dass ich mir irgendwelche Gedanken machte, er könnte etwas entdecken, was nicht für seine Augen bestimmt war. Ich hatte alles ordentlich aufgeräumt und geputzt, hatte die Glaswand der Duschkabine poliert, den Fliesenboden gewischt und sogar den Seifenspender aufgefüllt und die Zahncremereste weggewischt, die sich mit der Zeit in der Schale unter unseren elektrischen Zahnbürsten angesammelt hatten.

Es gab nichts, das mir peinlich hätte sein müssen, und ganz abgesehen davon …

Ich zuckte zusammen, als es plötzlich grell aufblitzte, gefolgt von dem simulierten Surren einer Kamerablende.

Ich wirbelte herum und sah Donovan hinter der Trennwand hervortreten, das Telefon auf Höhe des Gesichts. Das Blitzlicht am Handy leuchtete. Er machte noch zwei weitere Schnappschüsse. Einen in Richtung des begehbaren Kleiderschranks. Und einen in Richtung des Kamins und des Fensters, vor dem ich stand.

»Oh, ich …«

Verstört blinzelte ich gegen den grellen Funkenregen an, der vor meinen Augen niederging, das Nachbild des Blitzes.

»Gibt es ein Problem?«

Ich wusste nicht recht, wie ich darauf reagieren sollte. Immerhin hatte er mich vorhin um Erlaubnis gebeten, Fotos machen zu dürfen, und ich hatte mich einverstanden erklärt. Allerdings hatte ich nichts davon gesagt, dass er Fotos machen könne, auf denen ich zu sehen war.

»Nein.« Ich lächelte gezwungen. »Kein Problem.«

Er deutete auf das Bett. »Schlafen Sie hier?«

»Verzeihung?«

»Ich frage nur wegen möglicher störender Geräusche von der Straße. Hält der Verkehr Sie nachts wach oder stört Sie in irgendeiner Form?«

»Oh«, gab ich zurück. »Also, nein. Ich meine, ja, ich schlafe hier, und nein, es hält mich nichts vom Schlafen ab.«

»Und Sam?«

»Für den gilt das Gleiche.«

Er nickte, als wäre er zufrieden mit dieser Antwort. Jetzt schaute er auf das Telefon in seiner Hand und verzog das Gesicht. »Tut mir leid, aber ich muss bald los. Bethany ist immer noch nicht hier, also ... Was meinen Sie? Kann ich mir jetzt den Keller ansehen?«

22

»Hat einer von Ihnen schon mal was von automatischen negativen Gedanken gehört?«

Die fünf Gruppenmitglieder wechselten ratlose Blicke. Sie runzelten die Stirnen, schüttelten verwundert die Köpfe, einige wirkten peinlich berührt.

Der Schläger sah nicht sonderlich begeistert aus. Depri-Girl schien sich regelrecht zu schämen, dass Sam so ein peinliches Gelaber von sich gab. Die Künstlerin wartete geduldig auf weitere Ausführungen, während der Sportler seine blütenweißen Turnschuhe musterte und der Bibliothekar sich den Ellbogen kratzte.

»Manche negativen Gedanken können durchaus positive Effekte haben«, erklärte Sam der Gruppe. »Im Idealfall dienen sie als eine Art Warnsignal, das uns vor drohendem Unheil bewahrt. Wenn ich mich zum Beispiel in der Nähe eines Herds befinde, könnte mir folgender Gedanke durch den Kopf schießen: *Vorsicht, die Kochplatten könnten heiß sein.* Ist der Herd wirklich heiß und ich fasse ihn nicht an, dient das meinem Selbstschutz. Aber wenn negative Gedanken automatisiert ablaufen oder wenn es wiederkehrende Gedanken sind und wir ununterbrochen über eine Sache nachgrübeln, dann können sie auch schädlich sein.«

Er fing den Blick der Künstlerin ein, und für einen flüchtigen Moment glaubte er, hinter ihrer gefassten Miene ein Schaudern zu registrieren. Es war, als hätte er ihre Gedanken gelesen.

Er konnte sich gut vorstellen, wie schwer es für sie sein musste. Wohin auch immer sie ging, fühlte sie sich beobachtet und verwundbar. Sie befand sich in ständiger Alarmbereitschaft. Hörte Schritte, die sie verfolgten.

»An dieser Stelle kommen die Insekten ins Spiel«, fuhr Sam fort. »Ich möchte, dass Sie sich diese Gedanken jetzt als kleine lästige Tierchen vorstellen, die durch ihren Kopf wuseln.«

»Und was soll das bringen?«, fragte Depri-Girl und fegte den Haarvorhang aus ihrem Gesicht. Ihr Lippenpiercing funkelte im Schein der Deckenlampen.

»Sie haben die Wahl. Entweder, Sie scheuchen sie fort, damit meine ich, dass Sie sich Ihren negativen Gedanken stellen sollen. Nutzen Sie hierfür eine Reihe von wohldurchdachten Fragen und überlegen Sie, wie wahrscheinlich es ist, dass das, worüber Sie sich Sorgen machen, tatsächlich eintritt.«

»Und wie sieht die andere Option aus?«, erkundigte sich der Sportler.

»Die andere Option besteht schlichtweg darin, ihre Existenz anzuerkennen. Einfach einen Schritt zurückzutreten und zu akzeptieren, dass sich da ein Haufen negativer Gedanken herumtreibt – ein Schwarm, wenn Sie so wollen. Und dann lassen Sie sie einfach ... sein. Denn genau wie ein winziges herumschwirrendes Insekt einen nerven kann, ohne dass es ernsthaften Schaden anrichtet, verhält es sich mit diesen Gedanken in Ihrem Kopf. Sie sind nichts weiter als das: Gedanken.«

23

Ich konnte Donovan seine Bitte unmöglich abschlagen, ohne den Eindruck zu erwecken, ich wäre komplett neben der Spur. Außerdem wollte ich mir die Chance auf ein faires Angebot nicht durch die Lappen gehen lassen.

Aber der Keller …

Das sind nichts als Gedanken, hörte ich Sams Stimme zu mir sagen. *Und weil es nur Gedanken sind, hast du auch die Möglichkeit, sie zu kontrollieren.*

Abgesehen davon war der Keller der letzte Ort im Haus, den Donovan noch sehen wollte. Er hatte es selbst gesagt. Wenn ich ihm erlaubte, sich kurz dort unten umzusehen, konnte er anschließend gehen und für mich wäre die Chose überstanden. Dann wäre es endlich vorbei. Ich hätte es geschafft.

»Ich erwarte gar nicht, dass Sie mich nach unten begleiten.«

Ich gab vor, mir erleichtert den Schweiß von der Stirn zu wischen. »Puh.«

»Dann haben Sie also nichts dagegen?«

Da war ein hektisches Klopfen hinter meinen Rippen. Ein drängendes Pulsieren in meinem Schädel.

»Nein«, schwindelte ich. »Ist schon in Ordnung.«

»Wunderbar.«

Donovan sah sich ein allerletztes Mal im Schlafzimmer um, dann wandte er sich ab, trat in den Flur und ließ seine Hand über die Balustrade gleiten.

Und … atmen.

Sein Handschuh glitt über das lackierte Holz, als er hinunterging. Ich hatte jede einzelne Strebe eigenhändig abgeschmirgelt, mit größter Sorgfalt die Untergrundlackierung aufgebracht und sie dann in zwei Schichten eierschalenweiß gestrichen. Insgesamt hatte mich das Ganze fast eine komplette Woche Arbeit gekostet.

Wieder erhaschte ich an der Tür einen Blick auf mein Spiegelbild. Ich hätte nicht sagen können, ob ich so hilflos rüberkam, wie ich mich fühlte.

Reiß dich zusammen, Lucy.

Ich gab mir einen Ruck, lief los, vorbei an meinem Spiegelbild, dann schloss ich die Finger um den Handlauf und stieg stocksteif die Stufen hinunter.

Am Fuß der Treppe umfasste ich den Pfosten und starrte mit weit aufgerissenen Augen Richtung Küche. Ich registrierte ein trockenes Klicken in meiner Kehle.

»Darf ich diesen Mülleimer beiseiteschieben?«, fragte Donovan.

»Ja, natürlich.«

Ich nahm die Hand vom Treppenpfosten und schaffte es die wenigen Stufen hinunter in den Küchenbereich, wo ich mich an der Arbeitsplatte der Kücheninsel festhielt. Ich musste dringend etwas Kühles, Festes unter den Händen spüren.

»Ich bleibe einfach hier stehen«, sagte ich.

»Verstehe.«

Der Boden des Abfalleimers schabte über die Dielenbretter, als er ihn beiseiteschob. Dann zog er den Metallriegel an der Außenseite der Tür zurück und öffnete sie.

Tiefe Schwärze flammte uns entgegen.

Mit einem Mal kam mir der Boden, auf dem ich stand, viel zu unsolide vor, als könnte er jeden Moment nachgeben und durchbrechen und dann läge ich hilflos da unten.

Bitte nicht.

»Lichtschalter?«, fragte er.

»Links hinter der Tür.«

Wenig später war die Treppe in helles Licht getaucht. Die Wände erstrahlten in frischem Weiß. Donovan stützte sich zu beiden Seiten der Treppe daran ab und machte sich an den Abstieg.

Kühle Luft kroch von meinen Knöcheln aus an meinen Beinen empor, während ich nacheinander seinen Oberkörper, seine Schultern und seinen Kopf verschwinden sah.

Schließlich war er gänzlich aus meinem Sichtfeld verschwunden und ich richtete den Blick in die andere Zimmerecke zum Esstisch. Ich ließ zu, dass alles andere um mich herum verschwamm.

In nur wenigen Stunden wäre Sam wieder zu Hause, dann würden wir hier sitzen und gemeinsam zu Abend essen. Etwas Schnelles, Einfaches. Eier auf Toast vielleicht. Alles wäre wieder wie immer. Alles wäre in bester Ordnung.

Aber momentan fühlte sich unser Haus außergewöhnlich still und kalt an. Meine Sinne wirkten seltsam stumpf.

Vollkommen idiotisch.

Alles bestens. Dir geht's gut.

Die Vorderseiten meiner Oberschenkel und meine Kniescheiben pressten sich gegen die Kücheninsel. Kurz durchzuckte mich der irrwitzige Gedanke, ich würde von einer unsichtbaren Flut mitgerissen und in den Keller hinuntergespült.

Es ist nur ein negativer Gedanke, ein Hirngespinst.

Es gibt keine reale Ursache für deine Angst.

Ich wartete.

Dieses nutzlose Herumstehen war eine Qual.

Ich merkte, dass ich meine Zehen in den Schuhen gekrümmt hatte, spürte das trockene Schaben meiner Lider beim Blinzeln.

Langsam drehte ich den Kopf nach links und starrte auf die Digitalanzeige am Herd.

Es war schon bald halb fünf.

Die grünen Ziffern leuchteten mir grell entgegen.

Das Erste-Hilfe-Set lag noch auf dem Küchentresen, sein Inhalt quoll daraus hervor. Ich hatte vorhin, als ich die Desinfektionstücher für das gestürzte Mädchen geholt hatte, einfach alles stehen und liegen lassen. Die Unordnung stand in starkem Kontrast zum Rest der Küche.

Räum das auf.

Dann bist du wenigstens beschäftigt.

Ich ging auf das Chaos zu, verstaute die herumliegenden Sachen in der Tasche und zog den Reißverschluss zu.

Alles gut.

Niemand erwartet von dir, dass du in den Keller gehst.

Du musst da nicht runtergehen.

Ich wappnete mich innerlich und drehte mich wieder zur weit offen stehenden Tür um.

Die Luft vor mir schien zu flimmern. In angespannter Stille wartete ich darauf, dass Donovan wieder nach oben kam.

24

Sam

»War's das?«, fragte der Schläger. »Ist das alles, was Sie auf dem Kasten haben?«

Sam lehnte sich auf seinem Stuhl zurück und legte den Kopf schief. »Nein, ganz und gar nicht«, gab er freundlich zurück. »Ich habe nämlich vor, Ihnen hier und heute einen umfassenden Eindruck davon zu vermitteln, wohin wir als Gruppe wollen und auf welche Art und Weise ich Ihnen auf Ihrem persönlichen Weg helfen kann. Bei unserer gemeinsamen Arbeit wird es vor allem darum gehen, Ihr Denken komplett umzukrempeln, dafür zu sorgen, dass Sie mit mehr Besonnenheit an Ihr Problem herangehen. Vielleicht haben Sie schon mal was von kognitiver Verhaltenstherapie gehört. Es handelt sich um eine vielfach bewährte und sehr effektive Behandlungsmethode bei allen Arten von Phobien.«

»Und was, wenn das nicht hilft?«, fragte Depri-Girl, die typische Reaktion von Menschen, deren Alltag von irrationalen Ängsten bestimmt ist. Mit einiger Besorgnis blickte sie zum Bibliothekar, der von einer knisternden, überbordenden Energie besessen zu sein schien und ständig zappelte.

»Dann bleiben immer noch andere Methoden, mit denen wir es versuchen können. Mit der Immersionstherapie zum Beispiel.«

»Und was genau ist das?«, erkundigte sich die Künstlerin.

»Einfach ausgedrückt handelt es sich um eine Technik, bei

der man sich in einem kontrollierten Umfeld seinen Ängsten stellt und sie herausfordert. Anfangs nur in kleinen Schritten und dann zunehmend intensiver.«

»Oh.«

»Kein Grund zur Sorge. Ich habe eine ganze Reihe von sicheren Experimenten entwickelt, die zu wirklich überzeugenden Ergebnissen geführt haben. Ich gebe Ihnen ein einfaches Beispiel: Jemand hat Angst vor Spinnen. Diese Person wird ermuntert, sich ihrer Angst zu stellen, indem man sie eine kleine, in einem Plexiglasbehälter eingeschlossene Spinne beobachten lässt. Dann steigert man das Ganze bis zu einem Punkt, wo diese Person eine Tarantel auf die Hand nehmen kann.«

»Wow«, sagte der Sportler.

»Das klingt für mich aber gar nicht gut«, bemerkte der Schläger.

Sam lächelte den beiden verständnisvoll zu. »Wie gesagt, es ist ja auch nicht unsere erste Wahl. Manchmal lohnt es sich jedoch, es bei geeigneten Kandidaten zu testen, erst recht, wenn deren Phobien sich als besonders tief verankert herausstellen. Möglicherweise trifft das auf keinen von Ihnen zu. Aber erst mal einen Schritt nach dem anderen.«

25

Ich wartete noch eine Weile ab, bevor ich nach ihm rief. Lange hielt ich es allerdings nicht aus.

»Alles in Ordnung da unten?«

Es kam keine Antwort.

»Hallo?«

Keine Reaktion.

»Donovan?«

Hatte er mich gehört? Vielleicht drang kein Laut nach da unten, durch die dicke Schicht Beton, umgeben von grausigen Unmengen Gestein und Erde?

Mein Magen rebellierte. Meine Handflächen waren schweißnass. Meine Lunge schmerzte und fühlte sich rau an, als hätte ich feine Flusen eingeatmet. Ein dicker Kloß bildete sich in meinem Hals und ich spürte, wie ich immer schwieriger Luft bekam.

»Donovan?«

Immer noch nichts.

Ein düsteres Bild drängte sich in mein Bewusstsein, von Kellerwänden, die in sich zusammenfielen wie ein Kartenhaus und Donovan unter sich begruben. Zu Boden gedrückt von herunterfallenden Gesteinsbrocken, lag er da, flehte verzweifelt um meinen Beistand.

»Scheiße.« Fieberhaft wühlte ich in meiner Tasche nach dem Telefon. »Scheiße.«

Panisch und mit zitternden Fingern tippte ich auf das Display ein.

»Können Sie bitte einfach irgendetwas sagen?«, rief ich. »Nur damit ich weiß, dass es Ihnen gut geht?«

Stille.

»Bitte … soll das ein Scherz sein?«

Immer noch nichts.

Endlich gelang es mir, mein Handy zu entsperren. Bethanys Kontaktdaten waren auf dem Display zu sehen.

Du benimmst dich wie eine Irre.

Ich wünschte, Sam wäre hier. Ich wünschte, er säße jetzt auf einem der Küchenhocker, würde beruhigend auf mich einreden, mir eine Tasse grünen Tee machen.

Aber Sam ist nicht hier.

Du bist auf dich allein gestellt.

»Scheiße!«

Ich tippte auf Bethanys Nummer und riss das Telefon ans Ohr.

Das Klingeln klang blechern und verzerrt, was natürlich allein daran lag, dass ich mir das Handy viel zu fest an den Schädel presste.

»Geh ran. Geh schon ran!«

Das Telefon tutete weiter.

Sechs Sekunden.

Acht.

Ich musste unbedingt Bethanys Stimme hören. Ich wollte hören, wie sie mir hoch und heilig schwor, dass sie gleich hier wäre, dass ich mich nicht selbst darum kümmern müsste.

Bitte.

Das Telefon tutete weiter, ohne Ergebnis.

Nehmen Sie ab, Bethany. Gehen Sie endlich an Ihr Scheißtelefon und sagen Sie mir, wo Sie stecken.

Das Tuten verstummte, der Anruf wechselte auf die Mailbox.

Ungeduldig hörte ich mir Bethanys Bandansage an, auf der sie mir munter mitteilte, ich solle eine Nachricht hinterlassen, sie würde sich zurückmelden, aber ich legte auf.

Die Stille stürmte auf mich ein wie eine physische Gewalt, während ich ratlos in Richtung Keller starrte. Nicht der geringste Laut drang nach oben.

»Wenn Sie mich hören können, sagen Sie bitte etwas. Ich drehe sonst durch. Sie müssen jetzt wirklich wieder nach oben kommen.«

Ich lauschte, und diesmal war mir, als hörte ich alles und nichts gleichzeitig.

Meinen stockenden Atem, das Stöhnen der Leitungen in der Küche und das Summen der Kühl-Gefrier-Kombi im Hintergrund, aber nicht einen Mucks von Donovan.

»Das ist nicht witzig.«

Meine Handinnenflächen waren vom Schweiß so glitschig, dass mir das Smartphone fast aus der Hand rutschte.

Dann hörte ich etwas. Ein Schaben. Ein leises Kratzen.

Es kommt von unten.

Wieder wartete ich ab und lauschte, doch es drang nichts weiter zu mir hoch.

Er muss gehört haben, wie ich ihn gerufen habe.

Ich wagte mich einige Schritte vor, dann blieb ich erneut stehen. Die Stufen lagen jetzt direkt vor mir. Ich hatte eine Vision, wie meine Beine unter mir nachgaben und ich die Treppe hinunterstürzte.

»Nein«, sagte ich laut. »Das mache ich nicht.«

Entschlossen trat ich von der Tür zurück, drehte mich um und eilte durch die Küche, die Stufen zum Wohnbereich hinauf und dann weiter zum Erkerfenster, das zur Straße hinausging.

26

Ich spähte zwischen den Lamellen der Jalousie hindurch nach draußen. Mein Blickfeld war wegen der Hecke ziemlich eingeschränkt, aber von meinem Standpunkt aus konnte ich immerhin an dem Schild mit der Aufschrift »Zu verkaufen« vorbei zur Straße sehen.

Es war noch einmal dunkler geworden. Die Straßenlampen erstrahlten in elektrischem Gelb. Die Äste an den Bäumen bewegten sich im Wind.

Ich sah den Lieferwagen eines Sanitärgeschäfts, der direkt gegenüber von unserem Gartentor geparkt stand, und gleich dahinter die Motorhaube eines kleinen City-Flitzers. Das Auto stand schon so lange unbenutzt an dieser Stelle, dass sich unter den Scheibenwischern Müll und Laub angesammelt hatten, die Karosserie war überzogen von einer klebrigen Patina aus Straßenstaub und Laub.

Hinter einigen Fenstern an den gegenüberliegenden Häusern brannte Licht, aber der Großteil der Bewohner würde wohl frühestens in einer Stunde von der Arbeit nach Hause kommen.

Ich wippte auf den Fußballen vor und zurück, machte den Hals lang und spähte angestrengt nach draußen, aber es half alles nichts. Von Bethany nach wie vor keine Spur.

Noch einmal überprüfte ich mein Handy, flehte inständig, sie möge sich endlich zurückmelden. Schließlich versuchte ich es noch einmal bei ihr. Ich stellte den Anruf auf Lautsprecher, trat mit dem Telefon in der Hand vom Fenster zurück und drehte mich um. Mein Blick ging zur geöffneten Kellertür.

Ein Abgrund tat sich in mir auf.

Das Telefon brummte und tutete vor sich hin.

Steif streckte ich den Arm aus und knipste eine Lampe an.

Schon besser.

Ich hatte die leise Hoffnung, Donovan könnte das Tuten meines Telefons bis hinunter in den Keller hören. Vielleicht würde er mir dann endlich antworten, mir zurufen, dass er auf dem Weg nach oben sei.

Er sagte nichts.

Da kam mir ein ulkiger Gedanke. Was, wenn er gar nicht im Keller war? Ich wusste zwar, dass er im Grunde nirgendwo anders sein konnte, schließlich hatte ich ihn mit eigenen Augen hinuntergehen sehen.

Es sei denn, er ist klammheimlich hochgeschlichen, als du aus dem Fenster geschaut hast.

Dieser Gedanke ließ mich nicht mehr los. Es war wider jede Vernunft, ja, vielleicht sogar ein wenig verrückt, als ich aber einen vorsichtigen Schritt nach links machte und mich am Sofa und dem Wohnzimmertisch vorbeischob, ertappte ich mich dabei, wie ich mich leicht duckte und zum oberen Absatz der Treppe hinaufspähte. Mir war klar, wie lächerlich ich mich benahm, dass ich darauf lauschte, ob er sich vielleicht durch ein Geräusch von oben verriet, ich einen Hinweis darauf bekam, was hier vor sich ging, ich tat es trotzdem.

Ich hatte freie Sicht auf den Treppenabsatz und ein Stück vom Flur.

»Scheiße.«

Blitzschnell drehte ich mich zur Haustür um, hielt eine Sekunde lang inne und streckte die Hand dann nach dem Sperrbügel aus.

Ich öffnete die Tür einen Spalt und ein Schwall Straßenluft wehte herein.

Schon besser.

Es roch nach Ruß, Abgasen und Asphalt.

Ein Teil von mir war versucht, die Tür komplett aufzureißen und rauszugehen. Ich könnte am Gartentor auf Bethany warten. Oder auf Donovan, bis er wieder aus dem Keller käme. Oder auf Sam, bis er von der Arbeit zurück wäre.

Aber wenn ich absolut ehrlich mir selbst gegenüber war, war mir natürlich sonnenklar, dass ich nur nach einem schnellen Ausweg für den Notfall suchte, damit ich fliehen konnte, wenn es drauf ankäme.

Hör auf. Deine Reaktion ist total übertrieben.

Aber war das wirklich so? Hatte ich nicht schon von Anfang an, noch bevor die Besichtigung richtig begonnen hatte, ein ungutes Gefühl gehabt? Im Grunde, seit ich Bethanys Nachricht erhalten hatte?

Aber du hast immer ein schlechtes Gefühl. Bei allem.

Selbst an deinen besten Tagen erwartest du ständig nur das Schlimmste.

Du kriegst ja allein beim Staubsaugen schon Panik.

Mein Telefon verstummte, erneut landete mein Anruf auf Bethanys Mailbox.

Ich legte auf und wog das Smartphone in meiner Hand.

Von der Straße her war ein Ruf zu hören, von einem der Bauarbeiter, gefolgt von der Antwort eines Kollegen. Das brachte mich auf den Gedanken, dass ich da rausgehen und diese Männer fragen könnte, ob sie mit mir ins Haus kommen würden. Vielleicht wäre ja einer von ihnen so freundlich, in den Keller zu gehen und nachzusehen, ob mit Donovan alles in Ordnung war.

Aber war das wirklich eine so gute Idee?

Denn wie ließe mich das in Donovans Augen aussehen? Sam wäre schrecklich enttäuscht, wenn ich zuließe, dass ich wegen meiner Wahnvorstellungen diese Besichtigung vor die Wand fuhr.

Donovan war vermutlich noch nicht mal *so* lange da unten.

Und er hatte mir gegenüber betont, wie wichtig ihm der Keller war. Vielleicht war er völlig in irgendwelche Überlegungen vertieft, nahm die Räumlichkeiten genau unter die Lupe, stellte sich vielleicht sogar vor, wo er seine Fitnessgeräte hinstellen könnte. Und möglicherweise fragte er sich, ob das Haus das richtige für ihn war und wie hoch das Angebot sein dürfte, das er bereit war abzugeben.

Gönn ihm noch ein bisschen Zeit.

Wieder streckte ich die Hand nach der Tür hinter mir aus und vergewisserte mich, dass sie nach wie vor einen Spaltbreit geöffnet war. Dann schloss ich die Hand fester um mein Telefon und schob mich langsam wieder auf die Kellertür zu.

27

Keine zehn Pferde würden mich da runterkriegen. Solange ich nicht in den Keller ging, war ich auf der sicheren Seite.

»Hallo?«

Ich kam gar nicht erst bis zur Treppe. Wenige Schritte davor blieb ich stehen, am Ende der Küchenzeile, den Abfalleimer neben mir. Ich schloss die freie Hand um die Kante der Arbeitsplatte und hielt mit der anderen mein Telefon umklammert.

»Brauchen Sie irgendwie Hilfe?«

Das wäre das Schlimmste, oder nicht? Wenn er verletzt wäre. Wenn er bewusstlos dort unten läge oder einen Schwächeanfall erlitten hätte oder, keine Ahnung, einen Herzinfarkt oder Ähnliches gehabt hätte.

In dem Fall wäre meine Reaktion – oder vielmehr mein *Nicht*-Reagieren – unverzeihlich.

Und ja, er hatte fit und gesund ausgesehen, aber der erste Anschein war oft trügerisch, und überhaupt, warum vergeudete ich hier oben kostbare Zeit, wo er doch vielleicht verletzt da unten lag?

»Donovan?«

Oder konnte er mich am Ende wirklich nicht hören?

War das denkbar? Ich hielt es durchaus für möglich. Die Kellerwände und die Decken waren sicher sehr dick.

Oder – und darüber wollte ich gar nicht erst nachdenken – er führte mich vielleicht einfach nur an der Nase herum. Ich hatte ihm von meiner Klaustrophobie erzählt. Hatte ihm gestanden, wie unwohl ich mich beim Gedanken an den Keller fühlte. Er hatte hautnah miterlebt, dass ich ein ernsthaftes Problem damit hatte. Ich dagegen wusste so gut wie nichts über ihn. Möglicherweise war er genau die Sorte Arschloch, die ihren Spaß daran hatte, eine Frau zu terrorisieren.

Ich stellte mich auf die Zehenspitzen und spähte die Stufen hinunter. Am unteren Ende machten sie einen Knick nach rechts und mein Magen beschrieb eine ähnliche Kurve. Ich taumelte weiter, den Arm nach hinten ausgestreckt, unwillig, die Arbeitsplatte loszulassen. Als ich auf der Straße ein Fahrzeug vorbeirauschen hörte, hielt ich wie gelähmt inne. Der Fahrtwind musste einen Luftzug verursacht haben, denn jetzt schwang die Haustür komplett auf und donnerte gegen die Wand im Flur.

Blitzartig drehte ich mich um und starrte zum Eingang.

»Donovan?«

Als wieder keine Antwort kam, überfiel mich aufs Neue dieser schreckliche Verdacht. Ob er vielleicht *doch* woanders sein könnte? War da etwa gar niemand im Keller?

Knisternd ballte sich die Panik um mich zusammen.

Ich überlegte hin und her, was ich tun sollte.

Die Haustür hinter dir steht offen. Du hast frische Luft und zur Not einen Fluchtweg. Du bist nicht eingesperrt. Du sitzt nicht fest.

Zentimeter für Zentimeter schob ich mich vorwärts, bis ich den Küchentresen hinter mir nur noch leicht mit der Kuppe des Zeigefingers berührte.

Ich drehte mich danach um und sah zu, wie ich diesen letzten Kontakt löste.

Als ich den Kopf wieder nach vorne drehte, geriet ich gefährlich ins Wanken, als balancierte ich in luftiger Höhe auf einem dünnen Drahtseil, das unkontrolliert zitterte, immer heftiger schwankte.

Eine Sekunde lang zögerte ich. Ich griff mit der Faust in den Stoff meines Pullis.

»Donovan? Es tut mir leid, aber wären Sie so freundlich, jetzt wieder nach oben zu kommen?«

Nichts.

»Bitte? Ich weiß, es klingt lächerlich, aber ich fühle mich nicht wohl damit, deshalb denke ich wirklich …«

Ich wurde von einem Klopfen an der Haustür unterbrochen.

»Klopfklopf«, rief eine fröhliche weibliche Stimme. »Lucy? Wo stecken Sie?«

28

Sam

»Eine Sache verstehe ich nicht.« Der Schläger verschränkte seine haarigen Arme vor dem umfangreichen Bauch. Die Art und Weise, wie er trotzig das Kinn vorschob und die einzelnen Gruppenmitglieder abschätzend musterte, als wollte er sich vergewissern, dass er ihre ungeteilte Aufmerksamkeit hatte, verriet Sam, dass er die Alpharolle für sich zu beanspruchen versuchte.

»Nur zu, raus damit«, forderte Sam ihn auf.

»Diese negativen Gedanken, von denen Sie sprechen.«

»*Automatische* negative Gedanken.«

»Richtig. Sie meinten, einige könnten sogar gut für uns sein? Zum Beispiel, wenn Gefahr droht? Wie bei diesem Beispiel mit dem heißen Herd?«

Sam nickte. »So ist es, ja.«

»Okay. Aber woher soll man das wissen? Was ich damit sagen will, ist: Woher weiß ich, ob ich mir eine Bedrohung nur einbilde oder ob sie real ist?«

29

Bethany trat in den Flur. Ihre Handtasche baumelte an ihrem Handgelenk.

Erleichtert legte ich mir die Hand auf die Brust, als sie einige Schritte ins Haus trat und den Hals reckte, um ins Obergeschoss zu spähen.

»Ich bin hier drüben«, rief ich ihr zu und ging von der Kellertür zur Küchenmitte.

Bethany stutzte, als sie mich sah. Wahrscheinlich wirkte ich ungefähr so gestresst und durch den Wind, wie ich mich fühlte.

Sie trug einen modischen Regenmantel, dazu einen auffallend bunten Schal. Sie sah aus wie eine Fernsehreporterin kurz vor der Liveschaltung. Ihre Absätze waren schwindelerregend hoch. Ihr Make-up sah aus wie frisch aufgelegt. Sie war Mitte zwanzig, wirkte in ihrem ganzen Auftreten aber um einiges älter. Sie hatte das Selbstbewusstsein und die Attitüde einer Frau, deren Leben sich genau so entwickelte wie geplant.

»Wo ist Donovan?« Sie streifte die Handschuhe ab, faltete sie und zupfte an ihren Haaren herum.

»Ich habe mehrfach versucht, Sie zu erreichen«, sagte ich.

»Ach ja?« Sie runzelte die Stirn, eine pantomimische Darstellung ihrer Verwunderung, öffnete ihre Tasche, tauchte mit der Hand hinein und brachte ihr Telefon zum Vorschein. »Ach, sieh an. Tut mir leid, ich befürchte, ich hatte es stumm geschaltet und …« Sie brauchte einen Moment, um die Informationen auf dem Display zu verarbeiten. »Gleich *drei* verpasste Anrufe?«

Ich schluckte und blickte zurück zur Kellertür.

»Lucy? Stimmt etwas nicht?«

»Ja, das kann man wohl sagen«, antwortete ich mit gesenkter Stimme und deutete hinter mich. »Er ist allein in den Keller gegangen und jetzt kommt er nicht mehr herauf.«

»Wie bitte?« Ihr Lachen klang extrem gekünstelt, klirrend. Ich trat einen Schritt auf sie zu. Ich wollte, dass sie verstand, wie wichtig das war, was ich ihr mitzuteilen hatte. »Er ist in den Keller gegangen, aber jetzt antwortet er nicht mehr, wenn ich ihn rufe.«

»*Okaaaaay.* Und Sie sind nicht mit ihm nach unten gegangen?«

Ich sparte mir jeden Kommentar dazu.

»Na gut. Haben Sie denn wenigstens nach ihm gesehen?«

»Noch nicht.« Ich hatte Bethany gegenüber nie ein Wort über meine Klaustrophobie verloren. Es hatte sich nicht ergeben. Sam war dabei gewesen, als sie das erste Mal hergekommen war, um den Wert des Hauses abzuschätzen, damals hatte *er* ihr den Keller gezeigt. Und die Besichtigungen, die sie seither arrangiert hatte, hatten stets in meiner Abwesenheit stattgefunden.

»Es tut mir leid, aber Sie wirken aufgelöst.«

»Weil es eigenartig ist«, beschwor ich sie. Ich hielt immer noch mein Handy umklammert, und jetzt bemerkte ich mit Schrecken, wie Bethany auf meine Knöchel starrte, die weiß hervortraten. »Ich habe keine Ahnung, ob er mir nur Angst einjagen will oder ob er das witzig findet oder …«

»Bethany?« Beim Klang von Donovans Stimme, die in meinem Rücken ertönte, fuhr ich vor Schreck herum. »Da sind Sie ja endlich.«

»Donovan!« Bethany breitete beide Arme aus und rauschte an mir vorbei, als Donovan mit einem leicht erstaunten Ausdruck im Gesicht oben an der Kellertreppe auftauchte. »Wir dachten schon, Sie seien verschollen! Wie wunderbar, dass wir uns endlich kennenlernen.«

Bethany stellte sich auf die Zehenspitzen und hauchte ihm Küsschen auf die Wangen. Als sie sich wieder von ihm löste, strich sie sachte mit den Fingern über den Ärmel seines Mantels, wie um die Qualität des Stoffes zu würdigen.

Donovan wirkte ein wenig befremdet von ihrer herzlichen Begrüßung, aber nachdem er sie seinerseits eingehend gemustert hatte, schien es ihn nicht länger zu stören.

»Ich dachte schon, Sie hätten mich versetzt!«

Bethany fingierte ein empörtes Luftschnappen. »Wie käme ich dazu!«

Wieder legte sie ihm die Hand auf den Arm, was mich an die Frau von vorhin erinnerte, draußen vor dem Haus. Sie hatte ihn auf ähnliche Weise berührt. Wobei Bethany noch um einiges forscher war, fast besitzergreifend. Donovan war gut und gerne zehn Jahre älter als sie, dem anerkennenden Lächeln nach zu urteilen, mit dem er ihre Berührung quittierte, hatte er wohl kein Problem damit.

Und warum auch? Bethany war bildhübsch. Und alleinstehend.

»Also …« Sie verdrehte sich in der Hüfte und zog endlich ihre Hand zurück. Nachdenklich tippte sie sich mit dem Zeigefinger an die Lippen. »Wie finden Sie es?«

»Was denn?«

»Das Haus, Sie Dummerchen.«

»Ich denke, es erfüllt sämtliche Kriterien, die Sie mir am Telefon genannt haben, und lässt auch sonst keine Wünsche offen. Lucy hat ihre Sache außerordentlich gut gemacht und mir bereits alles gezeigt.«

Das war sehr freundlich formuliert und das wussten wir

beide. Aber wir waren uns sicher auch darin einig, dass hier etwas ganz und gar nicht mit rechten Dingen zuging, und von dieser Überzeugung würde ich mich nicht so schnell abbringen lassen.

»Bethany …«, setzte ich an.

»Hat Sie Ihnen auch schon die Terrasse hinter dem Haus gezeigt?«, fuhr Bethany fort und überging mich komplett.

»Ja, das haben wir abgehakt«, bestätigte Donovan.

»Die Küche erfüllt wirklich allerhöchste Ansprüche, nicht wahr?«

»Jedenfalls ist alles da, was man braucht, um sich Essen ins Haus liefern zu lassen.«

»Ach, *so* einer sind Sie. Und das Obergeschoss?«

»Damit kann ich mich arrangieren.«

»Mhm, darauf möchte ich wetten.«

»Entschuldigung«, platzte ich heraus. Mir war bewusst, wie unhöflich ich klang. Ich war mir auch darüber im Klaren, dass man mir meine Wut anmerken musste, dass ich verstört und vielleicht sogar psychisch labil rüberkam, aber das war mir in diesem Moment herzlich egal. »Ich habe nach Ihnen gerufen«, sagte ich zu Donovan, nicht ohne Vorwurf in der Stimme.

»Ach, haben Sie das?« Er runzelte die Stirn, scheinbar verwundert.

»Ja, als Sie unten im Keller waren. Ich habe nach Ihnen gerufen, aber Sie haben nicht geantwortet.«

»Wirklich?« Er warf Bethany einen fragenden Blick zu. »Ich habe Sie nicht gehört.«

Ich hätte mich mit dieser Antwort zufriedengeben sollen. Natürlich war mir das klar. Diese Diskussion führte offensichtlich zu nichts. Und trotzdem …

»Ich habe ziemlich laut gerufen.«

»Tja dann«, mischte Bethany sich ein und klatschte in die

Hände. »Ist das nicht der beste Beweis, wie solide dieser Keller ist?«

»Vielleicht war es meine Schuld.« Donovan verzog reumütig das Gesicht und hob beschwichtigend die Hand. Sie war in etwa so groß wie die Pranke eines Bären. »Die Wahrheit ist mir etwas peinlich, aber ich habe tatsächlich Schwierigkeiten mit meinem Gehör. Eine alte Rugbyverletzung. Hätte ich etwas mitgekriegt, wäre ich natürlich sofort nach oben gekommen, Lucy. Einmal habe ich sogar nach Ihnen gerufen. Haben Sie das gehört?«

Etwas kräuselte sich unter meiner Haut. Ein fieberhaftes Zucken.

Ich hatte den Verdacht, dass er log, er betrachtete mich jedoch ganz ungezwungen, und Bethany sah offenbar nicht das geringste Problem, sodass ich beschloss, die Situation nicht eskalieren zu lassen.

»Nun, ist doch prima, dass wir das geregelt haben«, flötete Bethany, hakte sich bei Donovan unter und setzte sich mit ihm im Schlepptau in Bewegung. »Kommen Sie, ich zeige Ihnen noch mal die Zimmer. Wir wollen doch nicht, dass Sie mit irgendwelchen Restzweifeln im Kopf von hier weggehen.«

Sie stiegen bereits die Stufen nach oben.

Und obwohl bei mir jetzt sämtliche Alarmglocken schrillten und mich warnten, dass ich endlich Ruhe geben sollte, kam ich nicht gegen den Impuls an.

»Ich dachte, Sie hätten noch einen Termin?«, rief ich Donovan hinterher.

»Oh bitte«, kam Bethany einer Antwort von ihm zuvor. »Sie werden doch noch ein paar Minuten für mich erübrigen können, nicht wahr, Donovan? Warum machen Sie es sich nicht einfach solange gemütlich, Lucy? Wir brauchen auch nicht lange, versprochen.«

30

Nachdem ich die Haustür leise geschlossen hatte, blieb ich unschlüssig am Fuß der Treppe stehen, eine Hand locker ans Treppengeländer gelegt. Stirnrunzelnd schaute ich hinauf zum oberen Absatz.

Von Bethany und Donovan war nichts zu sehen, aber ich konnte die beiden schäkern hören. Sie waren im hinteren Schlafzimmer und flirteten offenbar ungeniert.

Wobei mir erneut Zweifel kamen. Klang Bethanys Lachen nicht irgendwie seltsam? Es hatte etwas Gezwungenes.

Während ich so überlegte, kam mir der Gedanke, dass Bethany Donovan womöglich lange nicht so anziehend fand, wie sie ihn vielleicht glauben lassen wollte. Wahrscheinlich war sie sehr viel cleverer, als ich es ihr zugetraut hätte, und in Wirklichkeit ging es ihr in erster Linie um die Kommission, die ihre Agentur ihr zahlte, sofern sie ihm unser Haus verkaufte.

War das möglich? Auszuschließen war es nicht. Ich wusste zwar nicht viel über Bethany, aber es reichte aus, um sie für eine geldgierige, abgebrühte Geschäftsfrau zu halten.

Und Donovan? Wie viel wusste Bethany über ihn? Klar, sie wusste, dass er auf der Suche nach Eigentum in unserer Gegend war, und kannte seine Preisvorstellung, aber wie gewissenhaft hatte sie ihm vorab auf den Zahn gefühlt? Ich konnte mir nicht vorstellen, dass man sich im Maklerbusiness über die Liquidität von potenziellen Käufern schlau machte, um zu sehen, ob die sich die besichtigten Objekte auch tatsächlich leisten konnten. Wahrscheinlich hatte Bethany ein paar höfliche Fragen gestellt, ihn quasi indirekt und durch die Blume geprüft, obwohl man da natürlich schnell an gewisse Grenzen stieß.

Und trotzdem. Ich wurde das Gefühl nicht los, dass an Donovan irgendetwas faul war.

Ich neigte mich leicht zur Seite und sah noch einmal zur Kellertür.

Er hatte sie nicht geschlossen.

Natürlich musste ihm klar gewesen sein, dass mich das massiv stören würde.

Für einen kurzen Moment kniff ich die Augen zu.

Schwankend stand ich da.

Er hatte steif und fest behauptet, nicht gehört zu haben, dass ich nach ihm gerufen hatte. Aber tief im Inneren misstraute ich ihm, deshalb nahm ich ihm das einfach nicht ab. Was ich allerdings beim besten Willen nicht begriff, war, *warum* er lügen sollte.

... *Klick.*

In dem Moment hörte ich es.

Diesen Laut in meinem Kopf.

Dieses Geräusch, das nie ganz verschwand.

... *Klick.*

Wie der Abzug eines Revolvers, dessen Kammer leer ist.

Dieses Klicken machte sich bemerkbar, wann immer ich nervös wurde. Sobald ein Panikanfall im Anmarsch war. Wenn ich wieder mal Zustände bekam.

Bitte nicht jetzt.

... *Klick.*

Im Geiste wurde ich dadurch schlagartig in dieses Badezimmer zurückversetzt, mit der wummernden Partymusik im Hintergrund, kurz bevor ich mich in Luft auflöste, fortgesaugt wurde in ein Vakuum, während der Mann, der mir dort hinein gefolgt war und die Tür hinter sich geschlossen hatte, auf mich zutrat, die Lücke zwischen uns schloss und sein Gesicht sich vor meinen Augen auflöste, zu einem Schatten zerfiel und er beide Hände nach mir ausstreckte.

»Ich habe dich beobachtet.«

In meinen finstersten Albträumen hatte ich seine Stimme klar und deutlich im Ohr. Wenn ich aufwachte, klatschnass geschwitzt und keuchend vor Panik, war ich jedes Mal verblüfft, dass das, was mir im Traum so eindeutig erschienen war, hinterher nichts als Zweifel hinterließ.

... *Klick.*

Ich zuckte zusammen.

Jedes Mal wieder erwischte es mich eiskalt.

Ich konnte mich nicht davon befreien, ganz gleich, was ich auch versuchte und wie viele von Sams Techniken ich ausprobierte. Mir war nicht verborgen geblieben, dass Sam manchmal Frust schob, weil er mir nicht besser helfen konnte. Was meine Klaustrophobie und das erlebte Trauma anging, so nahm er an, dass es in meiner Psyche noch eine sehr viel tiefer liegende Blockade gab, vielleicht aus meiner Kindheit, ein Problem, das wir noch nicht hatten lösen können, weil wir ihm noch nicht mal auf die Schliche gekommen waren. Sam hatte zwar noch von weiteren Möglichkeiten gesprochen, wie er mich therapieren könnte, darunter einige etwas experimentellere Strategien, doch in letzter Zeit verlor ich zusehends die Hoffnung, dass es jemals klappen könnte, und ich fürchtete, dass diese Klicklaute mich stets begleiten würden, wann immer ich mich mit einer Herausforderung konfrontiert sah. Es war eine seltsame Art von Tinnitus, ein lästiger Tic, vergleichbar mit dem nervösen Husten, den manche Leute entwickelten.

Jetzt lachte Donovan wieder, ein heiseres Keckern, und wenig später hörte ich, wie Bethany ihm etwas zuraunte, in verschwörerischem, amüsiertem Tonfall. Dann bewegten sie sich weiter durch den Flur, vorbei am Badezimmer, wobei Bethany wie ein Wasserfall redete, ihn auf den großzügigen Platz im großen Schlafzimmer hinwies. Die beiden kicherten wie zwei frisch Verliebte, die es eilig hatten, in ihr Hotelzimmer zu kommen.

Ich entfernte mich von der Treppe, bevor sie mich noch bemerkten ...

... *Klick* ...

... und ging in die Küche, wo ich ein Glas aus dem Schrank holte und es mit Eiswürfeln und Wasser vom Spender am Kühlschrank füllte.

Ich ging mit meinem Getränk zur Kücheninsel, zog einen der hölzernen Hocker unter dem Tresen hervor und ließ mich schwer darauf nieder. Das Handy legte ich vor mir auf die Arbeitsfläche, dann nahm ich einen Schluck.

Das Glas schlug klirrend gegen meine Zähne.

Ich starrte auf das Telefon und wünschte, ich könnte Sam anrufen. Er könnte mich beruhigen und sagen, dass alles unter Kontrolle war. Vielleicht rief er ja bald an und teilte mir mit, seine Selbsthilfegruppe habe sich etwas früher getrennt und er sei bereits auf dem Heimweg.

... *Klick.*

Ich trank noch einen Schluck Wasser und schloss die Augen.

Ich hätte gar nicht erst versuchen sollen, diese Sache hier alleine durchzuziehen. Es war einfach zu viel und offenbar noch zu früh für mich.

Es ist zwei Jahre her, stellte ich mir Sams Stimme vor. Und er klang dabei kein bisschen gereizt. Sondern behutsam. Besänftigend.

Zwei Jahre, in denen ich mich unbeirrt bemüht hatte, wieder auf die Beine zu kommen, in denen ich an meinem Trauma herumgeschliffen und die Risse in meiner Psyche mit Tapete überdeckt hatte, genau wie ich dieses Haus von oben bis unten abgeschliffen und frisch tapeziert hatte.

Es war meine eigene Form der Therapie, meine Form der Heilung.

Wieder war ein Kichern von Bethany zu hören, und ich spürte, wie meine Hand sich fester um das beschlagene Glas schloss, das sich kühl und glatt unter meinen Fingern anfühlte.

Denn mal ehrlich, war ich früher nicht auch so gewesen? So sorglos. So vergnügt.

Lass endlich los. Schau nach vorn.

Das hier war eine simple Hausbesichtigung. Nichts weiter.

Ich projizierte meine persönlichen Erfahrungen auf diese fremde Situation. Und deshalb veranstaltete ich dieses Drama. Wegen nichts.

Und ja, vielleicht hatte Donovan seine Spielchen mit mir getrieben, als er dort unten im Keller war und keinen Piep sagte. Vielleicht hatte er sich einen Spaß daraus gemacht, die Grenzen meiner Neurosen auszuloten. Vielleicht war er, ganz platt ausgedrückt, einfach nur ein riesengroßes Arschloch.

Also … was soll's?

Es wäre bald vorüber. Dann wäre er wieder weg.

Und Bethany auch.

Falls Donovan wirklich ein Angebot für das Haus abgab, konnte Sam sich bei einem Telefonat selbst ein Bild von ihm machen. Es war ja nicht so, als gäbe es ein ehernes Gesetz, das vorschrieb, dass er unser Haus nur an jemanden verkaufen durfte, den ich mochte.

Im Gesamtkontext gesehen sollte ich mich lieber darauf konzentrieren, dass ich heute einen ersten kleinen Schritt in die richtige Richtung gemacht hatte. Einen Schritt, den ich nie und nimmer in Erwägung gezogen hätte, als ich heute Morgen aufgewacht war.

Alles das führte ich mir jetzt vor Augen.

Und während ich es mir so vorsagte, ergab es absolut Sinn.

Aber dann ertappte ich mich doch dabei, wie ich nach dem Handy griff und mich vom Hocker erhob.

Ich würde trotzdem zu ihnen raufgehen und mich unter irgendeinem Vorwand zu ihnen gesellen – hallo, schließlich wohnte ich hier. Mir doch egal, wenn es ihnen nicht gefiel oder sie mich für aufdringlich hielten …

Ich blieb wie angewurzelt stehen, als ein überraschter Aufschrei meine Gedanken durchbrach. Er kam aus unserem Schlafzimmer oben, gefolgt von einem dumpfen Schlag.

31

Dann herrschte Stille.

Ich keuchte auf, stand so starr da, dass ich das Gefühl hatte, zu vibrieren, und dabei horchte ich dem abgerissenen Echo von Bethanys Schrei nach.

Oder war es ein Hilferuf?

Ich spielte es im Kopf noch einmal durch.

Das plötzliche Aufjaulen. Das abrupte Ende.

Schock und Verwunderung hatten darin gelegen. Aber war da nicht noch etwas anderes? So was wie Angst? Oder Schmerz?

Ich konnte es nicht mit Bestimmtheit sagen.

Gut möglich, dass sie in ihren hohen Stöckelschuhen umgeknickt oder gestolpert war oder sie hatte auf irgendeine Lappalie übertrieben reagiert.

Meine Instinkte allerdings sagten mir etwas anderes.

Genau wie mein hart erkämpftes Wissen. Die Last der Erfahrung.

Kälte kroch über meinen Rücken. Meine Kehle brannte. Meine Nervenenden schienen bloßzuliegen wie nackte Elektrodrähte.

Und dann diese Stille.

Sie hielt an.

Es folgte kein weiterer Ruf von Bethanys Seite. Kein »Alles gut, bin in Ordnung!« oder ein »Ups« oder ein »Sorry, tut mir leid!«. Kein nervöser, überdrehter Lachanfall.

Rumms.

Diesmal war das Geräusch lauter, es dröhnte durch den Raum.

Ich riss den Kopf herum. Das Deckenlicht zitterte. Immer noch kein Lebenszeichen von Bethany oder Donovan. Keinerlei Erklärung. Ich lauschte angespannt, alle meine Sinne hellwach. Meine Sicht war von ungewöhnlicher und überscharfer Klarheit. Mein Gehör war rein und intensiv. Ich nahm den Duft der frischen Lilien auf dem Wohnzimmertisch wahr, der mir mit einem Mal widerlich süß und klebrig vorkam.

»Bethany?« Ich erschrak über meine eigene raue, kratzige Stimme. »Ist alles in Ordnung da oben?«

Ich reckte den Hals, weil ich mich immer noch nicht vom Küchentresen wegbewegt hatte, war mir nicht mal sicher, ob ich in der *Lage* war, mich zu bewegen.

Jetzt aber schoben meine Füße sich zögernd einer nach dem anderen vor, bewältigten steif und linkisch die drei kurzen Stufen hinauf zum Wohnbereich, als ob sie das zum ersten Mal machten.

Mein Telefon wog schwer wie ein Ziegel in meiner Hand.

Vielleicht war Bethany ohnmächtig geworden. Vielleicht war das die Erklärung für diesen dumpfen Laut, den ich gehört hatte.

Aber da waren zwei dumpfe Schläge gewesen. Das weißt du ganz genau.

Und ich hatte sie nicht beide gleichzeitig gehört, sondern zeitlich ein wenig versetzt. Erst hatte es einen Schlag getan, gefolgt von einer Pause, und schließlich hatte es ein zweites Mal gerumst, einige Sekunden später.

Und warum hatte Donovan kein Wort gesagt?

»Bethany?«

Immer noch keine Antwort.

Ob das nun ablaufen würde wie vorhin mit dem Keller? Hatten sie etwa darüber gelacht? Erlaubten sie sich jetzt gemeinsam einen Spaß auf meine Kosten?

Ich blieb stehen und betrachtete eine Sekunde lang die Haustür. Ich könnte jederzeit da rausgehen. Ich könnte mich weigern, weiter mitzumachen, was immer das für ein perfides Spiel auch war, und einfach darauf warten, dass sie nach mir suchten. Aber wie ließ mich das denn bitte dastehen?

... *Klick.*

In meiner Erinnerung wurde ich abermals zurückkatapultiert in dieses Badezimmer, zu dem Mann mit der metallischen Stimme. Ich war allein und niemand würde mir zu Hilfe kommen. Ich konnte unmöglich zulassen, dass einer anderen Frau etwas Vergleichbares zustieß. Also gab ich mir einen Ruck und hielt auf die Treppe zu. Dann machte ich mich an den Aufstieg. Es schien eine halbe Ewigkeit zu dauern, bis ich endlich oben ankam.

Diesmal sparte ich mir das Rufen. Irgendetwas sagte mir, dass es das absolut Falsche wäre. Das Blut rauschte in meinen Ohren, während ich am oberen Absatz stand und lauschte. Schmerzhaft langsam bewegte ich mich auf das Schlafzimmer zu. Meine Füße schleiften über die Auslegware, als wäre ich an den Knöcheln gefesselt.

Die Tür stand einen Spalt offen.

Als ich direkt davorstand, atmete ich langsam aus und stieß sie komplett auf.

Donovan sah zu mir auf. Er stand unweit des Sofas, mit dem Rücken zum mittleren Fenster, und stützte sich mit beiden Händen am Fensterbrett ab. Einen langen, qualvollen Moment sagte keiner von uns einen Ton.

»Wo ist Bethany?«, fragte ich schließlich.

32

Sam

»Das Beste ist, Sie treten einen Schritt zurück und versuchen, die Situation, in der Sie sich befinden, möglichst nüchtern zu analysieren«, sagte Sam zum Schläger. »Bewahren Sie Ruhe. Machen Sie ein paar tiefe Atemzüge. Das hilft meistens. Dann schauen Sie sich die vorliegende Faktenlage an. Nicht das, was Sie zu sehen oder gar zu wissen *glauben*, sondern das, was Sie tatsächlich vor sich haben und hundertprozentig wissen. Und nun stellen Sie Ihre Ängste anhand der Fakten auf die Probe. Sind sie rational begründbar? Könnte es auch eine andere Erklärung geben?«

»Aber oft«, mischte die Künstlerin sich ein, »ist es doch das, was wir *nicht* sehen und *nicht* hundertprozentig wissen, was uns am meisten Angst einjagt, oder nicht? Zumindest ist es bei mir so.«

»Ja, bei mir auch«, pflichtete Depri-Girl ihr bei.

Der Sportler nickte. »Die berühmte Furcht vor dem Unbekannten.«

»Oder davor, dass einem etwas entgeht, das einem eigentlich auffallen sollte«, ergänzte die Künstlerin schaudernd. »Das ist zumindest das, was mich panisch werden lässt.«

33

Donovan antwortete nicht auf meine Frage.

»Wo ist sie?«, fragte ich noch einmal.

Er neigte den Kopf zur Seite und starrte mich an, als hätte er keinen Schimmer, wovon ich redete, oder als wäre es ihm scheißegal.

»Sie war doch gerade noch mit Ihnen hier oben. Sie hat geschrien oder um Hilfe gerufen oder ... ich weiß es nicht genau. Und dann war ein dumpfer Schlag zu hören oder ein Rumpeln, und ein paar Sekunden später gab es einen zweiten Schlag und ...«

Diesmal zuckte er mit den Achseln und schob die Unterlippe vor.

»Sagen Sie jetzt bitte mal was?«

»Sie haben sich mit diesem Schlafzimmer wirklich selbst übertroffen, Lucy. Je länger ich mich darin aufhalte, desto besser gefällt es mir.«

Panik stieg in mir auf und setzte sich in meiner Kehle fest.

»Es ist einfach ... so verblüffend geräumig.«

Ich wich keinen Schritt zurück. Blieb entschlossen an Ort und Stelle stehen. Der Abstand zwischen uns war groß genug. Die gesamte Breite des Zimmers, etwa fünf bis sechs Meter.

Und ich stand nahe genug an der Tür, falls es drauf ankäme.

»Bethany?«, rief ich.

Meine Stimme klang viel schwächer als beabsichtigt. Meine Hand schloss sich fester um mein Telefon.

Ich funkelte Donovan böse an und stellte fest, wie gefasst und abgeklärt er wirkte. Er machte keinerlei Anstalten, die Lücke zwischen uns zu schließen. Er wirkte restlos zufrieden damit, am Fenster zu stehen und mich zu beobachten.

Schnell drehte ich mich um und blickte den Flur hinter mir entlang. Dann riss ich den Kopf wieder nach vorn.

Verwirrung und Misstrauen rauschten durch meine Adern.

Vielleicht war ja alles vollkommen harmlos. Vielleicht war Bethany einfach nur in einem anderen Zimmer verschwunden.

Wieder kam mir der Gedanke, dass das hier ein gemeiner Schabernack sein könnte, den Donovan und Bethany gemeinsam ausgeheckt hatten. Vielleicht hatten sie meine Reaktion wegen der Kellergeschichte vorhin viel zu übertrieben gefunden, und jetzt versuchten sie, mir eine Lektion zu erteilen, was natürlich total daneben war.

Oder ich war auf dem völlig falschen Dampfer. Vielleicht ging es um etwas komplett anderes, etwas, das mir bislang entging. Vielleicht kannten Bethany und Donovan sich in Wirklichkeit viel besser, als sie mich glauben ließen.

Er hatte sich immer noch nicht vom Fleck gerührt.

»Bethany, können Sie bitte antworten?«, rief ich. »Wo stecken Sie?«

Wie konnte Stille nur so laut sein?

Mein Kopf pochte, während ich auf eine Antwort lauschte, die jedoch ausblieb. Ich starrte Donovan an, behielt aber gleichzeitig den Rand meines Blickfeldes im Auge und lauschte angestrengt auf irgendwelche verräterischen Geräusche hinter mir. Trotz seiner großzügigen Abmessungen war unser Schlafzimmer recht minimalistisch möbliert. Es gab ein Bett und zwei Nachtschränkchen, das kleine weiße Sofa, neben dem Donovan aktuell stand, einen Bettvorleger aus Kunstfell, den Kamin und den begehbaren Kleiderschrank.

Ich überlegte.

In meinen Schläfen summte es.

Der begehbare Kleiderschrank befand sich direkt zu meiner Linken, aber von meinem Standpunkt aus konnte ich nicht hineinsehen.

»Warum tun Sie mir das an?«

»Ich bin doch nur hier, um mir das Haus anzusehen, Lucy.«

»Ich könnte Sie bitten zu gehen.«

»Dann bitten Sie mich doch. Nur zu.«

Er stieß sich vom Fensterbrett ab und schob die Hände lässig in die Hosentaschen.

Aber natürlich war es nicht ganz so einfach, ihn zum Gehen aufzufordern. Denn wenn er ging, müsste er an mir vorbei. Ich müsste von der Tür wegtreten und mir wäre der Fluchtweg verstellt.

»Bleiben Sie, wo Sie sind!«, rief ich.

»Wissen Sie, Sie senden mir hier wirklich widersprüchliche Signale. Ich dachte, Sie wollten mir Ihr Haus verkaufen? Erst benehmen Sie sich eigenartig wegen des Kellers und jetzt das.«

Ich hob mein Handy hoch und hielt es ihm vor die Nase. Ich hatte das Display mit dem Daumen entsperrt. Meine Hand zitterte.

»Muss ich erst die Polizei rufen?«

»Wozu das denn?«

»Wo steckt Bethany?«

Mitleidig schüttelte er den Kopf.

»Ich könnte schreien.«

»Ach ja? Halten Sie das nicht für etwas überzogen?«

»Die Nachbarn sind nicht weit weg.«

»Das will ich hoffen. Es ist eine beliebte Gegend. Sehr begehrt. Deshalb bin ich ja hier, schon vergessen?«

Ich tippte auf die Neun. Und dann gleich noch einmal.

»Nur so aus Interesse«, sagte er. »Falls Sie ernsthaft die Polizei rufen, was wollen Sie denen denn sagen? Ich bin hier, um das Haus zu besichtigen. Wegen nichts anderem.«

»Nein, das sind Sie nicht.«

»Okay. Dann erlauben Sie mir eine weitere Frage. Wie lange, denken Sie, brauchen die hierher?«

Er sagte das so beiläufig, als wäre es keine große Sache, kaum der Rede wert, aber ich wusste genau, worauf er hinauswollte. Er teilte mir unterschwellig mit, dass er mich im Nu überwältigt hätte, bevor die Polizei hier einträfe.

»Sie machen mir Angst.«

»Ich denke, Sie machen sich selbst Angst, Lucy. Wie bei der Sache mit dem Keller. Was habe ich denn bitte schön verbrochen?«

Ich schüttelte den Kopf, obwohl sich nun doch leise, unwillkommene Zweifel meldeten. Vielleicht hatte ich ja wirklich überreagiert. Vielleicht ging meine Fantasie mit mir durch.

Meine *Gedanken.*

Ich tippte die dritte Neun in mein Handy und sah zu, dass es ihm nicht entging. Dann platzierte ich den Daumen über der Wähltaste und deutete auf den begehbaren Kleiderschrank.

»Ich werde jetzt einen Blick da reinwerfen.«

»Ihr Haus, Ihre Regeln.«

Langsam bewegte ich mich darauf zu und hielt dabei den Blick die ganze Zeit fest auf ihn gerichtet, die Wand stets in meinem Rücken. Wenn ich schnell war, konnte ich zurück bei der Tür sein und auf den Flur rausstürmen, bevor er mich erwischte.

Falls er es auf mich abgesehen hatte.

Und wenn ich es zum Treppenabsatz schaffte, könnte ich die Treppe hinunter zur Haustür laufen und rausrennen, raus, raus, und …

»Lassen Sie sich ruhig Zeit, Lucy. Ich habe nicht vor wegzugehen.«

Wieder ein zaghafter Schritt.

Jetzt oder nie.

Rasch drehte ich den Kopf halb nach links, ein flüchtiger Blick, der mir verriet, dass der begehbare Kleiderschrank leer war.

Er hatte sich nicht von der Stelle bewegt.

Ich starrte ihn an, den Daumen immer noch über der Wähltaste.

»Ich verstehe nicht, was hier vor sich geht. Wo steckt sie?«

Jetzt ließ ich den Blick nach rechts schnellen, und mir war, als würde sich meine Haut zusammenziehen und fest um meine Knochen spannen.

Da spürte ich es. Es war wie ein Sog. Die kosmische Unvermeidbarkeit.

Das Badezimmer.

Aber nicht das große Badezimmer hinter mir, sondern das en suite.

34

»Sie bleiben da stehen?«

»Sagen Sie es mir.«

Ich sah ihn eindringlich an und fuchtelte mit dem Handy. »Wenn Sie sich bewegen, rufe ich die Polizei.«

»In Ordnung.«

»Bewegen Sie sich nicht von der Stelle.«

Mit dem linken Zeigefinger zeichnete er ein imaginäres Kreuz über sein Herz.

Ich spähte Richtung Badezimmer und ein nervöser Schauer rieselte mir über Schultern und Rücken.

Wenn er durch den einen Zugang reinkommt, kannst du durch den anderen fliehen. Du kommst trotzdem raus.

Noch einmal musterte ich ihn und versuchte abzuschätzen, was genau er vorhatte. Dann stürzte ich unvermittelt los, schlängelte mich rechts am Bett vorbei und huschte durch den Spalt neben der Trennwand.

In dem Moment, wo ich vom Teppich auf den marmornen Fliesenboden trat, riss ich den Kopf nach links und überprüfte den kompletten Raum mit einem einzigen gehetzten Blick, völlig atemlos.

Ich hatte die Badezimmerfliesen kurz zuvor poliert, sie glänzten im Deckenlicht.

Jetzt betrachtete ich in Windeseile nacheinander die bodengleiche Dusche, die Toilette, die freistehende Kupferbadewanne und das Doppelwaschbecken.

Ich sah die Jalousien am Fenster, die aus Gründen der Privatsphäre geschlossen waren, und die weißen Baumwollhandtücher an der Handtuchhalterung, die Frotteemäntel an ihren Haken an der Wand.

Bethany war nicht hier.

Das Ganze war wirklich absolut rätselhaft.

Ich hatte doch mit eigenen Augen gesehen, wie sie mit Donovan nach oben gegangen war. Ich hatte sie zusammen lachen und kichern gehört und dann waren sie den Flur entlang in Richtung Schlafzimmer verschwunden. Schließlich hatte ich Bethanys Schrei gehört, gefolgt von diesen beiden dumpfen Lauten.

Wie viel Zeit war verstrichen, bis ich ihnen nach oben gefolgt war? Ein fieberhaftes Rauschen in meinen Blutbahnen. Ein Taumel der Verwirrung. Meine Finger begannen, unkontrolliert zu zucken und sich zu verkrampfen.

Da war noch etwas anderes. Etwas war aus dem Takt geraten oder irgendwie verschoben, aber ich konnte nicht recht benennen, was es war. Ich trat auf die Badematte vor der Duschkabine und kniff die Augen zu. Was auch immer meinen Blick gestört hatte, war da gewesen und in Sekundenschnelle wieder verschwunden. Es war etwas, das da war und auch wieder nicht, oder vielleicht war es auch nichts, aber irgendwie war da etwas, das sich falsch anfühlte, und …

Verschwinde von hier.

Eine Woge der Angst durchflutete meine Eingeweide.

Viel zu hastig drehte ich mich um und plötzlich stand er direkt hinter mir – groß und breitschultrig ragte er vor mir auf, ohne ein Wort zu sagen. Ich fing an zu schreien und wich panisch zurück, da rutschte die Badematte unter mir weg und ich stürzte, ruderte wild mit den Armen, den Rücken nach hinten durchgedrückt. Über mir rotierte die Decke und der Boden neigte sich mir in gefährlichem Winkel entgegen, bis ich mit dem Hinterkopf hart gegen etwas Festes prallte, das allerdings hohl klang, und im nächsten Moment erfolgte in meinem Schädel eine gleißend grelle Explosion.

35

Sam

Da war ein Vibrieren in Sams Brust. Er spürte, wie sich die feinen Härchen in seinem Nacken aufzurichten begannen und eine plötzliche Kühle über seine Haut kroch.

Eigenartig.

Ein Mensch, der empfänglicher für emotionale Reaktionen oder anfälliger für Aberglauben war als Sam, hätte das Gefühl vielleicht so beschrieben, als wäre jemand über sein Grab spaziert.

Was natürlich kompletter Quatsch war. Denn die Sitzung verlief im Grunde gar nicht schlecht. Die Gruppenmitglieder interagierten recht lebhaft. Zugegeben, sie stellten seine Anregungen und Tipps infrage, aber es ließ sich nicht leugnen, dass sie engagiert waren und Bereitschaft zeigten, Neues zu lernen.

Tja, abgesehen vom Bibliothekar vielleicht. Es wäre sehr von Vorteil, wenn er ihn dazu animieren könnte, sich stärker einzubringen.

In der Sekunde wandte Sam sich dem nervösen jungen Mann zu und begriff im selben Moment, mit sich unheilvoll zuziehender Kehle, dass er letztlich doch auf seinen Instinkt hätte vertrauen sollen.

36

Flatternd öffneten sich meine Lider und ein Stöhnen entrang sich meiner Kehle. Ich lag der Länge nach hingestreckt auf der Seite.

Schritte näherten sich.

Ich rollte mich auf den Rücken.

Ein Fehler.

Ich stöhnte, als eine Übelkeit erregende Woge des Schmerzes durch meinen Schädel schwappte und sich an meinen Schläfen brach.

Donovan ging neben mir in die Hocke, sein Schemen scharf umrissen vor dem grellen Deckenlicht.

»Was ist passiert?«, murmelte ich. Mein Mund war wie mit Watte gefüllt.

»Das Waschbecken«, sagte er. »Sie haben sich den Kopf am Waschbecken angeschlagen.«

Er berührte mit seinen behandschuhten Fingern meinen Hinterkopf und ich wappnete mich gegen eine neuerliche Schmerzattacke.

»Hier.«

Er schob seine Hand unter meinen Nacken, hob meinen Kopf an und legte ihn auf einer weichen Unterlage ab. Ich nahm an, dass es sich um ein Handtuch handelte.

»Wie viele Finger halte ich hoch?« Seine Stimme klang kalt und hallend.

»Zwei?«

»Das dachte ich mir«, antwortete er mit düsterer Miene, als hätte ich nicht die richtige Antwort geliefert. Dann griff er nach meiner linken Hand und krempelte mir den Ärmel hoch.

Ein scharfes Kratzen an der Innenseite meines Ellbogens und einige Sekunden später ließ er etwas in die Innentasche seines Mantels gleiten. Für einen flüchtigen Augenblick fing sich das Licht darin.

Als Nächstes zog er einen Handschuh aus, umschloss mein Handgelenk und überprüfte meinen Puls mithilfe seiner Armbanduhr.

Arzt, jagte es mir durch den Kopf. *Er muss Arzt sein.*

Ein Schwall Hitze brandete durch mich hindurch. Ich schwitzte ganz schrecklich.

Donovans verschwommene Umrisse schoben sich abwechselnd in mein Blickfeld und verschwanden wieder, seine Züge verwaschen und undeutlich, und dann schien er sich abermals in einen anderen Mann in einem anderen Badezimmer zu verwandeln, was einen neuerlichen Panikanfall bei mir auslöste.

Nein.

Ich versuchte, mich hochzustemmen, aber der Schmerz klatschte gegen meine Schläfen und ich ließ mich zurücksinken, als er mir seine Hand fest gegen die Schulter presste.

Seine Züge schienen ineinanderzufließen und richteten sich wieder zur ursprünglichen Anordnung aus. Seine Miene wirkte nüchtern. Mit einem leicht besorgten oder nachdenklichen Ausdruck in den Augen.

»Versuchen Sie, ruhig liegen zu bleiben.«

Ich versank in pulsierender Dunkelheit.

Als ich zu mir kam – es waren vielleicht ein, zwei Sekunden vergangen –, ließ Donovan mein Handgelenk los und strich mit der Daumenkuppe über seine Unterlippe. Er schien zu überlegen.

Ein weiterer verlorener Moment. Ein weiteres Pulsieren von Schwärze. Die Zeit musste ins Stocken geraten oder stehen geblieben oder gesprungen sein, eine kurzzeitige Verschiebung, die nicht zu erklären war, denn das Nächste, woran ich mich erinnern konnte, war, dass er über mir aufragte und sich nach hinten umsah, sein Körper angespannt und in erhöhter Alarmbereitschaft, als hätte er von unten etwas gehört.

»Bleiben Sie hier«, sagte er zu mir.

»Was …? Wo wollen Sie hin?«

Mein gesamter Schädel war von einem weißen Rauschen erfüllt.

Ich stöhnte wieder und Donovan beugte sich in mein Blickfeld, ragte drohend über mir auf, sein Gesicht eine verschwommene hautfarbene Fläche.

»Warten Sie einfach«, sagte er und verschwand.

37

Sam

Der Bibliothekar beugte sich im Sitzen vor, die Arme über dem Bauch gekreuzt. Mit beiden Händen rieb er sich die Oberarme, als würde er frieren. Dabei murmelte er leise vor sich hin. Flüsterte wie im Wahn irgendetwas Unverständliches.

Sam überprüfte rasch den Rest der Gruppe. Die Künstlerin wirkte beunruhigt. Depri-Girl schüttelte den Kopf und rutschte mit dem Stuhl ein Stück nach hinten. Der Schläger und der Sportler wechselten Blicke, als überlegten sie gemeinsam, aufzustehen und einzuschreiten.

»Schon gut.« Sam hob beschwichtigend die Hand.

Der Bibliothekar winselte und krallte sich in seinen Pullover. Der Mund stand ihm offen.

»Hier sind Sie sicher«, sagte Sam zu ihm. »Sie haben nichts zu befürchten.«

Der Bibliothekar aber jammerte weiter unzusammenhängende Silben und schüttelte mit gequälter Miene den Kopf, als hätte Sam ein entscheidendes Detail übersehen. Dann schob er eine Hand unter den Ärmel seines Pullis und zog ganz langsam eine Schere heraus.

38

Ich lag auf dem Boden des Badezimmers, ein seltsames Brüllen und Rauschen im Ohr, das lauter wurde und näher kam.

Ich konnte das Geräusch nicht einordnen.

Nichts von alldem ergab Sinn.

Es war, als hätte ich einen kompletten Kurzschluss im Hirn. Ich brachte keinen zusammenhängenden Gedankengang zustande, die einzelnen Elemente griffen nicht richtig ineinander.

Ich schloss die Augen und kämpfte gegen den stechenden Schmerz in meinem Hinterkopf an, war dankbar für das weiche Handtuch unter mir.

Ich war unendlich erschöpft und benommen.

Du bist gestürzt, rief ich mir in Erinnerung.

Im nächsten Moment riss ich die Augen weit auf. Denn mir war noch etwas anderes eingefallen.

Donovan war hinter mir gewesen. *Direkt* hinter mir. Und ...

Neuer Schmerz flammte in mir auf.

Hilflos lag ich am Boden, umhüllt von brüllender und fauchender Verwirrung.

Bis ein neues Geräusch in mein Bewusstsein drang.

Ein schwaches Läuten. Die Türklingel.

Ich versuchte, mich zu konzentrieren. Erinnerte mich daran, wie Donovan reagiert hatte. Er hatte über mir gestanden. Ich hatte gesehen, wie er hinter sich geschaut hatte, sein Körper extrem angespannt. Er musste etwas gehört haben.

War es vielleicht die Türklingel gewesen?

Mühsam stemmte ich mich einige Zentimeter auf den Ellbogen hoch.

Der Raum neigte sich und kippte weg, doch diesmal war der Schmerz in meinem Kopf nicht ganz so heftig wie vorhin. Das leise Pfeifen begann nachzulassen.

Ich drehte mich auf die Seite, starrte auf das weiße Handtuch unter mir. Ein Blutfleck war auf dem Frotteestoff zu sehen.

Mein Herz krampfte sich zusammen, als ich mir mit zittrigen Fingern an den Hinterkopf fasste. In meinen Haaren war eine feucht-klebrige Stelle.

Plötzlich ging ein Beben durch den Boden.

Er hat die Haustür geöffnet.

Ich lauschte angestrengt auf irgendwelche Geräusche. Über das laute Zischen im Raum hinweg fiel es mir schwer, etwas zu hören, aber ich glaubte, gedämpfte Stimmen wahrzunehmen.

Es klang nach einem ruhigen, ganz normalen Gespräch.

Ich konnte nicht verstehen, was gesprochen wurde.

Was war das überhaupt für ein Rauschen? Vorsichtig und langsam drehte ich mich um.

Dampf.

Er quoll über dem Rand der Duschkabine hervor und kräuselte sich hoch zur Decke, breitete sich in dichten Schwaden über dem Fliesenboden aus.

Die Dusche lief.

Warum lief die Dusche?

Ich nahm das Handtuch und presste es mir an den Hinterkopf.

»Autsch, scheiße!«

Taumelnd kämpfte ich mich auf die Knie, streckte die Hand nach dem Waschbecken über mir aus, an dem ich mir den Kopf angeschlagen haben musste, ein Blutfleck zeugte davon – und zog mich hoch.

Der Dampf war auf dem Spiegel kondensiert, doch ich erkannte meine verschwommenen Umrisse. Mein Haar war zerzaust. Meine Augen wirkten benommen und glasig. Aber zumindest hatte ich nicht das Gefühl, ich könnte noch einmal das Bewusstsein verlieren.

Eine weitere Dampfwolke waberte an mir vorüber und ich schaute aus zusammengekniffenen Augen auf das Spiegelbild der Duschkabine links von mir. Donovan hatte wohl vorgehabt, das Wasser warm laufen zu lassen. Sehr wahrscheinlich hatte er ein Handtuch nass machen wollen, um meine Wunde damit zu säubern. Dann hatte es an der Tür geklingelt und er war losgegangen, um aufzumachen.

Hatte er einen Krankenwagen gerufen?

Ich sah mich nach meinem Handy um. Ich könnte ja die Türklingel-App überprüfen und nachsehen, wer unten war …

In dem Moment fiel es mir siedend heiß wieder ein.

Bethany.

Ich war auf der Suche nach Bethany gewesen.

Wo war sie?

39

Und wo war mein verdammtes Telefon?

Ich hatte es vorhin doch in der Hand gehabt. Immer noch glaubte ich, seine Form und das Gewicht in meiner Hand zu spüren. Aber es war nicht mehr da.

Wahrscheinlich war es mir bei meinem Sturz entglitten, über die Fliesen geschlittert und ...

Ich suchte den Boden ab, spähte unter die kupferne Badewanne mit den Klauenfüßen.

Kein Telefon. Vielleicht hatte Donovan es ja benutzt. Das war eine mögliche Erklärung.

Und ja, jetzt, da ich darüber nachdachte, kam mir wieder in den Sinn, dass ich die Ziffern für den Notruf bereits eingetippt hatte, er hätte nur noch auf die Bestätigungstaste zu drücken brauchen. Ich hatte die 999 gewählt, weil ich Angst gehabt hatte wegen ...

Eine unsichtbare Hand streckte sich nach mir aus, tauchte tief in meine Brust und schloss die Faust um mein Herz.

Du hattest Angst wegen ihm.

Und er war direkt hinter dir, was er eigentlich nicht hätte sein sollen. Er hatte dir versprochen, auf Abstand zu bleiben.

Ich drehte den Kopf und sah Richtung Flur, zu schnell, der Raum kippte, das Rauschen der Dusche dröhnte in meinen Ohren.

Wieder versuchte ich, auf das zu lauschen, was unten gesprochen wurde, aber vergeblich.

Ist das Absicht?, fiel mir siedend heiß ein. *Hat er die Dusche angestellt, damit ich nichts höre?*

Oder er will nicht, dass sie dich *hören?*

Ich musste dringend herausfinden, wer das da unten war.

Ich löste die Hände vom Waschbecken, machte zwei Schritte Richtung Fenster und blieb stehen.

Verdammt.

Der schwindelerregende Schmerz in meinem Hinterkopf flammte abermals stechend auf, klang aber nach und nach ab.

Der Boden bebte erneut.

Er hat die Tür zugeschlagen.

Ich trat ein paar Schritte vor, etwas vorsichtiger diesmal, bis ich direkt vor dem Fenster stand. Ich legte die Lamellen schief und spähte nach draußen.

Die dichter werdende Dunkelheit war mit den grellgelben Lichtkegeln der Straßenlaternen durchsetzt.

Es war kein Rettungswagen zu sehen, nur ein alter Mann, der am geöffneten Gartentor stand und zu unserer Haustür schaute.

John, unser Nachbar.

Er blickte zweifelnd oder verwundert und hielt eine leere Plastiktüte in der Hand, die schlaff herunterhing.

Er blieb zögernd stehen, wandte sich halb ab, warf noch einen letzten nachdenklichen Blick zu unserer Haustür. Dann kehrte er dem Haus den Rücken zu und ging weg, sodass nur noch die Wölbung seines Schädels und die weißen Haarbüschel seitlich an seinem Kopf über dem Rand der Hecke zu sehen waren.

Er überquerte die Straße und lief weiter in Richtung der Ladenzeile an der Upper Richmond Road.

War er vorbeigekommen, um sich zu erkundigen, ob wir irgendetwas brauchten, wie er es manchmal tat?

Falls ja, hatte Donovan dann vielleicht etwas gesagt, um ihn wieder loszuwerden? Etwas, das ihn nicht restlos überzeugt hatte und das erklärte, warum er noch einmal einen Blick zurück zu unserem Haus geworfen hatte, seiner zweifelnden Miene nach mit gemischten Gefühlen?

Oder hatte er sich nur umgesehen, weil Donovan jemand anderen ins Haus gelassen hatte?

John entfernte sich immer weiter und verschwand schließlich hinter den geparkten Fahrzeugen und den Platanen. Er sah sich nicht noch einmal um.

Sonst war niemand unterwegs.

Mein Blick wanderte zu dem Schild mit der Aufschrift »Zu verkaufen«. Etwas in mir zog sich zusammen und verkrampfte sich.

Ich senkte den Blick und starrte auf meinen Arm mit dem hochgeschobenen Ärmel. Das vertraute knotige Gewebe war zu sehen, die Narbe zog sich wie ein Stück glühender Draht von der Innenseite meines Handgelenks bis zur Ellenbeuge hinauf.

Angst durchzuckte mich. Ich umschloss mein Handgelenk, hob den Arm näher an meine Augen und starrte ungläubig auf meine Ellenbeuge.

Nein, ich hatte mir das nicht nur eingebildet.

Da war ein winziger Tropfen Blut.

Ich erinnerte mich an das Brennen und daran, dass Donovan wenig später etwas in seiner Manteltasche hatte verschwinden lassen und …

Scheiße.

In meinem benommenen Zustand hatte ich geglaubt, er würde mir helfen, aber was, wenn es vollkommen anders gewesen war?

Er könnte dir etwas gespritzt haben.

Ich erinnerte mich an das, was er zu mir gesagt hatte, als ich auf dem Boden lag.

Warten Sie einfach.

Warum? Was hatte er denn gedacht, wie er mich hier oben vorfinden würde, sobald er zurückkehrte, und was hatte er mit mir vorgehabt?

Ich drehte mich um und wagte kaum zu atmen, während ich auf das anhaltende Zischen und Prasseln der Dusche lauschte und dahinter … Nichts. Abgesehen von diesem angespannten, stillen Summen. Der lautlosen Präsenz puren Terrors.

Und plötzlich war da nur noch ein Gedanke.

Lauf.

40

Ich stürzte los, rannte durch die Öffnung zu meiner Rechten und streckte beide Arme nach dem Bett aus.

Ich krallte meine Finger in den Überwurf und spähte in den Flur.

Keine Spur von Donovan.

Schweiß rann mir über die Stirn. Mir war schrecklich heiß und gleichzeitig bibberte ich vor Kälte. Aus dem großen Standspiegel auf dem Flur starrte mir mein Spiegelbild entgegen. Ich sah mitgenommen und verstört aus.

Ich blickte hinunter auf meinen Arm. Mein Blick fiel wieder auf die Einstichstelle in meiner Ellenbeuge. Das Grauen packte mich von Neuem.

Ich rannte los, raus aus dem Schlafzimmer, und klammerte mich am Treppengeländer fest. Der Schweiß brannte in meinen Augen.

Von unten war kein Laut zu hören, keine Stimmen, nichts, was auf Donovan oder Bethany oder diesen mysteriösen Besucher, wer immer das gewesen sein mochte, hinwies.

Ich wappnete mich, nach unten zu stürmen, die Türverriegelung zu lösen und nach draußen zu laufen.

Allerdings wusste ich, dass Donovan irgendwo da unten war und auch Bethany überall sein konnte.

Stellten die beiden eine ernsthafte Bedrohung für mich dar? Oder ging meine Fantasie mit mir durch?

Ich befeuchtete mit der Zunge meine Lippen. Sie schmeckten

nach Salz und Öl. In meinem Hinterkopf stach es wie von Nadelstichen.

Am Ende des Flurs befanden sich das große Badezimmer und das kleine Schlafzimmer. Es war schrecklich für mich, dieses Badezimmer direkt vor mir zu haben. Gefahr schien davon auszugehen.

Schlechtes Karma. Grausige Erinnerungen.

Als hätte der heutige Tag nicht schon für genug Panik gesorgt.

Links von mir war eine Bewegung auszumachen. Ich riss den Kopf herum und spähte übers Geländer. Ein Schatten schob sich von unten über die Wand des Treppenhauses. Gleich würde derjenige, zu dem der Schatten gehörte, mich entdecken. Es konnte sich nur um Sekunden handeln.

Mein Herz geriet ins Stolpern. Was sollte ich tun?

Ich wich zurück Richtung Schlafzimmer.

Aber das Schlafzimmer beziehungsweise das dazugehörige Badezimmer waren genau der Ort, an dem sie mich vermuteten.

Mein Blick zuckte zur Seite und nach oben.

Zur Treppe, die zum Dachgeschoss führte.

41

Sam

»Großer Gott!«, keuchte die Künstlerin und schlug sich entsetzt beide Hände vor den Mund.

Der Sportler sprang wie von der Tarantel gestochen auf. »Soll ich Hilfe holen?«

»Nein, besser nicht«, sagte Sam. »Bitte, bleiben Sie alle auf Ihren Plätzen.« Er sah zu der Schere, deren Spitze auf ihn gerichtet war. Es war eine relativ kleine Schere. Mit durchsichtigem Plastikgriff, die Schneide vielleicht fünf Zentimeter lang. Sie funkelte in der Hand des Bibliothekars. Seine Oberlippe glänzte feucht vom Schweiß, seine weit aufgerissenen Augen traten aus den Höhlen. Er hatte angefangen zu weinen.

»Ganz ruhig«, sagte Sam zu ihm. »Beruhigen Sie sich, es ist okay.«

»Es tut mir leid«, schniefte der Bibliothekar. »Das alles tut mir so schrecklich leid.«

»Nein, ist schon gut«, versicherte Sam ihm abermals. Er sprach langsam und bedächtig. »Alles wird gut.«

Depri-Girl wandte sich vom Bibliothekar ab und legte Schutz suchend eine Hand auf die Schulter des Schlägers. Die Künstlerin schüttelte fassungslos den Kopf. Alle Farbe war aus ihrem Gesicht gewichen. Der Sportler stellte sich auf die Zehenspitzen und spähte durch die gläserne Trennwand des Seminarraums nach draußen, als hoffte er, einem zufälligen Passanten ein Zeichen geben zu können.

Sam behielt den Bibliothekar währenddessen im Auge und machte eine beschwichtigende Geste, als würde er ihm den Arm tätscheln.

»Ich weiß, was ich Ihnen heute erzählt habe, war sehr viel auf einmal«, sagte Sam. »Wichtig ist, dass Sie ruhig weiteratmen. Hören Sie auf meine Stimme. Lassen Sie sich Zeit.«

»Kommen Sie nicht näher!«

Der Bibliothekar zuckte zurück und stach mit der Schere nach vorn ins Leere. Depri-Girl stieß einen Schrei aus.

»Bitte bewahren Sie Ruhe«, ermahnte Sam die Gruppe.

»Ich weiß nicht«, murmelte der Schläger. »Für mich fühlt sich das nicht nach der richtigen Reaktion an.«

Sam hielt den Blick weiter auf den Bibliothekar geheftet und blendete alles andere aus, stellte fest, dass er seltsamerweise relativ gefasst blieb.

Jetzt hast du die einmalige Gelegenheit, zu beweisen, dass alles, was du der Gruppe erzählt hast, auch wirklich Hand und Fuß hat. So sicherst du dir ihr Vertrauen.

Der Bibliothekar hyperventilierte, in seinen Mundwinkeln schäumten Spuckebläschen.

»Sie werden niemandem wehtun«, versicherte Sam ihm. »Sie hatten nie vor, jemanden zu verletzen. Konzentrieren Sie sich auf meine Stimme. Das sind nur schlechte Gedanken, die Sie da haben. Die sind nicht echt. Sie allein haben die Kontrolle über Ihr Handeln. Ich werde jetzt ganz langsam die Hand ausstrecken, und wenn ich das tue, möchte ich, dass Sie mir die Schere reichen.«

42

Die Hände nach vorne ausgestreckt, stieg ich zum Dachgeschoss hoch. Ich schrammte mit der Schulter an der Wand entlang, meine Finger krallten sich in die Auslegware auf der Treppe.

Die Panik saß mir im Nacken.

Da war wieder dieses Prickeln, meine Wirbelsäule entlang, das Gefühl, als wäre mir jemand dicht auf den Fersen.

Am oberen Absatz angekommen, wirbelte ich herum und starrte nach unten. Das Treppenhaus war leer.

Und ich wusste, ich hatte die Wahl. Zwei Zimmer.

Entscheide dich jetzt bloß nicht für das falsche.

Mit eingezogenem Kopf betrat ich Sams Arbeitszimmer und stützte mich am Türrahmen ab, bevor ich zum Schreibtisch weiterging.

Schritte von unten.

Jemand durchquerte entschlossen und schnell den Eingangsbereich.

Ich schlich weiter zu den Balkontüren. Streckte die eine Hand nach dem Türgriff aus und wollte mit der anderen nach dem Schlüssel fassen.

Der Schlüssel ist weg.

Eine Erschütterung tief in meinen Eingeweiden.

Er muss ihn mitgenommen haben.

Meine Gedanken rasten zurück zu dem Zeitpunkt, als Donovan vorhin vom Balkon wieder ins Zimmer getreten war. Er hatte mit dem Rücken zu mir gestanden und die Türflügel hinter sich geschlossen. Ich hatte nicht groß darauf geachtet, was er mit seinen Händen tat. Schließlich war ich fieberhaft mit der Frage beschäftigt gewesen, was ich tun sollte.

Grundgütiger.

Ich rüttelte an beiden Türgriffen, doch das lieferte mir nur die Bestätigung für das, was ich ohnehin vermutet hatte.

Er hat dich eingesperrt. Er hat das von langer Hand geplant.

Hatte Bethany ihre Finger im Spiel? Und überhaupt, was *sollte* das alles? Der Knoten in meiner Kehle zog sich enger zusammen.

Ich suchte den Teppichboden zu meinen Füßen ab, wollte mir einreden, der Schlüssel sei vielleicht einfach nur heruntergefallen. Der Schmerz in meinem Hinterkopf flammte für einen kurzen Moment wieder auf, als ich nach unten sah. Falls der Schlüssel wirklich herausgefallen war, sah ich ihn nirgends.

Ich drehte mich blitzschnell um, spürte, wie mein Herz von innen gegen die Rippen hämmerte, und starrte hinaus in den Flur. Ich wünschte, das hier würde nicht passieren, ich könnte anderswo sein.

Da hörte ich, wie die Dusche abgedreht wurde.

Das Quietschen eines Wasserhahns. Ein leises Säuseln, gefolgt von unregelmäßigem Geplätscher und dann … Stille.

Ich lauschte angestrengt, stellte mir vor, wie Donovan oder Bethany im Stockwerk unter mir dastanden und darauf horchten, dass ich mich durch ein Geräusch verriet.

Ich wagte kaum zu atmen, war wie paralysiert.

Am liebsten hätte ich meine Angst rausgeschrien oder um Hilfe gerufen, aber ich war wirklich zur Salzsäule erstarrt. Auf keinen Fall würde ich sie wissen lassen, wo ich war.

Die Sekunden zogen sich in die Länge, fühlten sich an wie Minuten.

Ich ließ den Blick von einer Seite des Arbeitszimmers zur anderen wandern, auf der Suche nach etwas, womit ich mich befreien konnte.

Aber alles, was mir ins Auge fiel, waren Stifte und Notizbücher, Unterlagen und Bücher.

Dann Schritte auf dem Treppenabsatz. Von wo aus sie weitereilten zum anderen Ende des Flurs.

43

Sie sehen im hinteren Schlafzimmer nach, ging es mir durch den Kopf. *Und im großen Badezimmer.*

Verzweifelt presste ich meine Hände gegen die Scheibe der Balkontür. Meine Finger hinterließen Schlieren.

Triff eine Entscheidung. Los, denk nach!

Rasch drehte ich mich um, durchquerte das Zimmer auf demselben Weg, auf dem ich gekommen war, und stieß im Vorbeigehen versehentlich gegen Sams Schreibtischstuhl.

Vor der Tür blieb ich stehen und sah nach unten. Angst und Schwindel erfassten mich.

Aber wer immer da unten war, zeigte sich nicht oder wusste nicht, dass ich hier oben stand.

Ich lief ins andere Zimmer. Mein Blick huschte über die großen Dachfenster, das Tagesbett, den Hängesessel und die Bücherregale. Ich war schweißgebadet, mein Pullover klebte an mir.

Ich trat auf den Einbauschrank unter der Dachschräge zu, in dem ich den Staubsauger aufbewahrte. Wegen des steil abfallenden Dachs musste ich den Kopf einziehen, als ich mich ihm näherte.

Der Schrank war in derselben wollweißen Farbe gestrichen wie der Rest des Raums. Es gab keine Griffe oder sichtbaren Scharniere. Wenn man nicht wusste, dass er da war, konnte man ihn leicht übersehen.

Aber ich konnte mich unmöglich darin verstecken.

Auf keinen Fall. Nicht bei meiner Klaustrophobie.

Allerdings stand im Schrank, gleich rechts hinter dem Staubsauger und in greifbarer Nähe, ein kleiner Werkzeugkasten.

Wir bewahrten ihn dort auf, für den Fall, dass ich schnell mal einen Schraubenzieher oder eine Zange brauchte, wenn Sam nicht im Haus war. Ich konnte schließlich schlecht in den Keller spazieren und mir dort Werkzeug besorgen.

In diesem Werkzeugkasten befanden sich ein Metermaß, ein Stemmeisen, Haken und Schrauben. Und obenauf lag der Hammer, den ich benutzt hatte, um Sams gerahmtes *Akte X*-Poster aufzuhängen.

Mithilfe des Stemmeisens könnte ich die Balkontüren vielleicht öffnen. Oder notfalls die Scheibe mit dem Hammer einschlagen. Mich selbst verteidigen, falls es hart auf hart käme.

Die Schranktür ließ sich mittels Druck öffnen. Ich wusste, dass der Verschluss quietschte.

Hätte ich das blöde Ding bloß mal geölt.

Ich schaute mich zur Tür um. Sie waren noch nicht nach oben gekommen, aber ich hatte es längst aufgegeben, mir etwas vormachen zu wollen: Über das lautstarke Hämmern meines Pulsschlags in meinen Ohren hinweg würde ich keinerlei Geräusch ausmachen können.

Ich drückte gegen den Schrank. Dort drin war der Hammer, den ich brauchte. Das Scharnier quietschte und krachte und die Tür sprang einen schmalen Spalt auf.

Ein Schrei entfuhr mir.

44

Sam

Ganz langsam und in winzigen Etappen streckte Sam die Hand aus. Er war immer noch die Ruhe selbst und hatte alles unter Kontrolle, allerdings rührten sich Zweifel in ihm. Kein Wunder, ein bestimmtes Areal seines Hirns entwarf bereits mögliche Zukunftsszenarien. Und die sahen alles andere als rosig aus.

Er stellte sich vor, wie der Bibliothekar ihm mit der Schere in die Hand stach oder blindlings auf ihn einhieb oder ihm die Schneide tief in den Hals trieb.

»Tut mir leid«, stammelte der Bibliothekar wieder.

»Schon gut.« Sam konzentrierte sich voll und ganz auf den verstörten jungen Mann und versuchte, ihn zu besänftigen. »Es gibt nichts, was Ihnen leidtun müsste. Sie haben nichts Falsches getan.«

Noch nicht.

Sam atmete tief durch und machte den Arm noch länger. In einem anderen Teil seines Gehirns regte sich jetzt eine uralte Erinnerung aus seiner Kindheit. Sie stammte aus der Zeit, als er etwa acht war. Beim Schulausflug hatte er vor einem Terrarium gestanden und langsam, ganz langsam, die Hand nach der Scheibe ausgestreckt, hinter der ein Felsenpython zu sehen war.

Der Python hatte zusammengerollt und reglos dagelegen, doch obwohl die Schlange keinerlei Interesse an Sam und seinen Klassenkameraden zu zeigen schien und obwohl eine mehrere Zentimeter dicke Scheibe sie trennte, war Sam insgeheim überzeugt gewesen, dass die Schlange sich irgendwie befreien und ihre langen Fangzähne in sein Handgelenk schlagen würde.

Die Macht der Gedanken. Die Irrationalität der Angst.

Sam drehte bedächtig die Hand, bis die Handfläche nach oben wies.

»Schon gut«, redete er weiter auf den Bibliothekar ein. »Sehen Sie mich einfach nur an und hören Sie auf meine Stimme. Ich werde jetzt bis drei zählen, dann geben Sie mir die Schere. In Ordnung?«

Der Bibliothekar gab ein leises Winseln von sich, ganz hinten in seiner Kehle, ein Geräusch wie von einem Zahnbohrer.

»Eins«, sagte Sam.

»Ich glaube nicht, dass ich das schaffe«, jammerte der Bibliothekar.

»Zwei.«

Sam drehte kaum merklich den Kopf und sah kurz zur Künstlerin. Sie beobachtete ihn mit angespannter Miene, als würde sie sich auf das Schlimmste gefasst machen.

Vertrauen Sie mir.

»Bereit?«, fragte er an den Bibliothekar gewandt.

»Nein. Nein, ich …«

Wieder atmete Sam ruhig aus, hielt seine Hand beharrlich ausgestreckt und dachte dabei an diese riesige Schlange hinter der Glasscheibe. Er fragte sich, ob er jetzt, all die Jahre später, doch noch zu spüren bekäme, wie sich ihre spitzen Fänge in seine Haut schlugen.

»Drei.«

45

Der Schrei entrang sich mir messerscharf, fuhr wie eine Klinge durch meine Kehle.

Ich schlug die Hand vor den Mund und brachte meine panische Reaktion unter Kontrolle. In der darauffolgenden Stille sah ich nichts außer Bethany.

Bethany, die nach vorne aus dem Schrank gekippt war, wo sie eigentlich nicht hätte sein sollen.

Bethany, deren Augen geschlossen waren und deren Körper vollkommen schlaff und reglos vor mir hing, an den Handgelenken mit dem Schal gefesselt, den sie um den Hals getragen hatte.

Sie gab keinen Laut von sich, als ihr Körper auf dem Boden aufschlug. Ganz offenbar war sie nicht bei Bewusstsein.

Ich biss mir so fest auf die Unterlippe, dass mir ein heißer Schwall Blut in den Mund sprudelte. Der Schrei wütete in meinem Kopf weiter, wurde lauter, verzweifelter.

Ich presste mir auch die andere Hand über den Mund und drückte meine Lippen flach gegen das Zahnfleisch. Ich zitterte am ganzen Leib in dem Bemühen, den Schrei zurückzudrängen.

Aber es war ohnehin längst zu spät.

Auf der Treppe zum Dachgeschoss waren Schritte zu hören, sie kamen nach oben getrampelt, hart und entschlossen.

»Bethany.« Ich fasste sie an den Schultern und schüttelte sie. »Bethany, bitte, ich flehe Sie an.«

Mein Blick schnellte zur Tür, gerade als Donovan hereingerannt kam und schlitternd stehen blieb. Abschätzend wanderte sein Blick zwischen Bethany und mir hin und her.

»Das sollten Sie eigentlich nicht sehen.«

Am liebsten wollte ich ihn anbrüllen, wie er nur so kaltherzig sein konnte, stattdessen überprüfte ich rasch, ob Bethanys Atemwege frei waren, strich ihr die Haare aus dem Gesicht, legte meine Wange an ihren Mund.

Sie atmete nur flach. Ihre Brust hob und senkte sich sachte. Ich registrierte ein hastiges Flackern unter ihren Augenlidern.

»Was haben Sie mit ihr gemacht?«, schrie ich.

Er dachte nicht daran, mir zu antworten.

Hektisch tastete ich ihren Kopf ab, drehte ihn vorsichtig von einer Seite zur anderen.

»Haben Sie sie geschlagen?«

»Gehen Sie weg von ihr.«

»Wir müssen Hilfe rufen. Wir müssen …«

»Ich habe gesagt, weg da!«, herrschte er mich an und kam so schnell auf mich zu, dass ich Bethany losließ und auf dem Hintern von ihr wegrutschte, bis ich mit der Wirbelsäule und den Schultern gegen den Metallrahmen des Tagesbetts stieß. Meine Finger gruben sich in den hohen Flor des Teppichs.

»Halten Sie sich von mir fern«, warnte ich ihn keuchend.

Er sah mich lange an, ohne ein Wort zu sagen. Er hielt ein Kühlpack in der Hand. Das musste er aus unserem Eisfach geholt haben. Ich hatte einen ganzen Vorrat davon besorgt, nachdem Sam bei der Renovierung ein Missgeschick zu viel passiert war.

»Seien Sie still«, sagte er. »Nicht schreien. Sonst kann ich für nichts garantieren.«

Meine Brust bebte, als ich wieder zu Bethany sah, die direkt vor ihm auf dem Boden lag. Ich konnte keine sichtbaren Anzeichen einer Verletzung an ihr erkennen, keine Abschürfungen oder blauen Flecken. Es war auch kein Blut zu sehen. Keine Schwellungen.

Er muss sie betäubt haben, dachte ich und sah auf meinen Arm hinunter, auf den winzigen Blutstropfen in der Ellenbeuge.

Ein eiskalter Schauer durchrieselte mich.

»Atmen, ganz ruhig«, sagte Donovan. »Bitte nicht ausrasten.«

Unvermittelt bückte er sich, warf das Kühlpack beiseite und schob die Hände unter Bethanys Achseln.

»Was tun Sie da?«, fragte ich entgeistert.

Er brachte Bethany in eine sitzende Position und verfrachtete sie schnaufend zurück in den Wandschrank. Ich sah ihre Handtasche darin liegen. Sie hatte ihr Telefon in dieser Tasche verstaut. Viel zu spät begriff ich, dass ich mir den Hammer hätte greifen sollen, als ich die Chance dazu hatte.

»Hören Sie auf.«

Er achtete nicht auf mich, sondern schob jetzt auch ungerührt Bethanys Beine in den Schrank, machte die Tür zu und drückte kräftig dagegen, bis der Verschluss einrastete.

Er hatte wieder beide Handschuhe übergezogen, wie mir jetzt auffiel. Ein ungutes Gefühl machte sich in mir breit. Handschuhe bedeuteten: keine Fingerabdrücke, keine forensischen Beweise.

Ich überlegte immer noch, was das für Schlussfolgerungen zuließ, als er sich plötzlich wieder umdrehte und drohend vor mir aufragte.

Zu groß. Zu nah.

Mein Blick wanderte nicht weiter als bis zu seinen Schuhen und zu seinen Unterschenkeln. Ich drängte mich noch enger an das Bettgestell.

Ob draußen auf der Straße jemand war? Hatte irgendwer im näheren Umkreis meinen Schrei gehört?

Ich hatte keinen Schimmer, aber eins wusste ich genau: Die beiden Häuser rechts und links von unserem standen gegenwärtig leer. Die Taylors waren in Urlaub. Und John hatte ich vorhin die Straße hinuntergehen sehen, auf dem Weg zum Einkaufen.

Außerdem befand ich mich im Dachgeschoss, auf der Rückseite des Gebäudes. *Wir* waren im Dachgeschoss. Mein Schrei war vermutlich ungehört verhallt.

Schaudernd betrachtete ich noch einmal meinen Arm, den Blutfleck in der Ellenbeuge.

Hatte er mir dieselbe Droge injiziert wie Bethany? Oder war es etwas anderes gewesen? Vielleicht hatte er mir eine kleinere Dosis verabreicht und deshalb war ich im Gegensatz zu ihr noch bei Bewusstsein?

»Hier.« Er ging in die Hocke, griff nach dem Kühlpack und warf es mir vor die Füße. »Für Ihren Kopf.«

Das Kühlpack landete mit einem feucht-dumpfen Laut auf dem Teppich. Das Eis darin knisterte.

Der Laut hatte geklungen wie dieses dumpfe Geräusch vorhin, ging es mir durch den Kopf.

Hieß das, dass Bethany auf Anhieb zusammengebrochen war, oder hatte sie noch versucht, sich zu wehren?

»In wenigen Stunden ist sie wieder ganz die Alte. Sofern Sie kooperieren. Ich möchte keiner von Ihnen beiden wehtun müssen.«

Als wäre er vollkommen machtlos, was das betraf. Als hätte ich es *mir ganz allein* anzukreiden, wenn eine von uns verletzt würde.

Irgendwo im Hinterkopf hörte ich das entfernte Rauschen und Gurgeln von Wasser. Ich spürte, wie sich Hände um meine Kehle schlossen und mich nach unten drückten.

Es passiert also wieder.

Gleich ist es so weit.

»Lucy?«

Ich drängte mich mit aller Kraft gegen das Bettgestell, spürte, wie sich Hitze von der Narbe an meinem Arm ausbreitete, überlegte fieberhaft, was diese Einstichstelle zu bedeuten hatte, was wohl als Nächstes geschähe.

Immer wieder wanderte mein Blick zur Schranktür, hinter der Bethany lag. Ob ich wohl über kurz oder lang enden würde wie sie? Würde überhaupt eine von uns lebend hier rauskommen?

»Bleiben Sie bei mir.«

Ich hatte Mühe, meine Gedanken zu kontrollieren. Verschwommene Erinnerungen und der gegenwärtige Moment überlagerten sich, vervielfältigten sich und gerieten durcheinander.

Fast glaubte ich, an dem dickflüssigen warmen Blut, das aus meiner Unterlippe quoll, zu ersticken.

»Warum?«, flüsterte ich.

»Dazu kommen wir noch. Ich werde Ihnen alles erklären. Versuchen Sie es mit dem Kühlpack«, forderte er mich noch einmal auf. »Ich möchte, dass Sie bei wachem Verstand sind. Das wird helfen.«

Helfen, wobei?

Der Schmerz in meinem Kopf war eine Lappalie, viel wichtiger war die Frage, ob Bethany wieder in Ordnung käme.

»Sie könnte ersticken«, sagte ich. »Sie könnte sich erbrechen und ersticken oder …«

»Wird sie nicht.« Er klang so selbstsicher, so kontrolliert.

»Sie können sie nicht einfach da drin eingesperrt lassen. Sie müssen mich ihr helfen lassen. Sie müssen …«

»Warum hören Sie nicht auf, sich Gedanken wegen Bethany zu machen, und konzentrieren sich stattdessen lieber auf sich selbst?«

Du lieber Himmel.

»Sie werden Fragen haben«, sagte er. »Ich verstehe das. Und es ist in Ordnung, weil auch ich Fragen habe. Wir beide haben viel zu bereden.«

46

Sam

Der Bibliothekar kniff angestrengt beide Augen zu und ließ zischend die Luft zwischen den Zähnen entweichen. Dann legte er ganz vorsichtig die Schere in Sams geöffnete Hand.

Sams Herz schlug einen Purzelbaum. Seine Hand fühlte sich seltsam taub an, die Schere hingegen überraschend schwer.

Er bewegte sich nicht, als der Bibliothekar zaghaft die Augen einen Spalt öffnete und schockiert darauf hinabsah. Dann stieß er noch einmal die Luft aus der Lunge, zog hastig die Hand zurück und presste sie sich schützend an die Brust.

»Gott sei Dank«, murmelte der Schläger.

»Es ist okay«, sagte Sam zum Bibliothekar und tätschelte seinen Arm. »Sie haben das wirklich toll gemacht.«

Die Lippen des Bibliothekars bewegten sich, ohne einen Laut hervorzubringen. Dann fiel alle Anspannung von ihm ab und er ließ den Kopf hängen und fing an zu weinen, stieß tiefe, herzerweichende Schluchzer aus, die seine knochigen Schultern und seine schmale Brust zum Beben brachten.

»Gut gemacht«, sagte Sam beruhigend und legte die Schere außer Reichweite auf dem Boden hinter seinem Stuhl ab. Dann beugte er sich vor und klopfte dem Bibliothekar auf den Rücken. »Nehmen Sie sich Zeit. Alles wird gut.«

Er rieb dem verzweifelten jungen Mann die Stelle zwischen den Schulterblättern und sah die anderen Gruppenmitglieder nacheinander an.

Sie alle stießen einen kollektiven Seufzer der Erleichterung aus, schüttelten ungläubig die Köpfe oder blinzelten fassungslos.

Die Künstlerin hatte eine Hand nach dem Sportler ausgestreckt, wie Sam auffiel, und klammerte sich an seinem Oberarm fest. Der Schläger rieb sich mit der flachen Hand über den kahlen Schädel. Depri-Girl kaute am Daumennagel.

»Wie wäre es, wenn Sie alle nach draußen gehen und uns beide eine Minute allein lassen würden?«, schlug Sam vor.

Die Künstlerin wand sich. »Könnten wir denn auch einfach nach Hause gehen?«

»Nein«, sagte Sam bestimmt. »Bitte tun Sie das nicht. Es gibt eine allerletzte Übung, die ich vor unserem nächsten Treffen mit Ihnen durchgehen möchte. Aber wenn einer von Ihnen so nett wäre und die oberste Tasche an meinem Rucksack beim Schreibtisch dort drüben öffnen könnte? Darin finden Sie Wertmarken für den Verkaufsautomaten am Ende des Flurs. Bedienen Sie sich bitte und holen Sie sich etwas zu trinken, in Ordnung?«

Als keiner von ihnen Anstalten machte, aufzustehen, rieb Sam dem Bibliothekar noch einmal über den Rücken und fragte: »Würde ein Schluck Wasser helfen?«

»Ich … ja, ich denke schon?« Verlegen linste er zu den anderen Anwesenden. »Bitte?«

Die Künstlerin verzog den Mund und sah die einzelnen Gruppenmitglieder reihum an, bevor sie mit der Schulter zuckte. »Na schön, warum nicht.«

»Ich hole die Wertmarken«, bot der Sportler an.

Er durchquerte den Raum, behielt den Bibliothekar dabei die ganze Zeit im Auge. Dann griff er sich Sams Rucksack und wollte den Reißverschluss an der kleinen aufgesetzten Tasche aufziehen, hielt allerdings verdutzt inne.

»Die Tasche ist offen.«

»Wie bitte?«

»Ihr Rucksack. Der …« Er ließ seine Hand in das offene Fach gleiten und holte eine Handvoll Plastikwertmarken heraus. »Schon gut, hab sie gefunden. Sind Sie sicher, dass keiner von uns bei Ihnen bleiben soll?«

»Ja«, erklärte Sam mit fester Stimme. Er konnte sich nicht erinnern, die kleine Reißverschlusstasche geöffnet zu haben, andererseits hatte er sie auch nicht mehr gebraucht, seit er den Rucksack vor der Vorlesung in seinem Spind verstaut hatte. Hatte er den überhaupt abgeschlossen? Er konnte sich nicht erinnern. »Das ist wirklich nicht nötig, zu bleiben. Es wäre besser, Sie würden uns ein paar Minuten zum Reden geben.«

47

Das Blut gerann mir in den Adern.

Wir beide haben viel zu bereden.

Als wäre er aus einem ganz bestimmten Grund hier.

Als ginge es um etwas Persönliches.

Wieder schüttelte ich den Kopf. Eine klare körperliche Weigerung. Ein Ausdruck meiner Entrüstung, meiner Fassungslosigkeit. Ich war mittlerweile zu Tode verängstigt, drehte fast durch vor Panik.

Donovan musterte mich eindringlich, atmete ruhig und gleichmäßig. Offenbar war er völlig unbeeindruckt von dem, was hier ablief und was er getan hatte.

Er hatte Bethany eiskalt ausgeschaltet. Sie lag bewusstlos in diesem Schrank direkt neben mir. Aber nicht nur das, er war schnell und effizient vorgegangen. Und hinterher war er erschreckend ruhig geblieben, zeigte keine Anzeichen von Reue.

Alles, was ich gehört hatte, waren ihr abgerissener Schrei und die beiden kurzen dumpfen Stöße, die wenig später gefolgt waren. Sonst nichts. Eine Frau war in meinem eigenen Zuhause attackiert worden, mitten in dieser ruhigen Wohnstraße, mitten in einer der besseren Gegenden von London. Der Mann vor mir hatte sie überwältigt, sie in diesen Schrank gestopft und war dann zurück in mein Schlafzimmer gekommen, und das in weniger Zeit, als ich gebraucht hatte, um es nach oben zu schaffen und ihn zu finden. Er konnte *nicht eine Millisekunde* gezögert haben.

Er wirkte nicht die Spur beunruhigt oder nervös. Und noch etwas. Er hatte offenbar viel besser aufgepasst als gedacht, als ich ihn durch mein Zuhause geführt hatte. Auf den Einbauschrank in der Dachschräge hatte ich ihn nicht eigens aufmerksam gemacht, doch er hatte ihn zu nutzen gewusst.

Was hatte er sonst noch gesehen?

Im selben Moment kam mir ein neuer schrecklicher Gedanke.

Der Keller.

War das der Grund, weshalb er sich so lange da unten aufgehalten und nicht auf meine Rufe reagiert hatte? Hatte er da schon irgendwelche ... Vorkehrungen getroffen?

Das durfte nicht sein.

Eine viel tiefgreifendere, ursprünglichere Form der Angst überwältigte mich. Ich hatte ihm von meinem Problem mit der Klaustrophobie erzählt. Ich hatte ihm meine schlimmsten Ängste anvertraut.

Jetzt spürte ich, wie mich die Aussicht darauf, dass er mich dort unten einsperren könnte, mit voller Wucht überrollte. Unsichtbare Wände schoben sich auf mich zu, ich war eingeschlossen, ohne einen Ausweg, ohne ausreichend Luft zum Atmen.

»Lucy, ich möchte, dass Sie absolut ehrlich zu mir sind. Das ist momentan das Allerwichtigste. Verstanden?«

Der Atem strich pfeifend durch meine Lunge, als würde ich durch einen Strohhalm Luft holen.

So ehrlich, wie Sie zu mir waren?, wollte ich ihn am liebsten fragen. *Oder zu Bethany?*

Dann kam mir etwas anderes in den Sinn. Ein Gedanke, der für ein vages, zaghaftes Aufflackern von Hoffnung sorgte.

Wie lange es wohl dauern würde, bis Bethanys Verschwinden bemerkt wurde?

In ihrer Sprachnachricht hatte sie etwas davon gesagt, wie

»verrückt« ihr Tag bisher gewesen sei. Vielleicht war das hier gar nicht die letzte Besichtigung, die sie vereinbart hatte. Ich wusste ganz sicher, dass sie unser Haus auch schon vorher einigen potenziellen Käufern gezeigt hatte, und zwar oft abends, nach einer ganzen Reihe von anderen Terminen. Vielleicht wurde sie also noch anderswo erwartet, wenn nicht sogar im Büro. Und wenn sie dort nicht auftauchte, könnten ihre Klienten oder Kolleginnen und Kollegen anfangen, Fragen zu stellen. Vielleicht versuchten sie, sie zu kontaktieren. Sicher würden sie sich um sie sorgen, oder nicht? Die Agentur, für die sie arbeitete, schrieb in solchen Fällen vielleicht sogar ein ganz bestimmtes Prozedere vor, besonders bei weiblichen Mitarbeitern, die alleinstehende Männer durch Häuser führten.

Dort wüsste man Bescheid darüber, dass sie einen Termin mit Donovan hatte. Sie wüssten, dass sie ihn *hier* treffen wollte.

Alle diese Gedanken rauschten mir in Sekundenschnelle durch den Kopf.

Noch einmal sah ich zum Wandschrank und dachte an das Telefon in Bethanys Handtasche. Ich grub meine Fingernägel in meinen Oberschenkel und versuchte, meine Angst und meine Verwirrung auszublenden und stattdessen *nachzudenken*.

Wie lange war Donovan jetzt schon hier? Fünfundvierzig Minuten? Länger?

Er hatte gemeint, er wolle reden. Und Reden würde einige Zeit dauern. Ich konnte dafür sorgen, dass es sich in die Länge zog. Vielleicht. Natürlich hing das davon ab, *worüber* er mit mir reden wollte.

Außerdem musste ich auch an Sam denken. Seine Gruppensitzung dauerte normalerweise eine Stunde. Allerdings hielt er sich nicht immer strikt an seinen Zeitplan. Manchmal überzog er auch, oder er blieb anschließend noch bis spätabends im Büro, um sich um den liegen gebliebenen Papierkram zu kümmern. Aber wenn er wirklich länger blieb, schrieb er mir in der Regel eine Nachricht, und wenn nicht, war er meist eine Stunde später daheim.

Eine Stunde.

Mein Blick huschte zu Donovans Mantel. Ich suchte nach irgendwelchen Ausbuchtungen, die mir verraten könnten, wo mein Handy versteckt war. Falls Sam mir schrieb, würde ich die Benachrichtigung hören. Ich hatte das Telefon nicht auf lautlos gestellt, es sei denn, Donovan hatte das nachträglich getan.

Wenn ich mir nur eins dieser Handys schnappen könnte, meins oder seins oder Bethanys.

Dann könnte ich Hilfe rufen.

Ich musste durchhalten.

Und sosehr ich mir wünschte, das hier wäre bald vorüber, so sehr brauchte ich dringend mehr Zeit.

Bring ihn dazu, dass er weiterredet.

»Was haben Sie mir injiziert?«, fragte ich also.

48

Donovan sah mich an, als hätte ich etwas zutiefst Empörendes von mir gegeben.

»Sie haben mir etwas gespritzt«, beharrte ich. »Ich habe es deutlich gespürt.«

»Ich glaube, Sie fantasieren, Lucy. Wahrscheinlich, weil Sie sich den Kopf gestoßen haben.«

Ich schob den Arm vor und zeigte ihm die Einstichstelle. »Sehen Sie.« Ich deutete darauf. »Was war es? Ein Beruhigungsmittel?«

»Sie denken, ich habe Sie unter Drogen gesetzt? Warum sollte ich so etwas tun?«

Ich hatte nicht die leiseste Ahnung. Und ich *wollte* es auch gar nicht wissen. Aber ich spürte definitiv etwas.

Eine schwelende Hitze unter meiner Haut, die meine Blutbahnen infizierte. Von Zelle zu Zelle sickerte.

»Sie haben Bethany betäubt.«

»Das ist im Eifer des Gefechts geschehen. Sie sollte eigentlich gar nicht hier sein. Ich hatte alles so in die Wege geleitet, dass sie es nicht rechtzeitig hierher schaffen würde.«

Im Eifer des Gefechts? Im Gegensatz zu was genau? Und was hatte er sonst noch in die Wege geleitet?

Mir war so abartig heiß, dass selbst meine Augäpfel zu schwitzen schienen. Meine Haare hingen mir in feuchten, verklebten Strähnen vors Gesicht. Meine Kehle brannte vor Durst, meine Haut juckte und war fleckig.

Denk nach!

Er hatte quasi zugegeben, Bethany ein Betäubungsmittel verabreicht zu haben. Er war in mein Zuhause gekommen in der Absicht, dies notfalls zu tun, und hatte die erforderliche Ausrüstung dafür mitgebracht. Vielleicht hatte er also einen Fehler begangen. Vielleicht hatte er Bethany eine zu hohe Dosis gespritzt.

»Sagen Sie es mir«, knurrte ich. »Ich will wissen, was Sie mit mir gemacht haben.«

»Was soll die Fragerei? Hätten Sie gern, dass ich mir was aus den Fingern sauge, oder ...?«

»Ich will wissen, was hier passiert!«

Er stemmte sich hoch auf die Füße, hob die Schöße seines Mantels an und tauchte mit den Händen in seine Hosentaschen. Seine Miene wirkte nachdenklich, aber ich spürte, dass hinter der Fassade etwas viel Dunkleres lauerte, ein zielgerichteter Zorn, der jederzeit hervorbrechen konnte. Mir kam der schaurige Gedanke, er könnte Mühe haben, sich zu beherrschen.

»Dazu kommen wir noch. Aber erst möchte ich Ihnen etwas zeigen.«

Ich sah zu, wie er die rechte Hand aus der Tasche zog und mir mit seinen zur Faust geballten, behandschuhten Fingern etwas vor die Nase hielt. Es sah aus, als wollte er mir aus nächster Nähe einen Zaubertrick vorführen. Er behielt mich dabei peinlich genau im Auge, mit wachsamem Blick.

»Was ist das?«

»Eine zusätzliche Motivation.«

»Wofür?«

»Dass Sie meine Anweisungen befolgen und genau das tun, was ich Ihnen sage und *wann* ich es Ihnen sage. Kein Schreien und kein Um-Hilfe-Rufen, schon vergessen?«

Ganz langsam öffnete er die untere Hälfte der Faust, und etwas, in dem sich das Licht fing, baumelte herab, festgehalten zwischen Daumen und Zeigefinger.

Ein Schlüsselbund.

Zwei Messingschlüssel, ein silberner, einer aus dunklem, mattem Metall, die an einem einfachen ledernen Schlüsselanhänger hingen. Der Schlüssel aus dunklem Metall wirkte dünn und biegsam.

Ich sah sie mir genauer an, und mit einem Mal war es, als würde in mir etwas zerplatzen und unzählige Eiskristalle freisetzen.

An dem Schlüsselbund hing ein Luke Skywalker aus Lego.

Sam besaß so einen Schlüsselanhänger. Er war schon seit seiner Kindheit ein großer *Star-Wars*-Fan. Ich hatte die Minifigur im vergangenen Jahr im Internet bestellt, als Geschenk für ihn.

Ich drängte mich so fest gegen das Bettgestell, dass es gegen die dahinterliegende Wand stieß.

»Ja, richtig erkannt. Das sind Sams Schlüssel. Die Türklingel vorhin? Das war ein Fahrradkurier. Für mich. Expresslieferung.«

Der Boden unter mir sackte weg, als wäre ich in einem Fahrstuhl eingeschlossen und die Seile wären gerissen. Noch einmal sah ich zum Einbauschrank in der Dachschräge. Ich stellte mir Bethany da drinnen vor und fragte mich, wo das alles hinführen sollte. Konnte es noch schlimmer werden?

»Haben Sie Sam etwas angetan? Was haben Sie mit ihm gemacht, woher haben Sie seine Schlüssel?«

»Ich habe ihm nichts angetan. Noch nicht.« Er hielt den Schlüsselbund ins Licht und betrachtete ihn versonnen. »Sam hat noch nicht mal bemerkt, dass sie weg sind.«

Er ließ sie vor mir auf den Boden fallen, unweit des Kühlpacks.

Instinktiv griff ich danach und zog sie zu mir her, schloss meine Hand darum und hob sie an mein Gesicht.

Ich wusste selbst nicht so genau, was ich mir davon eigentlich erhoffte. Wahrscheinlich Beweise dafür, dass er mir hier nichts als Lügen auftischte. Aber kaum hielt ich sie in der Hand, ballte mein Herz sich zusammen und zerbarst unter dem Druck.

Das waren definitiv Sams Schlüssel.

Der kleine dünne Schlüssel gehörte zu dem Vorhängeschloss an Sams Spind in der Arbeit. Der alte Messingschlüssel war ein Ersatzschlüssel für Johns Haus, einen Steinwurf entfernt nebenan. Der neuere Messingschlüssel war der für unser Haus. Wir hatten das Schloss erneuern lassen, nachdem ich neue Messingbeschläge eingebaut hatte. Der kleine silberne Schlüssel gehörte zu der Tür, die von der Küche aus in den Garten hinter dem Haus führte.

Das Metall des silbernen Schlüssels war noch makellos. Wahrscheinlich hatte Sam ihn noch nie benutzt.

Ich wusste, dass Sam seinen Schlüsselbund heute Morgen mitgenommen hatte, weil ich genau gehört hatte, wie er hinter sich abgeschlossen hatte, nachdem er gegangen war. Bestimmt hatte er sie in das kleine Reißverschlussfach an seinem Rucksack gesteckt, so wie immer.

»Wie sind Sie an die Schlüssel rangekommen?«

»Oh, das war gar nicht ich«, sagte er leichthin. »Sie wurden ihm schon heute Vormittag entwendet. Es gibt da jemanden, der mir ein wenig hilft. Jemanden, der in diesem Moment bei Sam ist. Das ist ja das Seltsame an diesen Selbsthilfegruppen, finden Sie nicht? Es darf einfach jeder teilnehmen.«

49

Sam

Sam stand mit dem Bibliothekar am Fenster mit Blick auf den Lichtschacht, als die Tür zum Seminarraum aufging und der Rest der Gruppe zurückkehrte. Er hatte das Fenster einen Spalt geöffnet, damit der junge Mann ein wenig frische Luft bekam. Er hatte ihm gut zugeredet, ihm versichert, dass so etwas nicht das erste Mal passiert sei.

Auch wenn das streng genommen nicht ganz der Wahrheit entsprach.

Denn wenn Sam absolut ehrlich war, hatte ihm diese Schere einen Höllenschrecken eingejagt.

Die Situation war aus seiner Sicht ziemlich brenzlig gewesen.

Natürlich war ihm klar, dass er streng genommen umgehend alle aus dem Raum schicken und sie hätte auffordern sollen, die Sicherheitskräfte zu verständigen.

Und vermutlich hatten die anderen Gruppenmitglieder genau über diesen Punkt diskutiert, denn als sie jetzt nacheinander ins Zimmer huschten, verfielen sie in verlegenes Schweigen und schauten drein, als hätten sie Geheimnisse. Der Sportler und die Künstlerin standen dicht nebeneinander.

»Es tut mir wirklich aufrichtig leid«, sagte der Bibliothekar mit beschämter Miene. »Ich weiß nicht, was in mich gefahren ist.«

Unter halb gesenkten Lidern hervor sah er vorsichtig zu den

anderen hinüber, fuhr mit der Schuhspitze über den Boden, linste Hilfe suchend zu Sam. Der nickte verständnisvoll und drückte ihm aufmunternd den Oberarm.

Mehrere Sekunden verstrichen, ehe der Schläger anerkennend grunzte, sich aber sonst zu keiner weiteren Äußerung durchringen konnte.

Depri-Girl tippte mit dem Nagel ihres rechten Zeigefingers gegen die Dose Cola light in ihrer Hand.

Die Künstlerin sah zum Sportler auf. Der hielt die Tür hinter ihr auf.

»Ich glaube, wir können alle nachvollziehen, was du durchmachst«, sagte der Sportler. »Hier.«

Damit reichte er dem Bibliothekar eine Wasserflasche und klopfte ihm kameradschaftlich auf die Schulter. Dankbar und erleichtert sah der Bibliothekar zu ihm auf.

»So wie ich das sehe, sind wir alle heute hierhergekommen, weil wir Hilfe brauchen, ist doch so, oder?«, sagte der Sportler und sah sich auffordernd um. »Wir alle haben unsere Höhen und Tiefen. Also ...« Schulterzuckend sah er zu Sam. »Was machen wir als Nächstes? Sollen wir uns wieder setzen?«

50

Es war, als hätte Donovan mich rücklings in eine Badewanne voller Eis gestoßen. Ich war völlig perplex.

»Jemand ist bei Sam?«

»Insgesamt sind fünf Leute bei Sam. Zumindest war das mein letzter Stand.« Er klopfte auf seine Manteltasche, in der er vorhin sein Smartphone hatte verschwinden lassen. »Ich werde zum Glück auf dem Laufenden gehalten.«

»Die Person ist mit Ihnen in Kontakt?«

»Sonst wäre es keine große Bedrohung, oder?«

Eine Bedrohung. Für Sam.

»Wer ist es? Was wird die Person mit ihm machen?«

»Darüber sollten Sie sich momentan nicht den Kopf zerbrechen.«

»Weiß Sam Bescheid?«

»Schwer zu sagen. Es ist die erste Sitzung dieser Gruppe. Wird Sam es auf Anhieb merken, wenn einer von ihnen ihm etwas vormacht?«

Ich betastete mit der Zunge die Innenseite meiner Lippe. Die offene blutige Stelle brannte.

Ich fühlte, wie Cortisol durch mich hindurchrauschte, und hatte den Drang, mich auf ihn zu stürzen, ihn aus dem Weg zu stoßen, einen Fluchtversuch zu wagen und Sam zu kontaktieren, aber gleichzeitig wusste ich, dass ich mich konzentrieren musste.

Denn falls das alles nur gelogen war, wirkte diese Lüge auf

mich erschreckend plausibel. Und wenn er die Wahrheit sagte …

»Was passiert mit Sam?«

»Er ist im Moment nicht mehr in Gefahr als Sie.«

Das war keine beruhigende Antwort.

Wieder wanderte mein Blick zum Wandschrank. Was er Bethany angetan hatte, war entsetzlich und machte mich fassungslos.

Schlagartig hatte ich Sam vor Augen, in einem Raum mit fünf wildfremden Menschen. Es gab keinen Grund, weshalb er auf die Idee kommen sollte, einer von ihnen könnte sich unter falschem Vorwand in seine Selbsthilfegruppe gemogelt haben, geschweige denn, dass diese Person zu einer ernsthaften Gefahr für ihn werden könnte.

Und Donovan hatte schon recht. Sams Gruppensitzungen standen allen offen. Das war ja gerade der Clou an der Sache. Jeder konnte da reinspazieren und teilnehmen.

Sam hatte mir in der Vergangenheit einige beunruhigende Geschichten erzählt. Deshalb wusste ich, dass er es bereits mit Leuten zu tun bekommen hatte, die komplett von der Rolle gewesen waren, nicht nur in seinen Selbsthilfegruppen, sondern auch im Rahmen seiner privaten Forschungsprojekte. Er tat derlei Vorkommnisse gerne als harmlos ab und stufte diese Fälle als akademisch höchst interessant ein, und er versicherte mir wieder und wieder, der Umgang mit Menschen mit ungewöhnlichen Komplexen oder Persönlichkeitsstörungen bereite ihm Freude. Ganz einfach, weil er sie erforschen und verstehen wollte. Aber natürlich wollte er nur, dass ich mir keine Sorgen machte.

Ich wusste außerdem, dass er eine Art Helferkomplex hatte und gern anderer Leute psychische Probleme löste, besonders wenn es sich um Probleme handelte, die komplex und tief verwurzelt waren.

So wie meine.

Das liebte ich ja so an ihm, doch in diesem Fall machte es ihn zum perfekten Opfer. Er war hochgewachsen und schlaksig, etwa eins fünfundachtzig groß und schlank, nicht muskulös. Er war gesund, aber nicht in Form. Er ging nicht ins Fitnessstudio oder stemmte Gewichte. Er war in seinem Leben noch an keiner Schlägerei beteiligt gewesen, soweit ich informiert war.

Er war der typische Bücherwurm, dazu sehr fürsorglich und anständig. Und er hatte mir gegenüber so unendlich viel Geduld an den Tag gelegt. Ich konnte mich blind auf ihn verlassen.

Und jetzt ... allein der Gedanke, dass ich ihn verlieren könnte ...

Ich spürte, wie mein Herz schneller schlug. Meine Kehle war wie zugeschnürt.

»Ich möchte mit Sam reden. Ich muss wissen, dass es ihm gut geht.«

»Darauf hatte ich gehofft.«

»Sie dürfen ihm nichts antun.«

»Dann zwingen Sie mich nicht dazu.«

Mir wurde schwindelig. Ich hatte einen galligen Geschmack im Mund.

Aber noch während die Sorge um ihn mir die Brust eng werden ließ, kam mir der Gedanke, dass Sam vielleicht gar nicht so unmittelbar in Gefahr schwebte, wie Donovan mich das glauben machen wollte. Ich hatte starke Zweifel, dass die Person, die Sam im Visier hatte, das Risiko eingehen würde, ihn zu bedrohen, während vier weitere Personen mit im Raum waren. Oder doch?

Ich starrte auf Sams Schlüsselbund in meiner Hand und versuchte, das Ausmaß dessen zu begreifen, was Donovan mir erzählt hatte. Und was er mir darüber hinaus vielleicht verschwieg.

Ich stand vor einem Rätsel. Da war nichts in meinem oder Sams Leben, was uns in die Nähe von einem Mann wie Donovan hätte bringen können. Wir gehörten nicht zu der Sorte Leute, denen so etwas zustieß.

Und wenn du dich täuschst?

Du hast schon mal was richtig Schlimmes erlebt.

Mein Blick wanderte über die Narbe an der Innenseite meines Arms und verharrte schließlich bei der Einstichstelle in meiner Ellenbeuge.

Ich begriff einfach nicht, was das zu bedeuten hatte.

Donovan hatte mir versichert, mich nicht betäubt zu haben. Zwar hatte ich keinen Anlass, ihm zu glauben, aber seit er mir die Nadel reingestochen hatte, waren sicher schon an die zwanzig Minuten vergangen. Und ich war nach wie vor bei klarem Bewusstsein, meine Sinne wurden für mein Empfinden sogar zusehends schärfer. Mein Hinterkopf schmerzte zwar noch leicht von dem Stoß, aber meine Wahrnehmung und mein Gleichgewichtssinn waren absolut zuverlässig und die Übelkeit hatte nachgelassen.

Die anderen Symptome, die ich registriert hatte – Kurzatmigkeit, beschleunigte Herzfrequenz, Hitzewallungen und Schweißausbrüche –, ließen sich allesamt auf einen Überschuss an Adrenalin zurückführen, freigesetzt durch panische Angst.

Aber trotzdem.

Diese Einstichstelle.

Ich hob meinen Arm näher ans Gesicht und drückte mit dem Zeigefinger gegen die Haut. Es tat nicht sonderlich weh. Eine leicht violette Verfärbung war rund um die Einstichstelle zu erkennen. Eine rötliche Aura, ausgehend von dem winzigen Blutstropfen in der Mitte.

Moment ...

Mich schwindelte. »Meine Zahnbürste«, hörte ich mich sagen.

»Wie bitte?«

Ich schloss die Augen. »Ich wusste doch, dass etwas nicht stimmte, als ich auf der Suche nach Bethany ins Badezimmer kam. Zu dem Zeitpunkt konnte ich nicht sagen, was es war, aber genau das war es, worauf mein Unterbewusstsein mich hinweisen wollte: Meine Zahnbürste war nicht an ihrem Platz.« Ich riss die Augen wieder auf und sah ihn an. »Warum haben Sie meine Zahnbürste mitgenommen?«

Ein Beben ging durch meine Brust und breitete sich von dort in konzentrischen Kreisen aus. Und dann folgte ein weiterer Gedanke, logisch, aber verstörend.

Irgendwie ergab es sogar Sinn, aber nicht die Art von Sinn, mit der ich mich befassen wollte.

»Sie haben mir gar nichts injiziert.«

»Sage ich doch.«

»Aber ich habe eine Nadel gespürt. Ich habe genau gespürt, wie sie in meine Haut eingedrungen ist.«

Diesmal sagte er nichts, und ich wusste, dass ich ins Schwarze getroffen hatte.

»Sie haben mir nichts gespritzt«, sagte ich noch einmal. »Es war andersherum. Sie haben mir Blut abgenommen.«

51

Meine eigene innere Alarmanlage gellte und gellte. Mein Mund war staubtrocken, mein Puls ging schnell und unregelmäßig.

Die folgende Frage wollte ich am liebsten gar nicht stellen, aber letztlich rang ich mich doch dazu durch. »Warum haben Sie mir Blut abgenommen?«

»Oh, ich bitte Sie. Das wissen wir doch beide.«

Ich wusste es nicht. Ehrlich, ich hatte keinen blassen Schimmer.

Oder machte ich mir etwas vor? Gab es da in Wahrheit irgendetwas in meiner Vergangenheit, dem ich mich nicht stellen wollte? Ein schlimmes Erlebnis, das ich verdrängt hatte?

Automatisch wanderte mein Blick zum Wandschrank. Das Gellen in meinem Kopf wurde lauter, durchdringender.

Hatte er auch Bethany Blut abgenommen? Waren mein Blut und meine Zahnbürste vielleicht ... ja, *was* eigentlich? So was wie *Trophäen* für ihn?

Meine Angst nahm ganz neue Dimensionen an.

Ich ballte die Hand um den Schlüsselbund zur Faust und spürte, wie sich das Metall tief in mein Fleisch grub. Am Rand meines Blickfeldes leuchtete jetzt ein grellrotes Blinken auf, parallel zum Schrillen meiner mentalen Alarmglocken.

Donovan breitete die Arme zur Seite hin aus, die höhnische Variante einer besänftigenden Geste. »Ich habe sie nicht mehr, falls Sie das beruhigt.«

»Ich verstehe nicht ...? Was ...?« Wieder verstummte ich.

Denn auch in diesem Fall kam ich von selbst drauf. »Der Kurier«, sagte ich. »Sie haben sie dem Kurier mitgegeben.« Ich blickte ins Leere. »Deshalb waren Sie so lange unten an der Haustür.«

Donovan sah schweigend zu, wie ich mühsam meine Gedanken zu sortieren versuchte. Irgendwann schien er die Geduld zu verlieren. Mit ausgebreiteten Armen machte er eine Drehung und wies in den Raum.

»Sie wollen sehr viel Geld für dieses Haus, ist es nicht so?«

»Wie bitte?«

»Ich sagte, Sie wollen sehr viel Geld für diese Immobilie.«

»Ist es das, worum es hier geht? *Das Haus?*«

»Nein, Sie hören mir nicht richtig zu. Ich ziehe hier nur eine Analogie. Male Ihnen ein Bild, wenn Sie so wollen.« Er streckte den Arm nach oben aus und berührte die Dachschräge über sich mit gespreizten Fingern. »Sie haben mir erzählt, Sie hätten den Großteil der Renovierungsarbeiten selbst übernommen, ist das richtig?«

»Ja, so ist es«, antwortete ich zögerlich.

»Gut. Und jetzt nehmen wir einmal an, ich wollte dieses Haus kaufen. Stellen wir uns doch einen *kurzen Moment* vor, ich wäre heute tatsächlich deswegen hier. Und nichts für ungut, aber ich will ehrlich sein. Ein Haus in London. In dieser Gegend. Wow, das ist schon eine beträchtliche Investition. Also selbst *wenn* es mir gefiele und ich würde Ihnen und Sam ein akzeptables Angebot machen – und mal Hand aufs Herz, es gefällt mir wirklich, was Sie beide daraus gemacht haben –, dann würde ich nichtsdestotrotz vorab einige Erkundigungen anstellen, bevor meine Anwälte die Formalitäten regeln und den Kauf zum Abschluss bringen. Verstehen Sie?«

»Nein.«

»Ich rede hier von einer Untersuchung. Einer sehr gründlichen. Ich würde wollen, dass der von mir beauftragte Gutachter das Fundament des Hauses prüft, die Immobilie auf Absenkungen, Feuchtigkeit und Trockenfäule hin untersucht.« Er stampfte mit dem Fuß auf, wie um mir zu verdeutlichen, was er meinte. »Ich würde wollen, dass man mir nichts verschweigt, was bei mir für Bedenken sorgen könnte. Und nehmen wir einmal an, der Gutachter gibt grünes Licht. Tja, dann würde ich wollen, dass mein Anwalt trotzdem zusätzliche Nachforschungen anstellt. Ich würde wollen, dass die Eigentumsurkunde für das Grundstück überprüft wird. Ich würde hundertprozentig sichergehen wollen, dass ich für mein Geld genau das bekomme, was ich erwarte.«

Er zuckte mit der Schulter und sah mich an, als müsste ich jetzt allmählich begreifen, worum es hier ging.

»Augen auf beim Hauskauf«, sagte er. »So eine Entscheidung will wohlüberlegt sein, finden Sie nicht? Und Sie sollten kein Problem mit derlei Maßnahmen haben. Schließlich sind Sie die Verkäuferin. Bei einem Immobilienverkauf sollte man als Eigentümer auf so etwas vorbereitet sein. Nun, bei mir ist es nicht anders. Ich möchte auch keinen Fehler machen. Ich will mir absolut sicher sein, dass ich genau das kriege, weshalb ich hergekommen bin. Ich will, dass bei meiner Überprüfung sämtliche Details in Betracht gezogen werden. Deshalb die Zahnbürste. Deshalb das Blut. Ich lasse einen umfassenden DNA-Abgleich machen.«

52

Sam

Alle nahmen ihre ursprünglichen Plätze ein. Dann sahen sie ihn abwartend an.

Doch obwohl keiner der Anwesenden einen Ton sagte, spürte Sam sofort, dass sich etwas verändert hatte.

Hatte er ihr Vertrauen verspielt?

Möglich.

Vielleicht hatte der Vorfall mit der Schere sie alle doch mehr mitgenommen als gedacht.

Vielleicht hätte er die Sitzung nicht unterbrechen, sie nicht aus dem Raum schicken, ihnen nicht die Gelegenheit geben dürfen, sich in seiner Abwesenheit über den Vorfall auszutauschen.

Denn irgendetwas störte ihn, während er einen nach dem anderen ansah.

Den Bibliothekar.

Den Sportler.

Die Künstlerin.

Den Schläger.

Das Depri-Girl.

Aber was war es? Woher kam dieses nagende Gefühl, dass irgendetwas … faul war? Keiner der Anwesenden verhielt sich irgendwie auffällig oder sah ihn schief an.

Sie saßen alle nur abwartend da, selbst der Bibliothekar, der ununterbrochen über seine Hosenbeine wischte. Er wirkte irgendwie gelöst und erleichtert, jetzt, da er das Schlimmste überstanden hatte. Es gab also keinen offensichtlichen Grund für Sams Unruhe. Da war nichts, worauf er den Finger legen konnte, nichts, das erklärt hätte, dass sein Mund plötzlich klebrig war, die Achseln feucht und er einen zähen Klumpen in der Kehle hatte, den er nicht hinunterschlucken konnte.

Aber das Gefühl war eindeutig da.

Die negativen Schwingungen.

Eine unterschwellige Bedrohung.

Fast, als gehörte einer der Fünf, die mit ihm in diesem Kreis saßen, eigentlich nicht hierher, wenn nicht sogar mehr als einer.

53

»Das ist doch Blödsinn«, rief ich. »Nichts von dem, was Sie von sich geben, ergibt irgendeinen Sinn.«

»Und ich bin überzeugt, dass Ihre DNA das Gegenteil beweisen wird.«

Ich presste mir die flache Hand an die Stirn. Mit ihm reden zu wollen, war vollkommen zwecklos. Denn worum auch immer es hier ging, was immer er durcheinanderbrachte oder falsch interpretierte, für mich bestand kein Zweifel, dass er glaubte, was er sagte.

»Kennen Sie Sam? Haben Sie mit ihm gearbeitet?«

Er schnaubte und musterte mich geringschätzig. »Oh, das ist gut.« Er drohte mir mit dem Finger. »Das ist wirklich kränkend.«

»Haben Sie?«, drängte ich ihn.

Er sah mich von oben herab an und ließ die Luft zwischen den Lippen entweichen, als wäre sein Geduldsfaden mittlerweile gefährlich dünn. »Und damit meinen Sie was genau? Ob ich an der London School of Economics mit ihm zusammengearbeitet habe? Als sein Kollege? Als Dozent?«

»Vielleicht.«

»Oder wollen Sie andeuten, ich könnte eins seiner Forschungsobjekte sein? Wollen Sie darauf hinaus? Eins seiner … ›besonderen Projekte‹?« Er malte imaginäre Gänsefüßchen in die Luft. »Denn ich weiß genau, was Sam beruflich macht, Lucy. Ich habe mich in seine Arbeiten eingelesen. Ich kenne sein

Spezialgebiet. Seine Forschungen sind höchst beeindruckend, wenn auch beunruhigend. Da sind diese Selbsthilfegruppen, aber die sind im Grunde vergleichsweise harmlos. Wie ich hörte, kommt er mit einigen ziemlich kaputten Gestalten in Kontakt, erforscht sie am liebsten im persönlichen Gespräch. Sie wollen also andeuten, dass Sie mich für einen von diesen kranken Irren halten, ist es so?«

Er tat so, als verfiele er in Spasmen, und trat dann mit bösem Blick näher, beugte sich vor und schob sein Gesicht direkt vor meins.

»Und was ist mit Bethany?« Er deutete auf den Einbauschrank. »Denken Sie, das habe ich getan, weil ich vergessen habe, meine Pillen zu schlucken? Ich weiß, was ich tue.« Er schwieg einen Moment. Als er weitersprach, bemerkte ich eine leichte Veränderung in seiner Stimme, als hätte er plötzlich Mühe, die Fassung zu wahren. »Es reicht, in Ordnung? Wollen Sie, dass ich es Ihnen noch mal zum Mitschreiben diktiere? Na schön, Folgendes: Ich habe Sie gefunden. Ich habe Sie gesucht und gefunden, so einfach ist das.«

»Ich war aber gar nicht weg.«

»Nein, das nicht«, sagte er drohend. »Aber Sie haben sich gut versteckt. Sie waren wirklich lange untergetaucht.«

Bevor ich mich dazu äußern konnte, verschwand seine behandschuhte Hand in seiner Manteltasche und brachte sein Telefon zum Vorschein.

»Diese Nachricht habe ich vorhin geschrieben.«

Er tippte ein paarmal aufs Display und wischte ungeduldig darüber. Dann drehte er das Handy um und hielt es mir vor die Nase.

»Die Person, die bei Sam ist, kennt Sie.« Er zeigte mir das Foto, das er von unserem Schlafzimmer gemacht hatte. Ich war wirklich mitten im Bild zu sehen.

Er hatte direkt auf mein Gesicht und die obere Körperhälfte gezoomt. Oder er hatte das Bild nachträglich bearbeitet, es zugeschnitten. Es war messerscharf. Meine Gesichtszüge waren deutlich zu erkennen.

In dem Moment begriff ich, dass er nie vorhatte, Fotos von unserem Haus zu machen. Es war ihm nur um dieses eine Bild gegangen.

»Aber das wird nicht reichen, oder? Nicht nach zwei Jahren.«

Zwei Jahre.

Ich merkte, wie ich schwankte.

»Ja, ganz genau, Lucy, die Party. Wir haben Zeit. Warum erzählen Sie mir nicht, was passiert ist? *Damit ich es endlich verstehe?*«

54

Die Party.

Irgendwo in meinem Hinterkopf dröhnte wieder diese Musik. Da waren dieser hektisch wummernde Beat, das laute Gelächter und Grölen. Drinks, die ausgeschenkt wurden, pulsierende und wirbelnde Lichter.

Und dann dieser Riegel an der Badezimmertür.

... Klick.

Der brutale Stoß und der Duschvorhang, in dem ich mich verfing, als ich rückwärts in die Badewanne fiel, und die verschwommene Gestalt, die mich bedrängte, mich gewaltsam nach unten drückte und unter das Wasser hielt, das aus dem Hahn strömte.

Alles war so schnell gegangen, war so unvermittelt geschehen.

Als ich Donovan jetzt anstarrte, war es, als füllte meine Kehle sich wie damals mit Wasser, als sprudelte es aus meinem Mund.

Blinzelnd sah ich ihn an, bis sein Gesicht nur noch eine unklare, verwaschene Fläche war.

Oh Gott.

Ich verspürte den Drang, mich nach vorne zu beugen und mich zu übergeben.

»Nein ...«

Ich versuchte zurückzuweichen, doch das Fußende des Bettes drückte gegen meine Oberschenkel und meinen unteren Rücken. Ich drohte rücklings darüber zu kippen.

»Nein, Sie *wollen* nicht darüber reden?«, hakte er nach. »Oder nein, Sie *weigern* sich?«

Ich hob eine Hand schützend an die Kehle, ballte die andere hinter meinem Rücken zur Faust.

In meiner Vorstellung lag ich wieder in dieser Badewanne, verfangen in diesem Duschvorhang, während das Wasser auf mich herunterprasselte und kräftige Hände mich an den Schultern nach unten drückten.

»Waren Sie das?«, fragte ich.

»Was soll ich gewesen sein?«

Ich wurde lauter. »WAREN. SIE. DAS?«

Seine Nasenflügel blähten sich und er neigte den Kopf. Ein bedrohlicher Ausdruck trat auf seine Züge, während er mit dem Telefon vor mir herumwedelte.

»Ich habe Ihnen doch gesagt, reißen Sie sich am Riemen, Lucy. Ich denke, ich habe deutlich genug gemacht, dass Sams Leben davon abhängt.«

»Kommen Sie mir nicht zu nahe.« Ich zitterte am ganzen Leib, ballte die Faust noch stärker, bis meine Nägel in meine Haut schnitten.

»Warum fangen wir nicht damit an, dass Sie mir von dem Dach erzählen.«

»Ich weiß nicht …«

»Das Dach. Fangen Sie damit an.«

Hektisch schüttelte ich den Kopf. »Ich habe keinen Schimmer, was Sie meinen.«

»Das Dach, Lucy. Lassen Sie den Quatsch.«

Ich spähte nach oben und überlegte krampfhaft, was er hören wollte. »Ich habe es Ihnen doch erklärt. Wir haben es komplett erneuern lassen. Wir …«

»Nicht *dieses* Dach. Auf der Party. Sagen Sie mir, was passiert ist, als Sie auf dem Dach waren.«

»Da war kein Dach.« Ich starrte ihn ratlos an.

Das Rauschen in meinen Ohren wurde überlagert von einem schiefen Ton – einer einzelnen Note, gespielt auf einem verstimmten Klavier.

»Erzählen doch einfach *Sie* mir, was passiert ist. Ich weiß nicht, was Sie hören wollen.«

»Hören Sie auf mit dem Scheiß!« Er funkelte mich wütend an und schüttelte mit erhobenem Zeigefinger den Kopf, ein weiterer zorniger Hinweis darauf, dass ich besser den Mund halten sollte.

Mir fiel auf, dass sich seine Haltung verändert hatte. Jetzt stand er breitbeinig vor mir, den linken Fuß für einen festen Stand nach hinten gestellt. Sein Mantel stand offen und teilte sich um seine Oberschenkel herum.

Sein rechter Fuß war etwa zwei Meter von mir entfernt. Die Spitze des Schuhs stieß fast gegen das Kühlpack auf dem Boden.

Mein Blick fiel darauf. Ich erinnerte mich, wie er es mir hingeworfen hatte. Er folgte meinem Blick, und als er es da liegen sah, kräuselte sich die Haut in seinen Augenwinkeln für eine Millisekunde. Im selben Moment dämmerte mir, dass ihm etwas eingefallen war. Wenn ich jetzt nicht handelte, dann ...

Ich stürzte mich auf ihn.

Aus einem Impuls heraus.

Getrieben von meinem Instinkt und purer Verzweiflung.

Ich stieß mich vom Bettrahmen ab und flog auf ihn zu, mit einem schnellen, überraschenden Satz, Sams Schlüsselbund fest in der geballten Hand, den neuen Messingschlüssel zwischen Zeige- und Mittelfinger nach vorne ausgerichtet, sodass seine scharfen Zähne aus meiner Faust hervorstachen.

Wie ein Sägemesser.

Eine Klinge, die ich ihm tief in den Oberschenkel treiben und ...

Nein.

Aus unerklärlichem Grund bewegte ich mich plötzlich seitwärts, drehte mich um mich selbst und der Raum rotierte mit mir.

Er hatte so blitzschnell reagiert, dass ich einen Moment brauchte, um zu begreifen, dass er meinen Angriff hatte kommen sehen. Ohne mit der Wimper zu zucken, hatte er mich abgewehrt, bevor ich ihn erwischen konnte, hatte mein Handgelenk gepackt und meinen Arm zur Seite gedrückt und dabei den Schwung, den ich in den Sprung gelegt hatte, genutzt, um mich herumzuwirbeln und mich mit geübter Leichtigkeit an seine Brust zu ziehen.

Wie in einer Tanzbewegung, einer Art Tango-Move – nur härter und kompromissloser. Eine Falle, die zuschnappte.

Er fixierte mich mit einem Arm um den Oberkörper, während er mir mit der anderen Hand fast die Knochen im Handgelenk brach. Er drückte zu. Erbarmungslos.

»Lassen Sie den Schlüssel fallen«, knurrte er. Sein Atem strich mir heiß über die Wange.

Ich weigerte mich.

Jetzt zog er den Arm nach oben um meinen Hals und würgte mich.

Ein Gurgeln entwich meiner Kehle, ich hatte höllische Schmerzen.

Wenn ich allerdings geglaubt hatte, der Druck auf mein Handgelenk hätte bereits das Maximum erreicht, dann war ich nicht auf das vorbereitet, was jetzt kam.

Es fühlte sich an, als wollte er meine Knochen zermalmen. Ich spürte, wie die Sehnen zusammengedrückt wurden und die Knochen knirschten.

»Ich sagte fallen lassen.«

Immer noch weigerte ich mich. Es war, als steckte meine

Hand in einer Schraubzwinge. Das Blut pochte in meinen Fingern. Gleichzeitig rammte er mir das Knie in den unteren Rücken, den anderen Arm nach wie vor vorne um meinen Hals gelegt, das Telefon immer noch in der Hand. So riss er mich nach hinten, bis ich das Gleichgewicht verlor.

Ich ruderte hilflos mit den Händen durch die Luft, klammerte mich an seinem Arm fest und schob mich auf die Zehenspitzen hoch.

Hatte er dasselbe auch mit Bethany getan? Hatte sie deshalb geschrien?

Obwohl ich begriff, dass die Schlüssel für mich nutzlos geworden waren, ließ ich sie nicht los. Donovan hielt mein Handgelenk so unerbittlich fest und hatte meinen Oberkörper so schmerzhaft verdreht, dass ich keine Chance mehr hatte, ihn damit zu verletzen. Trotzdem hielt ich sie krampfhaft fest.

Das war wohl meine störrische Ader.

Nach allem, was ich in diesem Badezimmer erlebt hatte, hatte ich mir hoch und heilig geschworen, mir nie wieder von einem Mann wehtun zu lassen.

»Sie werden mir Antworten liefern«, drohte er. »Eine Erklärung. Ich habe Ihnen doch gesagt, ich will Ihnen nicht wehtun, und das meinte ich auch so. Aber reizen Sie mich nicht. Sie könnten es bereuen.«

Ich schrie auf, als er mein Handgelenk noch einmal quetschte und es mit seinem Lederhandschuh so verdrehte, dass die Haut brannte.

Dann drückte er *noch* einmal zu, und diesmal ließ ich den Schlüsselbund fallen, ohne eine bewusste Entscheidung getroffen zu haben.

Er landete klirrend auf dem Boden.

Aber Donovan hielt mich unverändert fest.

Jetzt brachte er seinen Mund ganz dicht an mein Ohr.

»Wann kriegen Sie endlich in Ihren Schädel, dass das Spiel für Sie vorbei ist? Ich habe Sie gefunden. Ich habe mir geschworen, Sie aufzuspüren, und das ist mir gelungen.«

»Lassen Sie mich los.«

Ich stieg ihm mit voller Wucht auf den Fuß.

Trat mit dem Absatz meines Schuhs gegen sein Schienbein.

Es machte keinen Unterschied.

»Ich sagte ...«

In dem Moment klingelte es an der Tür.

Das freundliche Ding-Dong erklang von unten.

55

Sam

Sam räusperte sich. »Uns bleiben noch fünf Minuten«, verkündete er mit einer ungewöhnlichen Rauheit in seiner Stimme. »Aber für das erste Mal sind wir schon sehr weit gekommen. Außerdem gab es natürlich den einen oder anderen überraschenden Moment.«

Er rang sich ein zaghaftes Lächeln ab, während er zum Bibliothekar sah. Seltsamerweise schien ihm selbst dieses einfache Mienenspiel zu misslingen, es fühlte sich falsch an, aufgesetzt.

Betretenes Schweigen machte sich im Raum breit. Ein Hüsteln war zu hören.

Sam betrachtete nacheinander die Gesichter vor sich und verspürte ein banges Flattern in der Brust. Der Moment konnte nur wenige Sekunden gedauert haben, aber er glaubte, ein schwaches Zischen zu hören – die letzten Reste seiner Autorität, die aus ihm entwichen wie Luft aus einem Luftballon.

Was war heute nur mit ihm los?

»Noch eine letzte Sache, die ich mit Ihnen allen ausprobieren möchte, bevor wir uns verabschieden.«

Der Schläger kratzte sich am Ohr.

Depri-Girl knibbelte an ihren Fingernägeln herum.

»Die Übung ist wirklich simpel. Auch wenn Sie sie unter Umständen ein wenig albern finden werden.«

Na toll. Gut gemacht, Sam. Mach dich nur selbst schlecht.

»Dafür funktioniert sie, versprochen. Ich lasse meine Gruppen diese Übung immer zum Ende jeder Sitzung durchführen.«

Wen versuchte er hier eigentlich zu überzeugen?

Offenbar nicht den Sportler, der auf Sams Schuhe schaute und die Nase rümpfte, als wäre Sam in etwas Ekliges getreten.

Und auch nicht die Künstlerin, die immer wieder auf ihre Armbanduhr linste, als überlegte sie, ob sie sich nicht einfach etwas früher davonstehlen könnte.

»Ich möchte, dass Sie mir etwas nachsprechen.«

Ohrenbetäubendes Schweigen, verlegenes Gescharre mit den Füßen. Er hätte die Anwesenden genauso gut darum bitten können, sämtliche Kleider abzulegen.

»Es ist eine Art Mantra. Ich möchte, dass wir es als Gruppe teilen. Es soll uns helfen, uns gemeinsam weiterzuentwickeln. Denn ich hoffe sehr, dass Sie nächste Woche alle wiederkommen. Ich würde mir wünschen, dass Sie sich gegenseitig unterstützen, während Sie sich Ihren persönlichen Ängsten stellen und gemeinsam dagegen ankämpfen.«

Keine Reaktion.

»Also ... Ich fange an und dann sprechen Sie mir bitte alle nach. Einverstanden?«

Er musterte reihum ihre Mienen, aber keiner von ihnen gab irgendeine Regung preis.

»Wobei, ich glaube, es funktioniert noch besser, wenn Sie sich dabei an den Händen fassen.«

Jetzt sahen sie ihn an, als hätte er vollends den Verstand verloren.

Letzten Endes war es der Sportler, der mit der Schulter zuckte, auf seinem Stuhl vorrutschte und dem Bibliothekar auf der einen Seite und der Künstlerin auf der anderen die Hand hinhielt.

Langsam, geradezu quälend langsam, folgte der Rest seinem

Beispiel, bis Sam zu guter Letzt den Kreis schloss, indem er die Hände des Bibliothekars und die von Depri-Girl griff, deren Hand sich in seiner schrecklich kalt anfühlte.

»Also dann, los geht's. Bitte sprechen Sie mir alle nach.« Er räusperte sich. »Ich bin für euch da. Ihr seid für mich da.«

Und dann wartete er ab, gepackt von der entsetzlichen, unerwarteten Gewissheit, dass er völlig allein war.

56

Wir waren beide wie erstarrt.

Donovans Atem strich über meine Wange. Ich spürte, wie reglos und angespannt er plötzlich war.

Das hat er nicht erwartet.

»Kein Wort«, drohte er. Dann löste er den Arm, mit dem er mich an sich gepresst hatte, hielt mit der anderen Hand aber weiter mein Handgelenk umklammert. Er steckte sein Handy zurück in die Manteltasche und ging kurz in die Hocke, um Sams Schlüsselbund aufzuheben. Anschließend richtete er sich wieder auf, verdrehte mir den gestreckten Arm auf den Rücken und zwang mich auf die Art, mich in der Hüfte vorzubeugen. So trieb er mich vor sich her zur Treppe.

Am Treppenabsatz stoppte er so abrupt, dass ich halb übers Geländer hing. Vorsichtig sah ich mich noch einmal zum Wandschrank um, in dem Bethany eingeschlossen war. Mein Handgelenk und mein Arm waren steif und schmerzten, die Haare hingen mir vors Gesicht. Konnte das Sam sein an der Haustür? Ich glaubte nicht. Es sei denn, er hatte die Sitzung seiner Selbsthilfegruppe aus irgendwelchen Gründen früher beendet.

»Runter.«

Ich lehnte inzwischen so gefährlich weit über den Stufen, dass ich gefallen wäre, hätte Donovan mich nicht festgehalten. Unnachgiebig hielt er mein Handgelenk umklammert. Ich hatte Angst, mir den Arm zu brechen, falls ich ins Stolpern geriete.

Während ich unbeholfen die Stufen hinunterstieg, hatte ich Mühe, mit den Haaren vor den Augen irgendetwas zu sehen. Der Schmerz pochte dumpf in meinem Hinterkopf.

Am Fuß der Treppe schob Donovan mich ins Schlafzimmer und weiter zum mittleren Fenster. Als wir vor dem Sofa standen, ließ er mein Handgelenk endlich los, nahm mich bei der Schulter und drängte mich gegen die Wand. Mit der anderen Hand teilte er die Lamellen der Jalousie.

Ich rieb mir das schmerzende Handgelenk, während er zur Vorderseite des Hauses hinausspähte.

Mein Arm fühlte sich seltsam gewichtslos an, wie betäubt. Meine Knochen waren wie aus Gummi.

»Erwarten Sie jemanden?«, fragte er mit gedämpfter Stimme.

Ich sagte nichts darauf.

»Antworten Sie«, herrschte er mich an und drückte mich grob gegen die Wand.

»Nein.«

»Nein, Sie erwarten niemanden?«

»Das sagte ich doch.«

Er stellte sich auf die Zehenspitzen und spähte noch einmal nach unten.

Wieder klingelte es.

Ich lauschte auf den Benachrichtigungslaut der Haustür-App auf meinem Handy, das aus seiner Manteltasche hätte kommen müssen, hörte aber nichts.

Er zerrte mich seitwärts zum Fenster, bis ich sehen konnte, worauf er dort unten starrte. »Wer ist das?«

Ich sah John – oder vielmehr seinen Scheitel und die knochigen Schultern, den hellbraunen Regenmantel und den bleichen Mond seiner Glatze. Er trug jetzt eine volle Einkaufstüte bei sich. Das durchsichtige Plastik wurde von dem schweren Gewicht nach unten gezogen.

»Das ist unser Nachbar, John.«

»Was will er?«

»Ich weiß es nicht. Vielleicht hat er meinen Schrei gehört?«

»Nein, das bestimmt nicht. Ich habe ihn vorhin schon mal gesehen. Er war draußen auf der Straße, als der Kurier vorbeikam.«

Dazu sagte ich nichts. Natürlich hatte ich John gesehen und hatte auch den verwunderten und besorgten Ausdruck auf seinem Gesicht registriert.

»Auf dem Weg zum Supermarkt kommt er manchmal vorbei und erkundigt sich, ob wir etwas brauchen«, sagte ich.

»Aber er hat ja schon eine volle Einkaufstüte bei sich.« Donovan schob sein Gesicht neben meines, um einen besseren Blick auf John zu haben.

Ob Sams Telefon immer noch ausgeschaltet war? Er hatte die Haustür-App nämlich auch auf seinem Handy. Vielleicht bekam er das hier ja mit und wunderte sich, warum ich nicht öffnete.

»Warum geht er nicht wieder«, murmelte Donovan.

Ich schluckte mühsam. »Das Licht brennt«, erklärte ich. »Er weiß, dass ich zu Hause bin.« Ich zögerte. »Und er war früher Polizist.«

Donovan wich vom Fenster zurück und warf mir einen Seitenblick zu.

»Das stimmt«, beeilte ich mich, ihm zu versichern.

»Na, wenn das kein erfreulicher Zufall ist.«

Die Türklingel wurde ein drittes Mal gedrückt.

»Er wird nicht lockerlassen«, sagte ich. »John ist nicht der Typ, der so schnell aufgibt.«

Donovan brummte missmutig und zwang mich, mich umzudrehen. Dann schob er mich vor sich her durchs Zimmer bis zur Treppe und zog dabei sein Handy aus der Manteltasche. Er balancierte es in der Hand, tippte mit dem Daumen etwas ein und klemmte es sich ans Ohr.

»Heb ab«, murmelte er. »Heb schon …«

Als jemand ranging, fing er sofort an zu reden, wenn auch leise.

»Bist du immer noch im Zimmer mit ihm?«

Es dauerte einen Moment, ehe ich gedämpfte Worte aus dem Telefon hörte. *»Ich bin für euch da. Ihr seid für mich da.«*

Die Übertragung brach ab und ich brauchte einige Sekunden, um zu begreifen, dass ich mehr als nur eine Person sprechen gehört hatte. Und etwas war ungewöhnlich an dieser Antwort. Der emotionslose, gezwungene Klang des Gesagten. Es hörte sich an, als würde Sams Selbsthilfegruppe etwas im Sprechchor wiederholen.

»Bleib dran«, sagte Donovan. »Wir halten die Verbindung. Solltest du etwas hören, das dir nicht gefällt, weißt du, was zu tun ist.«

»Sam?«, rief ich mit sich überschlagender Stimme. »Sam, kannst du mich hören?«

Fluchend riss Donovan das Handy zurück und rammte mich brutal gegen die Wand.

Ein greller Schmerz durchzuckte meine rechte Körperhälfte.

Die Luft wurde aus meiner Lunge gepresst.

»Er kann Sie nicht hören.« Seine Pupillen waren jetzt zwei riesige schwarze Löcher, die alles Licht einsaugten. »Die Person am anderen Ende der Leitung trägt einen Ohrstöpsel. Sam wird gar nichts von meinem Anruf mitbekommen haben. Aber sie hört uns sehr genau zu. Verstanden?«

Eiseskälte durchdrang meinen Oberkörper.

Ich nickte. Und verstand. Vorerst hatte ich Donovan genug gereizt.

»Gut«, gab er zurück. »Dann gehen wir beide mal und

machen gemeinsam die Haustür auf. Und kommen Sie bloß nicht auf dumme Ideen, denn ich garantiere Ihnen, wenn Sie irgendwelche Mätzchen machen, wird nicht nur Sam darunter leiden müssen. Vergessen Sie nicht, oben in diesem Schrank bei Bethany ist noch reichlich Platz für Ihren Nachbarn.«

57

Zügig schob er mich die Treppe hinunter, die Faust oben an der Schulter in den Ärmel meines Pullovers gekrallt. Mit der anderen Hand hielt er sein Telefon vor uns ausgestreckt, das Display in unsere Richtung geneigt. Darauf war unter anderem die gewählte Nummer, aber kein Name zu sehen.

Ich lauschte angestrengt, in der Hoffnung, wenigstens Bruchstücke des Gesprochenen zu verstehen, Sams Stimme zu hören, irgendeine Möglichkeit zu finden, wie ich ihn warnen könnte.

Aber da war nichts. Nur Stille und das leise Knistern eines Lautsprechers, begleitet vom stolpernden Rhythmus meines Herzens.

Bis ich plötzlich wieder diesen Sprechgesang hörte. Diesmal etwas lauter, gesetzter.

»Ich bin für euch da. Ihr seid für mich da.«

Wir gelangten an den Fuß der Treppe. Die Haustür befand sich jetzt direkt vor uns, zu meiner Rechten hing der große Spiegel.

Am liebsten wäre ich zur Haustür gestürmt, um sie aufzureißen und zu fliehen.

Aber ein Blick in den Spiegel genügte. Meine gehetzte, verängstigte Miene und Donovans grimmiger, entschlossener Blick sorgten dafür, dass ich diesen Impuls sofort tief in mein Inneres zurückdrängte. Denn ich glaubte ihm, wenn er sagte, dass Sam in Gefahr war. Und auch die Drohung gegen John nahm ich ernst. Schließlich hatte ich mit eigenen Augen gesehen, was er Bethany angetan hatte.

»Hören Sie mir genau zu«, sagte er. »Sie werden jetzt diese Tür öffnen und dann werden Sie ihn los, wie, ist mir egal. Fassen Sie sich kurz. Denn eins verspreche ich Ihnen: Wenn er dieses Haus betritt, dann geht das, was als Nächstes passiert, auf Ihre Kappe.«

Er musterte mich forschend, sah zu, wie die Wucht seiner Worte auf mich wirkte. Dann stieß er mich vorwärts und ging einige Schritte von mir weg nach links. Er postierte sich hinter der Schwelle ins Wohnzimmer und hob das Handy an seinen Mund.

»Sie macht jetzt die Haustür auf«, teilte er der unbekannten Person am Telefon mit, die Sam im Auge hatte.

Wieder warf ich einen verstohlenen Blick zum Spiegel. Ich zog den hochgeschobenen Ärmel meines Pullovers nach unten, richtete meine Frisur, straffte die Schultern, zuckte zusammen, weil die an der Wunde am Hinterkopf festgeklebten Haare ziepten.

Ich bot immer noch einen schrecklichen Anblick. Es ließ sich nicht leugnen.

»Ich weiß nicht, was ich zu ihm sagen soll«, raunte ich.

»Denken Sie sich was aus. Improvisieren Sie. Benehmen Sie sich ganz normal.«

Aber wie?, wollte ich am liebsten fragen. Denn nichts an dieser beschissenen Situation war normal. Nichts an dieser ganzen verrückten Geschichte war auch nur annähernd normal.

Natürlich kannte ich diese Todesangst. Ich hatte sie schon einmal erlebt. Aber der Vorfall in diesem Badezimmer damals war innerhalb weniger Sekunden vorbei gewesen. Ich hatte nur noch wirre Bruchstücke im Kopf. Dieses traumatische Erlebnis war entsetzlich, lähmend, unerklärlich gewesen. Und ja, es hatte seine Spuren in meiner Psyche hinterlassen, die Tat verfolgte mich nach wie vor. Aber es war anders gewesen als das hier, ohne diese anhaltende Angst, die offenen Drohungen. Niemand sonst war in Gefahr gewesen. Und vor allem hatte es sich nicht in meinem eigenen Zuhause abgespielt.

Ich glaube, das war der Aspekt, der mich mehr als alles andere schockierte. Ich hatte die Gefahr quasi selbst ins Haus gebeten.

Draußen war eine Bewegung wahrzunehmen.

John hatte sich nach links geneigt, als hoffte er, durch die Milchglasscheibe seitlich der Haustür etwas zu erkennen.

»Öffnen Sie die verdammte Tür«, knurrte Donovan.

Ich machte drei Schritte, streckte die Hand aus, die einer anderen zu gehören schien, und langte nach dem Riegel am Schnappschloss.

Donovan trat einen weiteren Schritt zurück und streckte mir mit seiner behandschuhten Hand das Smartphone entgegen. Ich sah den Zähler, der mir verriet, dass die Verbindung nach wie vor aktiv war.

Insgeheim wünschte ich, John möge sich einfach umdrehen und weggehen. Ich hatte schreckliche Angst, Donovan könnte ihm etwas antun, hatte Panik, er könnte die ganze Situation nur noch schlimmer machen.

Aber mehr als alles andere fürchtete ich mich davor, einem Ausweg so nahe zu sein und die Chance trotzdem nicht nutzen zu können. Ich war mir nicht sicher, ob ich das durchstehen konnte.

Ich entriegelte die Tür und zog sie auf. Ein saugendes Geräusch war zu hören, als sie sich löste.

Ich machte die Tür vollständig auf.

Öffnete den Mund.

Und bekam nicht einen Ton heraus.

58

Sam

»Ich danken Ihnen allen«, sagte Sam, klatschte in die Hände und rieb sie aneinander. »Es sei denn, jemand hat noch irgendetwas zu ergänzen. Wenn nicht, sind wir für heute fertig.«

Alle ließen die Hände los, die sie gehalten hatten, und lächelten einander verlegen zu, bückten sich nach Taschen oder Rucksäcken, standen auf, klopften Jacken ab, als könnte man etwas vergessen haben, und keiner von ihnen sah Sam direkt in die Augen oder nickte ihm zu. Sie waren anscheinend zu verlegen und fühlten sich sichtlich unbehaglich, unsicher, was sie von der Sitzung und ihrem eigenartigen Ende halten sollten.

Vielleicht hätte er das mit dem gemeinsam gesprochenen Mantra besser lassen sollen.

Oder er hatte einfach nur einen schlechten Tag.

Ließ er langsam nach?

Eiskalt überfiel ihn plötzlich eine ganz andere Sorge.

Würde einer von ihnen den Vorfall mit dem Bibliothekar melden?

Das hätte Sam gerade noch gefehlt, er war ohnehin überzeugt, dass an der Universität eine Hetzkampagne gegen ihn lief und man im Fachbereich hinter seinem Rücken über ihn tuschelte. Er wusste zum Beispiel, dass mehrere Leute aus seinem Kollegenkreis wegen seiner Selbsthilfegruppen und einiger seiner Forschungsthemen Bedenken geäußert hatten. Der Zwischenfall mit dem Bibliothekar und der Schere würde seinen

Kritikern möglicherweise genau die Munition liefern, die sie brauchten, um ihn rauszukicken.

Gemurmel im Raum. Ein unterdrücktes Hüsteln.

Der Bibliothekar stand neben ihm und nuschelte etwas, eine weitere verwässerte Entschuldigung für sein Verhalten. Mit hängenden Schultern trat er von einem Bein aufs andere, als müsste er dringend pinkeln. Sams Aufmerksamkeit galt allerdings dem Sportler und der Künstlerin, die die Köpfe zusammengesteckt hatten und sich leise unterhielten, während sie ihre Taschen schulterten und auf die Tür zugingen.

»Ähm, Professor?«

Jemand tippte ihm von hinten an den Rücken.

»Haben Sie eine Minute für mich? Es gibt da etwas, worüber ich mit Ihnen reden möchte.«

59

John starrte mich aus milchigen, verschleierten Augen an. Seine Lippen bebten. Dann trat er einen Schritt zurück und sagte: »Das ist nicht mein Haus.«

Mir wurde schwer ums Herz. Ich unterdrückte ein gequältes Stöhnen. Bei näherem Hinsehen fiel mir auf, dass sein Regenmantel an den Ärmelbündchen und am unteren Saum zerrissen und fleckig war. Er trug alte, ausgebeulte Tennisschuhe unter der schlecht sitzenden Anzughose.

Er hatte sich nicht rasiert. Oder falls doch, war es ihm nur halbwegs gut gelungen. Von seinen Wangen und den Ohren standen weiße Haarbüschel ab.

»Das ist nicht mein Haus«, sagte er noch einmal, etwas schroffer. Sein Ton hatte beinahe etwas Feindseliges, als wäre ich schuld an seinem Fehler.

Tränen brannten mir in den Augen und ich schüttelte hilflos den Kopf, während ich Johns Blick erwiderte. Ich wünschte, es wäre einer seiner guten Tage gewesen. Ich wünschte, er wäre nicht in diesem Zustand hier aufgekreuzt, so hilflos und verwirrt.

»Nein«, flüsterte ich. »Sie haben recht, John, das ist nicht Ihr Haus.«

»Wo ist es? Was haben Sie damit gemacht?«

Ich antwortete nicht auf seine Frage. Stattdessen verhielt ich mich ganz ruhig und sagte kein Wort, in dem Bewusstsein, dass Donovan nicht weit von mir stand und mich genau beobachtete.

Eine Gänsehaut beschlich mich, als er aus seinem Versteck trat, den Kopf fragend geneigt, und sich direkt neben mich stellte. Er hielt sein Telefon seitlich am Körper, offenbar, um seinen Komplizen mithören zu lassen.

Einen langen, schrecklichen Moment sah er John nur an. Er ließ sich Zeit damit, das, was er vor sich hatte, in sich aufzunehmen und die Situation zu beurteilen. Dann beugte er sich ganz nah an mein Ohr und sagte: »Ex-Polizist? Wirklich?«

»Es stimmt«, entfuhr es mir.

Aber das war schon eine sehr lange Zeit her.

»Also ...« Donovan schien zu überlegen. »Was sollen wir Ihrer Meinung nach jetzt tun?«

Weil ich schlicht und ergreifend keinen Schimmer hatte, was ich erwidern sollte, blieb ich ihm die Antwort schuldig. Ich fühlte mich so hilflos und verloren wie John.

Das war verrückt. Die ganze Situation war völlig verrückt.

Hier stand ich also, in der Tür meines Zuhauses, durch ein Telefonat mit einem Fremden verbunden, der den Auftrag hatte, Sam etwas anzutun, falls ich einen Fehler beging.

Die Straße lag direkt vor mir.

Wenn ich mich vorbeugte und nach rechts blickte, könnte ich die Bauarbeiter sehen, die das Haus schräg gegenüber renovierten. Das Radio, das bei ihnen auf dem Gerüst stand und in voller Lautstärke lief, war bis hierher zu hören.

Direkt gegenüber erkannte ich die schattenhaften Umrisse des Lastenrads, mit dem unser Nachbar von drüben seine Kinder zur Schule brachte und wieder abholte.

Das alles war mir so vertraut, so greifbar nah und real, aber im Moment kam mir gleichzeitig alles seltsam verzerrt und falsch vor, wie inszeniert.

Mein Blick zuckte zu Donovans Handy. Das Display leuchtete hell, der Anruf war also noch aktiv.

»Was denken Sie?« Donovan raunte mir die Worte kaum hörbar aus dem Mundwinkel zu. »Soll ich ihn hereinbitten?«

Johns Füße scharrten über das Pflaster, während er uns sichtlich aufgewühlt anstarrte.

Ich wünschte mir nichts sehnlicher, als dass er zumindest kurz bei klarem Verstand sein könnte. Ich wollte, dass er spürte, wie schrecklich falsch das alles hier lief.

»Nein.«

»Sind Sie sicher?«

»John«, flehte ich. Die Verzweiflung in meiner Stimme war nicht zu überhören. »Ihr Haus ist nebenan.«

Ich betete inständig, er möge sich in Bewegung setzen, aber er machte keinerlei Anstalten. Stattdessen sah er mich an, als hätte er mich gar nicht gehört.

»John, bitte.«

Immer noch keine Regung.

Ich spähte über seine Schulter und suchte die Fenster der gegenüberliegenden Häuser ab. Hinter manchen brannte Licht, andere waren schwarz. Ich wollte wissen, ob uns jemand beobachtete, ob uns jemand bemerkt hatte.

Die Leute aus der Nachbarschaft kannten John und könnten sich Sorgen machen, wenn sie sahen, dass er wütend und aufgebracht herumirrte.

»Ich sag Ihnen was«, unterbrach Donovan jäh meine Gedanken. »Ich halte es für das Beste, wenn wir den Herrn nach Hause begleiten, was meinen Sie? So macht man es doch als gute Nachbarn.«

60

Da war etwas in seiner Stimme, das mir ganz und gar nicht gefiel.

Ich wirbelte zu ihm herum. »Sie dürfen ihm nichts antun.«

»Ich? *Sie* haben ihn doch in die Sache mit reingezogen. *Sie* sind diejenige, die meinte, er geht nicht einfach wieder weg.«

»Sie haben ihn doch gesehen«, gab ich mit gesenkter Stimme zurück. »Sein Zustand kann Ihnen nicht entgangen sein.«

»Und er hat mich in diesem Haus gesehen. Also muss ich was unternehmen.«

Mein Blick zuckte zurück zu John. Er starrte mich blinzelnd an, Mund und Augenbrauen verzogen, der Kiefer schlaff herunterhängend, sein Blick stumpf. Er schien gefangen in seinem eigenen tragischen Gedankenlabyrinth.

Er tat mir so schrecklich leid, dass es mir schier das Herz zerriss.

Dies war natürlich nicht das erste Mal, dass er in dieser Verfassung hier aufkreuzte. Manchmal war es sogar noch schlimmer, dann war er aufgebracht oder wütend oder völlig verängstigt. Manchmal half ich ihm zurück nach Hause, aber in der Regel übernahm Sam das.

Sam konnte gut mit John. Er war geduldig und verständnisvoll, behandelte den alten Mann niemals herablassend. Demenz war zwar nicht sein Spezialgebiet, aber er hatte nach Johns Diagnose viel dazu gelesen und konnte ihn gut unterstützen.

Sie müssen doch spüren, dass hier etwas nicht stimmt, dachte ich und starrte John flehend an. *Sie müssen doch begreifen, dass das nicht Sam ist, sondern ein Fremder. Sehen Sie denn nicht, wie aufgelöst ich bin?*

Aber falls ihm etwas auffiel, ließ er es sich jedenfalls nicht anmerken. Wahrscheinlich war er viel zu sehr in seiner eigenen angstvollen Verwirrung gefangen.

»Los, raus«, sagte Donovan und stieß mich vorwärts über die Schwelle. »Halten Sie sich dicht bei mir.«

Die Welt wirkte unheimlich und still. Mittlerweile war es fast vollständig dunkel und die Temperatur war deutlich gesunken.

Ein ohrenbetäubendes Geschepper ließ mich zusammenschrecken. Ich sah nach rechts. Einer der Bauarbeiter hatte eine Werkzeugtasche hinten auf die Ladefläche eines Lieferwagens geworfen.

»Ich schließe dann wohl besser ab«, sagte Donovan. »Heutzutage kann man gar nicht vorsichtig genug sein.«

Er fischte Sams Schlüssel aus der Manteltasche und steckte ihn ins Haustürschloss.

... *Klick.*

Ich sagte keinen Ton, während Donovan sich von der Tür wegdrehte, Sams Schlüssel in der Manteltasche verschwinden ließ und mir noch einmal sein Smartphone hinhielt. Die Verbindung war nach wie vor aktiv. Der Anruf dauerte nun schon mehr als vier Minuten.

Da hört definitiv jemand zu. Wer auch immer da dran ist, achtet ganz genau auf das, was hier gesagt wird.

»Es gelten dieselben Regeln wie vorhin«, erklärte Donovan. »Kein Geschrei. Keine Fluchtversuche.«

Mit der Zunge betastete ich die Wunde an der Innenseite meiner Lippe. Der Schweiß auf meiner Stirn kühlte meine Haut.

»Wenn Sie irgendwas versuchen, werden andere Ihretwegen leiden müssen.« Er nickte mit dem Kinn in Johns Richtung. Dann hob er sein Telefon an den Mund und hielt schützend die Hand darüber. »Wir sind draußen«, raunte er. »Also lass ihn nicht aus den Augen.«

Plötzlich schreckte ich auf.

Die Türen der Fahrerkabine am Wagen der Bauarbeiter waren eben zugefallen. Es hatte geklungen wie zwei Pistolenschüsse. Wenig später war das raue Schaben und Stottern eines Dieselmotors zu hören, dann fuhr das Fahrzeug los und brauste davon.

Ich versuchte, mich davon nicht entmutigen zu lassen.

Bald würden nach und nach immer mehr Nachbarn nach Hause kommen, redete ich mir gut zu. Aber insgeheim wusste ich natürlich, dass ich mir etwas vormachte. Viele von den Leuten, die hier wohnten, hatten anspruchsvolle Posten in der City, die es allzu oft erforderten, dass sie bis spätnachts arbeiteten.

»Wissen Sie, wo mein Haus ist?«, fragte John wieder.

»Es ist nebenan, John«, sagte ich. »Ich bin Lucy. Ihre Nachbarin. Ich lebe hier mit Sam, erinnern Sie sich?«

Mit ausdrucksloser Miene sah er mich an.

»Es ist gleich nebenan«, sagte ich noch einmal. »Ich zeige es Ihnen.«

Ein wenig steif streckte ich den Arm nach ihm aus und fasste ihn an der Schulter, um ihn zum Gartentor zu navigieren. Zaghaft setzte er einen Fuß vor den anderen. Die Einkaufstüte schlug ihm immer wieder gegen die Beine.

Zwar konnte ich nicht weglaufen oder um Hilfe rufen, aber ich war mir der Tatsache nur zu bewusst, dass die Kamera an unserer Haustür alles aufzeichnete. Ich fragte mich, ob Donovan, der hinter John und mir ging, das ebenfalls wusste.

Das schmiedeeiserne Gartentor schien mir die Haut zu versengen, als ich es aufschob. Wir gingen hindurch.

»Moment.«

Donovan hob die Hand und blickte rasch die Straße hoch und runter.

Unterdessen starrte ich neben mir auf den Boden.

Und stutzte.

»Keine Risse«, hörte ich mich sagen.

Er sah mich fragend an.

»Keine Risse.« Ich deutete auf den Boden. »Und keine Unebenheiten im Pflaster.«

»Was reden Sie da für Unsinn?«

Aber ich antwortete nicht.

Ich dachte nach. Erinnerte mich und glich das, was ich vorhin gesehen hatte, mit meinem jetzigen Kenntnisstand ab.

Ich dachte daran zurück, wie dieses Mädchen, das mit dem Roller gestürzt war, weinte, als ich nach draußen kam und es am Boden liegend vorfand, Donovan in der Hocke neben ihm. Wie ihr Atem stockte und ihre Augen sich mit Tränen füllten, als sie ihr Handgelenk seinem Griff entriss. Ich hatte geglaubt, er hätte ihr geholfen, aber …

»Sie hatte Angst vor Ihnen«, entfuhr es mir. »Das Mädchen mit dem Roller. Ich dachte, sie weint, weil sie hingefallen ist und sich wehgetan hat, aber so war es gar nicht, stimmt's?«

Ich hatte die Situation falsch interpretiert, weil ich das Geschehene nicht mit eigenen Augen gesehen hatte, so war es doch? Ich hatte nur das Davor und das Danach mitbekommen.

Ich hatte sie über die Kamera mit ihrem Roller unseren Gehsteig entlangfahren sehen, gefolgt von ihrer Mutter, deren Aufmerksamkeit aber ihrem Handy gegolten hatte. Und als ich dann rauskam, konnte ich selbst miterleben, wie Donovan sich um das Mädchen kümmerte.

Allerdings hatte ich nur ihren Schrei gehört. Ich hatte nicht mit eigenen Augen gesehen, wie sie gestürzt war.

»Sie haben sie vom Roller gestoßen«, schlussfolgerte ich jetzt.

»Ach, habe ich das?«

»Was bringt Sie dazu ...?«

Aber ich unterbrach mich, weil ich die Antwort auf diese Frage längst kannte.

Als ich nach draußen gekommen war, hatte ich genau das gesehen, was er mich sehen lassen wollte. Ich war Zeugin geworden, wie er sich um ein hilfloses Kind kümmerte. Und natürlich hatte ich ihn automatisch als freundlichen und rücksichtsvollen Menschen eingeschätzt. Ich war schon fast zu der Überzeugung gelangt, er könnte Arzt sein, jemand, der für mich keinerlei Bedrohung darstellte, wenn ich ihn in mein Haus einlud.

Er hatte alles sorgfältig geplant.

Als ich ihm mitteilte, Bethany käme etwas später, ließ er mich glauben, dass er bereit war, auf sie zu warten, hatte aber Andeutungen wegen eines Folgetermins gemacht und mir mitgeteilt, dass er schon bald aufbrechen müsste, wenn er rechtzeitig dort sein wollte.

Was ganz offensichtlich gelogen war.

Ich fühlte mich, als hätte es mir den Boden unter den Füßen weggerissen.

»Was, wenn ich Sie dabei gesehen hätte?«

»Mich sehen?« Er zog einen Schmollmund und warf einen kurzen Blick auf die Türklingel. »Schon witzig, das mit diesen Kameras. Wenn man erst mal weiß, dass sie da sind, sehen sie nur noch, was man sie sehen lässt. Ein kleiner Ratschlag: Sie und Sam sollten sehr viel achtsamer mit Ihren Passwörtern umgehen.«

Ungläubig sah ich dabei zu, wie er von dem laufenden Telefonat mit seiner Kontaktperson zu einer App wechselte, die den Live-Feed unserer Haustürkamera zeigte. Es war dieselbe App, die ich auf meinem Handy benutzte. Jetzt sah ich mich selbst in der Echtzeitübertragung, zusammen mit Donovan und John am Ende des Gartenwegs. Er musste sich irgendwie in unsere Anlage eingeloggt haben, mit unserem Benutzernamen und unserem Passwort.

»Schon erstaunlich, wie einfach es einem gemacht wird, Aufnahmen zu löschen«, sinnierte Donovan, während er das Menü aufrief und sämtliche Aufzeichnungen der letzten zwei Stunden löschte. »Vermutlich ist es das Beste, wenn ich das Ding vorerst ganz ausschalte, finden Sie nicht auch?«

Mich durchlief es eiskalt.

»Sie hat Sie gesehen«, sagte ich. »Dieses Mädchen und ihre Mutter. Die beiden können bestimmt eine Personenbeschreibung von Ihnen abgeben.«

»Und wenn schon. Ich meine mich zu erinnern, dass wir immer noch draußen auf der Straße waren, als sie weitergingen, oder nicht? Sie haben mich nicht ins Haus gehen sehen.«

»Da wäre auch noch Bethany.«

Er brummte nachdenklich. »Vorerst, ja.«

Damit setzte er sich in Bewegung, marschierte den Gehweg entlang und ließ mich stehen, während ich zurück zur Fassade meines Zuhauses starrte.

Ich fühlte mich wie betäubt, absolut machtlos.

Hinter den Jalousien und durch das Oberlicht über der Haustür sah man die Lampen im Haus brennen. Längliche Rechtecke aus warmem gelbem Licht fielen durch die beiden Fensterflügel von Sams Arbeitszimmer im Dachgeschoss, vor dem sich die in Form geschnittenen Bäumchen auf dem Balkon scharf abzeichneten.

Für Außenstehende musste das Ganze aussehen wie das perfekte Heim unbescholtener Bürger.

»Lucy?« Donovan schwang das Gartentor auf, das zu Johns Grundstück führte. »Sollen wir?«

61

Depri-Girl blieb bei Sam im Raum, als die anderen bereits hinausgegangen waren. Sam spürte, wie eine seltsame, nervöse Anspannung von ihr ausging. Jetzt, wo sie beide allein waren, fiel ihm auf, dass sie um einige Jahre älter war als ursprünglich angenommen. Dreiundzwanzig, vierundzwanzig vermutlich.

Welche Ereignisse in der Vergangenheit konnten dazu geführt haben, dass sie ihren Start an der Uni so lange hinausgezögert hatte?, ging es ihm durch den Kopf. Ob ihre Entscheidung etwas mit ihren Schlafproblemen zu tun hatte?

»Wie kann ich Ihnen helfen?«, fragte er.

»Ja, also.« Sie seufzte. »Die Sache ist die …«

Sie verzog das Gesicht und biss sich auf die gepiercte Unterlippe, schob den Tragegurt ihrer schweren Tasche auf der Schulter zurecht. Sie hatte lange lila lackierte Fingernägel. An der Innenseite ihres Handgelenks war ein kleines, amateurhaft gestochenes Tattoo zu sehen, das ihm bislang entgangen war.

»Ja?«

»Ich habe mich gefragt … wegen meines Schlafmangels und allem.« Sie ließ den Kopf hängen. Dabei bemerkte er ein leichtes Schimmern in ihrem Ohr, das sich unter ihren Haaren verbarg. Noch ein Piercing, wie er annahm. »Die Tatsache, dass ich ständig übermüdet bin, wirkt sich schlecht auf mein Studium aus. Und ich muss nächste Woche diesen Essay abgeben. Jetzt bin ich mir nicht sicher, wie ich den fertig kriegen soll. Deshalb habe ich mich gefragt … Denken Sie, Sie könnten in meinem Namen eine E-Mail an meinen Tutor schreiben? Ich dachte nur, es wäre überzeugender, wenn die Nachricht von Ihnen käme.«

62

John hatte seine Schlüssel in der Jackentasche. Donovan beobachtete mich genau, als ich ihn ins Schlüsselloch steckte und die Haustür mit der Schulter aufschob.

Ungeöffnete Post lag in einem Haufen zu meinen Füßen.

Im Flur roch es nach stickiger Heizungsluft. John hatte die Angewohnheit, das Thermostat viel zu hoch einzustellen.

Als ich das Flurlicht anknipste, wurden ein altmodisch gemusterter Teppich und vergilbte Tapete sichtbar.

Ich trat beiseite, während John an mir vorbeitrottete, und ich registrierte, wie ein wenig von der Anspannung von ihm abfiel, jetzt, da er wieder in seiner vertrauten Umgebung war.

Aber als ich mich zum Gehen wenden wollte, machte Donovan einen Schritt vor und verstellte mir den Weg. Er schob sich hinter mir ins Haus und schloss die Tür.

»Ich denke, wir sollten uns erst einmal davon überzeugen, dass John hier zurechtkommt, finden Sie nicht? Helfen Sie ihm doch gleich mal, die Tüte auszupacken.«

Ich biss die Zähne zusammen und schüttelte den Kopf.

Donovan tat überrascht und hob sein Telefon an den Mund. »Sind Sie sicher?«

Ich funkelte ihn wütend an, wandte mich dann ab und schloss zu John auf. Behutsam nahm ich ihm die Einkaufstüte aus der Hand, die sich über dem Inhalt spannte, die Einkäufe schlugen dumpf aneinander. John wandte mir sein Gesicht zu, ich sah den verlorenen und Hilfe suchenden Ausdruck darin.

»Schon gut«, raunte ich ihm besänftigend zu. »Ich kümmere mich um Sie.«

»Wir *beide* kümmern uns um Sie, John«, ergänzte Donovan.

Als ich ihn daraufhin ansah, sprach er demonstrativ ins Telefon.

»Ich lege jetzt auf«, sagte er, und es war unmissverständlich, dass seine Worte genauso an mich gerichtet waren wie an seinen unbekannten Komplizen. »Du kannst ihn gehen lassen, aber folge ihm nach Hause. Schreib mir, sobald du in der Nähe bist.«

Langsam bewegte er seinen Zeigefinger über den Knopf, der den Anruf beenden würde. Als er schließlich draufdrückte, gab das Telefon ein leises Signal von sich, eine Art Zwitschern.

Ich fühlte mich wie ausgehöhlt.

Eigentlich hätte ich erleichtert sein sollen, dass die unmittelbare Bedrohung für Sam vorüber war. Doch es fühlte sich an, als wäre die Verbindung, die zwischen uns bestanden hatte, abrupt gekappt worden.

Jetzt war ich wieder ganz auf mich allein gestellt, zumindest so lange, bis Sam hier einträfe. Und genau das war es, was Donovan beabsichtigt hatte, wie ich nun begriff.

Aber warum er das wollen könnte, war mir ein Rätsel. Was hatte er mit uns beiden vor?

Normalerweise brauchte Sam rund vierzig Minuten für den Heimweg. Im Moment wusste ich nicht, ob es gut wäre oder schlecht, wenn er schneller hier wäre.

»Wissen Sie«, sagte Donovan, »wenn Sie mich weiter so anstarren, komme ich vielleicht noch auf die Idee, dass Sie mich nicht ausstehen können.«

»Fahren Sie zur Hölle.«

Er steckte sein Telefon weg, dann trat er hinter John und nahm ihm den Mantel ab.

»Warum setzen Sie sich nicht? Machen Sie es sich gemütlich. Wir kümmern uns darum, die Sachen einzuräumen.«

Wieder sah John mich an, mit demselben vernebelten, abwesenden Blick. Ich streckte die Hand nach ihm aus und drückte seinen Oberarm, dann bedeutete ich ihm mit einem Nicken, schon mal vorauszugehen. Es versetzte mir einen Stich ins Herz, als er sich ohne Protest umdrehte und ins Wohnzimmer schlurfte.

Kaum war er außer Sichtweite, machte Donovan sich daran, Johns Manteltaschen zu durchsuchen. Er brachte eine Brieftasche zum Vorschein, die er aufklappte, um sich den Inhalt anzusehen. Er schien sich in erster Linie für Johns Personalien zu interessieren. Als er ein klobiges Nokia-Handy entdeckte, stutzte er. Er öffnete das Gehäuse und entfernte mit geschickter Effizienz die SIM-Karte und den Akku.

Ich fühlte mich schrecklich wegen John, der keinen Schimmer hatte, was für eine Gefahr von Donovan ausging. Und auch wegen Sam. Und schließlich wegen Bethany.

Ich war mir bewusst, dass ich jetzt wieder am ganzen Leib schlotterte. Ich war nicht in der Lage, das Zittern zu kontrollieren.

»Folgen Sie ihm«, sagte Donovan und deutete in den Flur.

»Nein, ich will wieder gehen.« Ich starrte ihn an, fest entschlossen, auf meinem Wunsch zu beharren.

Unbeeindruckt von meiner Weigerung spähte er die Treppe nach oben. »Sie sagten, er lebt allein?«

»Ja.«

»Und Sie lügen mich diesmal auch wirklich nicht an?«

Ich bekam keine Luft. Da war ein unruhiges Pochen in meinem Kopf. Ich widerstand dem dringenden Bedürfnis, die Hand zu heben und sie schützend über die Wunde an meinem Hinterkopf zu legen.

»Ich habe es Ihnen doch gesagt. Hier wohnt sonst niemand. Wir sollten gehen.«

»Nein«, sagte er. »Noch nicht.«

Damit packte er mich am Ellbogen und schleifte mich vorwärts.

63

Sam

Sam verließ das Hauptgebäude der Universität durchs große Foyer, Depri-Girl dicht neben ihm.

Draußen war es dunkel, Wind war aufgekommen, und es war so kalt, dass er kurz stehen blieb, um seine Jacke zu schließen.

»Vielen Dank noch mal«, sagte Depri-Girl. »Für alles.«

Er wunderte sich, dass sie immer noch neben ihm ging, und fing sogar an, sich zu fragen, ob sie irgendwie an ihm interessiert war. Vielleicht war sie ja eine von diesen Studentinnen, die einem Dozenten genau das *weismachen* wollten. Aber wenn das wirklich der Fall war, verstand er nicht, was sie damit bezweckte. Der Kollege, dem er eine E-Mail hatte schicken sollen, arbeitete am Institut für Geografie und Umwelt. Vielleicht hatte sie ja vor, ihn um weitere Gefallen in dieser Richtung zu bitten.

»Gern geschehen«, gab Sam zurück, damit beschäftigt, den Flugzeugmodus an seinem Handy zu deaktivieren und ihr klarzumachen, dass er keine Zeit für sie hatte und sie gehen konnte. Aber er musste behutsam vorgehen. Schließlich wollte er sie nicht vor den Kopf stoßen, dafür war sie definitiv zu labil.

»Langsam fange ich an zu glauben, ich kann dank Ihnen heute Nacht zur Abwechslung mal schlafen.«

»Das ist toll«, sagte Sam nur. Als er den Blick über den offenen Platz vor ihnen schweifen ließ, entdeckte er zu seiner

Überraschung, dass der Rest der Gruppe ebenfalls noch in der Nähe war.

Der Bibliothekar saß auf einer steinernen Bank zu seiner Linken, zog aggressiv an einer E-Zigarette und sprach in sein Handy.

Der Sportler und die Künstlerin standen an einem Kaffeeverkaufswagen, der gerade am Schließen war, und unterhielten sich, der Sportler mit vor der Brust verschränkten Armen, während die Künstlerin mit dem Gurt ihrer Tasche spielte, als machte sie sich bereit zu gehen, ohne sich jedoch in Bewegung zu setzen.

Hinter ihnen befand sich der Taxistand, wo der Schläger sich mit beiden Händen auf das Dach eines schwarzen Taxis stützte und sich durch das geöffnete Fenster mit dem Fahrer unterhielt, den er anscheinend kannte. Als er Sam bemerkte, trat ein wachsamer Ausdruck in seine Züge, ehe er seine Aufmerksamkeit wieder auf den Taxifahrer richtete.

»Haben Sie selbst eigentlich irgendwelche Phobien?«, fragte Depri-Girl. »Der Gedanke ist mir eben erst gekommen. Sie kennen jetzt alle unsere Ängste, deshalb dachte ich …«

»Tut mir leid«, entgegnete Sam. Er deutete mit dem Daumen hinter sich und verzog entschuldigend die Miene, ehe er sich in Richtung U-Bahn-Station Temple wandte. »Ich muss mich beeilen, damit ich meine Bahn noch kriege. Meine Freundin wartet zu Hause auf mich.«

64

Kaum hatten wir das Wohnzimmer betreten, ließ Donovan von mir ab. Johns Einkaufstüte baumelte gegen meine Hüfte, als ich hastig von ihm wegtrat.

John saß bereits in seinem Lieblingssessel, die Armlehnen mit seinen knochigen Händen umklammert, und starrte geradeaus ins Leere. Er schien sich unserer Anwesenheit nur am Rande bewusst zu sein und zeigte keine Spur von Interesse, als Donovan das Zimmer durchquerte und die schweren Vorhänge zuzog. Die Vorhangringe aus Messing klirrten scharf und alles wurde düster und unkenntlich, bis er eine Stehlampe anknipste.

Eine eigenartige Sekunde lang fühlte ich mich an einen anderen Ort versetzt.

Vor zwei Jahren hatte unser Haus ganz ähnlich ausgesehen. Der Raum war komplett mit Teppich ausgelegt und dominiert von dunklem Holz. Es gab eine durchgesessene dreiteilige Sofagarnitur und dicke Vorhänge, einen alten Fernseher in der Ecke und einen niedrigen Wohnzimmertisch, der unter Massen von alten Zeitungen verschwand. Benutzte Tassen standen herum und Johns Lupe lag obenauf.

Unbehaglich wickelte ich mir die Tragegriffe der Einkaufstüte um die Finger.

»Das reicht«, sagte ich. »Ich habe alles getan, was Sie von mir verlangt haben. Jetzt lassen Sie uns gehen.«

Doch Donovan antwortete nicht. Er war vollauf damit beschäftigt, eine rasche Inspektion des Zimmers vorzunehmen.

Er ließ den Blick über den Kamin und die Glasvitrine wandern, strich mit den Fingern darüber, reckte den Kopf, um hinter einen Sessel zu spähen, rückte ein niedriges Bücherregal ein Stück von der Sockelleiste weg, wie ein Spion, der nach versteckten Wanzen oder Miniaturkameras suchte.

Ich hatte keinen Schimmer, wonach er suchte oder warum, und ich war mir fast sicher, dass ich es gar nicht wissen wollte.

»Was ist in der Tüte?«, fragte er mich, ohne in meine Richtung zu sehen.

Ich ignorierte seine Frage, was ihn dazu veranlasste, die Backen aufzublasen und die Luft entweichen zu lassen, als würde ich seine Geduld arg strapazieren.

»Sam nimmt die District Line, stimmt's? Diese Züge fahren in rasantem Tempo in die Bahnhöfe ein. Ihnen ist schon klar, dass ich meinen Kontakt jederzeit noch einmal anrufen kann?«

»Soll mir das jetzt Angst machen?«

»Es macht Ihnen Angst. Und das sollte es auch. Also sagen Sie mir einfach, was in dieser Tüte ist.«

Ich zögerte noch einen Moment, ehe ich die Tüte anhob. Sie war nicht schwer. Ich teilte die Tragegriffe und spähte hinein. Was im Grunde überflüssig war. Ich wusste nämlich genau, was ich darin vorfinden würde.

»Und?«

Donovan war weitergegangen und inspizierte die Fußleiste unter dem großen Erkerfenster.

»Katzenfutter«, sagte ich. »Zwei Dosen.«

Er ließ sich diese Auskunft einige Sekunden durch den Kopf gehen und bewegte sich dann auf John zu. Direkt vor dem Sessel ging er in die Hocke und sah ihm forschend ins Gesicht.

»Wo ist Ihre Katze, John?« Er wedelte mit einer behandschuhten Hand vor den glasigen Augen des alten Mannes herum. »Wo ist Ihre Katze?«

»Barnaby?« Johns Stimme bebte. »Oh, der ist sicher bald zurück. Barnaby hat immer Hunger.«

Donovan drehte sich um, griff nach der Fernbedienung für den Fernseher und schaltete das Gerät an.

Die Lautstärke war sehr hoch eingestellt. Gerade lief eine vorabendliche Quizshow. Das Moderatorenteam und die Teilnehmer waren unerträglich fröhlich und überdreht, die Farben viel zu grell.

»Hier entlang«, sagte Donovan zu mir und warf die Fernbedienung achtlos beiseite. »Nehmen Sie die Tüte mit.«

Er huschte auf den Flur hinaus, ohne meine Antwort abzuwarten, und nach einem letzten Blick auf John folgte ich ihm. Ich sah, wie Donovan das ehemalige Esszimmer betrat, das jetzt als Johns Schlafzimmer diente, und nach dem Lichtschalter tastete.

Ich schob mich hinter ihm in den Raum. Er zog das gleiche Spiel ab wie vorhin im Wohnzimmer. Als Erstes tauchte er hinter dem alten Krankenhausbett mit dem zerschrammten Metallrahmen und dem einfachen Bedienfeld ab, das Sam für John aufgetrieben hatte. Dann schloss er auch hier die Vorhänge und stieß bei seiner weiteren Inspektion des Zimmers beinahe den Tabletttisch um, auf dem ein gerahmtes Foto und Johns Medikamente standen. Wieder inspizierte er die Sockelleisten und auch den Bereich hinter der Tür, ignorierte jedoch das gerahmte Bild, auf dem eine Cricket-Szene zu sehen war. Schließlich nahm er mir die Einkaufstüte ab und ging weiter in die Küche.

Beim Eintreten öffnete er die Tüte und wollte gerade eine der Dosen herausfischen, als er unvermittelt fluchte. »Scheiße!«, entfuhr es ihm und er hob den rechten Fuß an. Um ein Haar wäre er in den Futternapf getreten. In dem Schälchen befand sich eine vertrocknete und verklumpte Mischung aus Nass- und Trockenfutter.

»Wie es hier stinkt!«

Er sah sich um, bis sein Blick auf das Festnetztelefon fiel, das an der gegenüberliegenden Wand montiert war, unweit des vergilbten Kühlschranks.

Seiner Reaktion nach zu urteilen, hatte er danach in den anderen Räumen gesucht. Beklommen sah ich zu, wie er die Einkaufstüte auf dem kleinen Resopaltisch abstellte und auf das Telefon zuging. Er nahm den Hörer von der Gabel und sah sich um, bis sein Blick an einem Behälter mit Küchenutensilien hängen blieb, aus dem er eine Küchenschere fischte. Damit durchtrennte er das Spiralkabel und kappte anschließend auch die Telefonleitung, die von der Wandeinheit weg zur Buchse führte.

Nicht weit entfernt stand ein Mülleimer. Er trat aufs Pedal, ließ den Hörer in den Eimer fallen und warf nach kurzem Zögern auch gleich die Küchenschere hinterher.

Dann nahm er den Fuß vom Pedal und der Deckel fiel klappernd wieder zu. Aber seine Aufmerksamkeit war bereits von etwas anderem gefesselt.

Interessiert musterte er die vielen Dosen mit Katzenfutter, die sich auf dem Küchentresen gegenüber stapelten. Es mussten an die zwanzig Stück sein.

Donovan marschierte darauf zu und riss die Tür an einem der Oberschränke auf.

Dann trat er einen Schritt zurück.

Die Regale waren vollgestopft mit noch mehr Katzenfutter.

»Er geht jeden Tag einkaufen«, erklärte ich. »Das gehört zu seiner Routine.«

Donovan nickte bedächtig und griff wieder nach der Einkaufstüte. Er holte die zwei Dosen heraus, die John vorhin gekauft hatte, und stellte sie zu den anderen auf die Arbeitsfläche. Dann knüllte er die Tüte zusammen und warf das Knäuel von einer Hand in die andere, als würde ihm das beim Nachdenken helfen.

»Erzählen Sie mir, was seine tägliche Routine sonst noch so beinhaltet.«

Falls ihn Johns Gesundheitszustand in irgendeiner Form berührte, ließ er es sich nicht anmerken.

»Ich verstehe nicht.«

»Wo geht er sonst so hin? Welche Leute trifft er?«

»Niemanden.«

Er runzelte die Stirn, nicht recht überzeugt.

»Niemanden außer Sam«, versicherte ich ihm. »Und manchmal mich.«

»Wie sieht es mit einer Reinigungskraft aus? Oder einer Pflegekraft?«

Ich zögerte.

»Lügen Sie mich nicht an. Nicht noch einmal.«

»Wir lassen hin und wieder einen Putztrupp kommen«, erklärte ich zögernd. »Etwa einmal im Monat.«

»Wann kommen die das nächste Mal?«

Mein Blick wanderte zum Kalender an der Wand hinter ihm. Sam hatte ein Datum rot eingekreist. Diese Fragen gefielen mir gar nicht.

»In vierzehn Tagen.«

»Irgendwelche behandelnden Ärzte?«

»John war schon eine Weile nicht mehr beim Arzt.«

»Kinder? Oder andere Verwandte?«

»Nein.«

»Seine Ehefrau ist tot?«

Ich starrte ihn verblüfft an und ein eiskaltes Kribbeln kroch an meinen Armen und Beinen empor.

»Es gibt Fotos von den beiden zusammen«, belehrte er mich. »Im Schlafzimmer. Auf dem Rolltisch neben dem Krankenbett.

Und hier drüben auf dem Kühlschrank. Dachten Sie, das würde mir nicht auffallen?«

Ich warf einen Blick auf die Porträtaufnahme am Kühlschrank. Das Foto war vor Ewigkeiten entstanden und zeigte John in seinen besten Jahren, in Polizeiuniform, die Brust stolzgeschwellt, mit einer strahlenden Mary an seiner Seite.

»Außerdem haben Sie mir vorhin gesagt, dass er im Ruhestand ist und alleine lebt, und es gibt keinerlei Hinweise auf die Anwesenheit einer Frau in diesem Raum, vom Zustand seiner Kleidung und dieses Hauses im Allgemeinen ganz zu schweigen ...«

Er musste nicht weiter ins Detail gehen, es war klar, dass er die Anzeichen richtig gedeutet hatte.

Das bereitete mir große Sorgen. Er hatte sich nämlich auch die Fotografien von Sam und mir bei uns zu Hause sehr genau angesehen. Was hatte er aus ihnen alles abgelesen? Welche Rückschlüsse hatte er aus seiner Tour durch unser Haus gezogen?

»Wann ist sie gestorben?«

»Vor etwa anderthalb Jahren«, erklärte ich mit leiser Stimme und sah mich über die Schulter um. Dabei hätte ich mir wegen John gar keine Gedanken zu machen brauchen. Der hörte uns nicht. Er befand sich momentan in seiner eigenen Welt. Und der Fernseher lief bei voller Lautstärke. Ich hörte die Moderatoren der Quizsendung miteinander schäkern. »Sie ist auf der Treppe gestürzt und hat sich die Hüfte gebrochen. Im Krankenhaus gab es Komplikationen. Sie kam nicht wieder nach Hause.«

»Und wer kümmert sich um ihn?«

»Wir tun das«, sagte ich. »Sam und ich.«

Aber in erster Linie Sam.

Sams Großeltern waren gut mit John und Mary befreundet

gewesen. Sie waren den Großteil ihres Lebens Nachbarn. Und John und Mary hatten einen besonderen Narren an Sam gefressen, vielleicht, weil sie selbst nie eigene Kinder hatten. Sie hatten ihm jedes Jahr Geburtstagskarten und Weihnachtsgeschenke geschickt. Sam hatte sie ebenfalls sehr gerngehabt.

Der Tod seiner Großeltern war ein Schlag für ihn gewesen. Seine Eltern waren bei einem Autounfall ums Leben gekommen, als er noch ein Teenager war, deshalb hatte er sich erst zu dem Zeitpunkt, als zunächst sein Großvater und wenig später auch seine Großmutter starben, das erste Mal wie eine richtige Waise gefühlt.

Genau wie ich.

Ich wusste, dass das eine von den vielen Gemeinsamkeiten war, wegen denen wir immer schon eine besondere Verbindung spürten, und auch ein Grund, weshalb Sam sich so intensiv um John kümmerte. Er sah fast jeden Morgen vor der Arbeit nach John und dann wieder am Abend, um sich zu vergewissern, dass alles in Ordnung war. Deshalb hatte er auch einen Schlüssel zu Johns Haus. Ich hatte es mir zur Gewohnheit gemacht, für John zu kochen, und Sam brachte ihm das Essen vorbei.

Ich liebte Sam dafür, dass er sich so aufopferungsvoll um den alten Mann kümmerte. Allerdings war uns beiden, glaube ich, schon eine ganze Weile klar, dass wir langsam an einen Punkt kamen, wo John mehr Unterstützung brauchte, als wir ihm bieten konnten. Ich hatte es Sam gegenüber bereits ein paarmal so behutsam wie möglich zur Sprache gebracht. Er hatte betrübt genickt und mir recht gegeben, hatte aber bislang nichts unternommen.

Ich nahm an, dass das zum Teil dazu beitrug, dass ihm der Verkauf des Hauses so zusetzte. Denn sobald wir einen Käufer gefunden hätten und die Aussicht auf einen Vertragsabschluss sich konkretisierte, würden wir in Johns Angelegenheit zu einer

Entscheidung kommen müssen. Ich nahm an, dass Sam deswegen einige Gewissensbisse mit sich herumschleppte.

»Können wir jetzt gehen?«, fragte ich wieder.

Donovan warf das Tütenknäuel noch einmal von einer Hand in die andere, legte den Kopf schief, als müsste er erst die Vor- und Nachteile meines Vorschlags abwägen. Er presste die Lippen zu einer schmalen Linie zusammen, stieß einen leisen, kehligen Laut aus, faltete die Einkaufstüte auseinander und schüttelte sie einmal kräftig.

»Hinterher«, gab er zurück.

»Hinterher? Wonach?«

Doch statt mir zu antworten, eilte er mit der Tüte aus dem Zimmer.

65

»Hey!«, rief ich ihm nach.

Donovan beachtete mich nicht.

In Aufruhr stürmte ich hinter ihm her in den Flur.

»Hey!«

Er wurde nicht langsamer.

Alles daran – sein Tempo, seine beherrschten Bewegungen, sein entschlossen geradeaus gerichteter Blick – machte mir Angst. Panik durchzuckte mich wie ein Stromstoß.

»Was haben Sie vor?«

Donovan ließ sein rechtes Handgelenk in einer flinken Bewegung kreisen und wickelte sich dabei den einen Griff der Tragetasche um den Zeigefinger.

»Das dürfen Sie nicht!«

Dann ließ er die andere Hand kreisen, spannte die Tüte straff zwischen beiden Händen. Unbeirrt ging er ins Wohnzimmer, ohne sich ein einziges Mal umzusehen.

Ich hetzte ihm nach.

Hinter der Schwelle zum Wohnzimmer blieb ich wie angewurzelt stehen. Mein Magen flatterte vor Entsetzen.

Donovans Blick zuckte in meine Richtung. Er stand hinter Johns Sessel und hielt die straff gespannte Tüte über Johns Kopf erhoben.

Johns vernebelte Aufmerksamkeit galt indessen dem Fernseher, die Lichter flackerten auf seinem vom flimmernden Bildschirm gebannten Gesicht.

»Nein, bitte nicht«, flüsterte ich.

Donovan sah mich an. Ich bemerkte ein kaum merkliches Zucken an seinem linken Auge, als würde er meine Reaktion abschätzen.

Dann begannen seine Hände, sich zu senken.

Ich stürzte vor, schrammte mir dabei das Schienbein an der Ecke des Wohnzimmertisches auf und warf mich auf ihn. Ich grapschte nach seinem Arm. Seinem Kiefer. Meine Finger schabten über die Bartstoppeln an seinem Kinn.

Aber bevor ich ihn richtig zu fassen bekam, krümmte er den Rücken und brachte sein Kinn an seine Brust. Dann drehte er sich blitzschnell in der Hüfte und schüttelte mich ab, sodass ich mit rudernden Armen auf den Kamin zusegelte.

Schützend hielt ich die gespreizten Hände vor mir hoch und schaffte es in letzter Sekunde, mich abzufangen, landete unsanft auf dem Boden. Schmerz flammte auf, in meinen Ellbogen, meinen Knien, meinem Kinn.

Benommen drehte ich den Kopf nach hinten. Donovan starrte mich mit nachdenklicher, berechnender Miene an.

John war aufgesprungen, was Donovan allerdings nicht zu kümmern schien. Der alte Mann stapfte erst in die eine Richtung, dann in die andere. Mit jeder Faser seines Körpers strahlte er Nervosität aus, die Augen weit aufgerissen und voller Angst, ließ er den Blick zwischen uns beiden hin und her schnellen.

Ich hatte nicht die leiseste Ahnung, ob er uns tatsächlich wahrnahm oder ob er die chaotische Szene nur bruchstückhaft registrierte.

Er kratzte sich im Nacken, als würde er überlegen. »Ich gehe Barnaby füttern«, murmelte er schließlich. »Barnaby. Ich muss ihn füttern.«

Während er aus dem Zimmer stapfte und über den Flur davontrottete, behielt Donovan mich aufmerksam im Auge.

»Er hat gar keine Katze«, sagte ich.

»Wie bitte?«

Ich rollte mich auf die Seite, meinen oberen Rücken gegen die marmorne Kaminumfassung gelehnt. Ich wollte, dass er verstand.

»Barnaby ist tot. Er wurde vor zwei Monaten eingeschläfert.«

Donovan beäugte mich wie aus weiter Ferne, seine Miene von Misstrauen überschattet.

»Er erinnert sich nicht«, fuhr ich fort. »Er geht jeden Tag einkaufen. *Weil das zu seiner Routine gehört.* Aber er erinnert sich nicht an das mit seiner Katze. Genauso wenig, wie er sich an *Sie* erinnern wird. Er wird sich nicht erinnern, dass wir beide hier waren. Er wird sich nicht erinnern, dass er bei mir geklingelt hat, geschweige denn, dass er Sie mit mir zusammen dort gesehen hat, auch nicht, dass er im Supermarkt war, und er wird es noch nicht mal mitkriegen, wenn seine Katze heute Abend nicht nach Hause kommt. Er wird sich an gar nichts erinnern.«

»Nun, das ist wirklich zu schade«, sagte Donovan ungerührt und wandte sich zum Gehen.

»Wenn wir jetzt von hier verschwinden, rede ich«, rief ich ihm nach. »Ich sage Ihnen alles, was Sie wissen wollen.«

Er wurde langsamer und blieb schließlich ganz stehen. »Das werden Sie so oder so tun.«

»Nicht, wenn Sie John töten. Dann kriegen Sie kein Wort von mir zu hören. Das schwöre ich Ihnen.«

Er schien über meine Drohung nachzudenken.

»Ich meine es ernst«, drängte ich. »Verlassen Sie jetzt mit mir dieses Haus und ich sage Ihnen alles. Wirklich alles. Falls John jedoch etwas zustößt, bin ich raus, dann spiele ich nicht mehr mit. Nicht freiwillig. Da können Sie mit mir anstellen, was Sie wollen, oder mit Sam oder Bethany.«

Für eine weitere Sekunde blieb er bewegungslos stehen, dann schritt er eilig aus dem Raum, ohne sich umzusehen.

Ich kämpfte mich auf die Beine und stürmte ihm in die Küche hinterher, doch als ich dort ankam, bremste er mich mit gestrecktem Arm ab.

John saß am Küchentisch und starrte verwirrt auf die Dose Katzenfutter und den Dosenöffner vor sich. Ganz langsam hob er den Kopf und hielt Donovan in wortlosem Flehen beides hin.

Mit wachsendem Entsetzen sah ich zu, wie Donovan sich in Bewegung setzte und sich meinem Nachbarn mit der Tüte in den Händen näherte.

»Wenn Sie …«

»Entspannen Sie sich.« Er legte die Tragetasche auf dem Tisch ab, nahm John den Dosenöffner aus der Hand und setzte ihn an der Dose an. Entschlossen hebelte er sie auf und sah mich dabei an.

»Zwei Bedingungen«, sagte er zu mir.

»Was immer Sie verlangen.«

»Erstens: John bleibt in diesem Haus.«

»Aber natürlich. Kein Problem. John wird bis morgen das Haus nicht verlassen, nicht wahr, John?«

Donovan hatte die Büchse komplett geöffnet und stellte sie auf den Tisch. Dann legte er John die rechte Hand auf die Schulter, ehe er von ihm wegtrat und den Katzennapf aufhob. Nachdem er eine Gabel aus der Besteckschublade geholt hatte, stellte er einen Fuß auf das Pedal des Treteimers und kratzte das halb vertrocknete Katzenfutter aus dem Schälchen in den Müll. Ich hörte, wie der Inhalt gegen die Abfalltüte spritzte und auf dem Telefon landete, das er vorhin hineingeworfen hatte.

»Falls ich mitkriege, dass jemand vorbeikommt oder die Haustür aufgeht …«

»Keine Sorge, das wird nicht passieren.«

Donovan stellte den Fressnapf auf den Tisch, holte mit der Gabel einen Klumpen von der Fleischmasse aus der Dose, zerdrückte ihn im Napf und schob ihn vor John hin.

Die Gabel immer noch in der rechten Hand, legte er dem alten Mann noch einmal die andere Hand auf die Schulter, nur dass er die Zinken der Gabel diesmal direkt auf seinen Hals richtete, eine unmissverständliche Warnung an mich.

»Sie begreifen doch, dass ich jederzeit hierher zurückkommen kann, wenn mir danach ist?«

»Ja.«

»Muss nicht zwingend heute noch sein.«

»Ich sagte *Ja*. Ich habe Sie schon verstanden.«

»Gut. Dann fragen Sie mich nach der zweiten Bedingung.«

Ich sah verstohlen zu John. Er schien von unserem Wortwechsel nichts mitzubekommen. Ich nahm an, dass er in erster Linie erleichtert war, dass das Katzenfutter da war, wo es hingehörte.

»Wie sieht die zweite Bedingung aus?«

»Erzählen Sie mir vom Dach. Alles, woran Sie sich erinnern. Jedes einzelne Detail von dem, was in jener Nacht und in denen davor geschehen ist.«

Ich starrte Donovan an. Das Blut rauschte mir durch die Adern, so schnell, dass mir schwindelig wurde.

»Das kann ich machen.«

»Gut.« Er warf die Gabel auf den Tisch und wischte die behandschuhten Hände an einem Geschirrtuch ab. »Dann gehen wir. Sam wird bald zu Hause sein.«

66

Donovan schob mich vor sich her in den Flur. An der Haustür blieb er noch einmal stehen und fischte sein Handy aus der Tasche.

»Noch so ein Vorteil der District Line. In sämtlichen U-Bahnhöfen hat man Handyempfang.«

Er tippte auf eine Taste und wählte eine Nummer. Das Smartphone war auf Lautsprecher gestellt.

Nach einigen schnurrenden Lauten in der ansonsten fast vollkommenen Stille, gefolgt von einem leisen Rauschen, erklang eine Standardansage vom Band. Eine männliche Computerstimme sagte: *»Die gewählte Nummer ist derzeit nicht erreichbar. Bitte hinterlassen Sie eine Nachricht nach dem …«*

Donovan legte auf und sah mich prüfend an.

»Die durchschnittliche Zeit, die ein Zug an einer Haltestelle der District Line stehen bleibt, liegt bei achtundfünfzig Sekunden. Das läuft jetzt folgendermaßen. Sobald dieser Anruf durchgeht, gehen wir beide nach draußen. Und dann verschwinden wir so schnell wie möglich in Ihrem Haus. Sie haben dreißig Sekunden, um es zur Haustür zu schaffen, sonst wird Sam nie wieder aus diesem Zug steigen.«

Wieder wählte er und tippte auf seinem Handy herum.

Ich hörte die gleichen Geräusche wie vorhin.

Das gleiche kurze Schnurren, gefolgt von dem schwachen Rauschen und der Bandansage: *»Die gewählte Nummer ist derzeit nicht erreichbar …«*

»Sobald wir durch diese Tür sind, machen Sie keinen Mucks mehr, Sie schreien nicht und denken noch nicht mal daran, fliehen zu wollen. Verstanden?«

Ich sah ihn an, fühlte mich hilflos und eingesperrt. Eine ganz neue Form der Klaustrophobie.

»Verstanden?«, wiederholte er mit Nachdruck.

»Ja«, flüsterte ich.

Er wählte ein drittes Mal.

Es kamen die gleichen Geräusche wie zuvor, doch diesmal folgten ein längeres, schläfriges Brummen, ein paar statische Klicklaute und dann eine weitere automatische Ansage vom Band, nur dass der Wortlaut diesmal ein anderer war. Und auch die Stimme war eine andere. Weiblich. Sie klang nach Lautsprecherdurchsage, leicht blechern.

»… nächster Halt Sloane Square.«

»Wir gehen raus«, sprach Donovan jetzt ins Telefon. Er redete hastig, klang fokussiert und angespannt. »Warte auf meine Bestätigung. Falls von mir nichts kommt, bevor der Zug wieder aus dem Bahnhof fährt, schnapp ihn dir.«

Damit riss er die Haustür auf, packte meine Hand und zerrte mich hinter sich her nach draußen. Dann warf er die Tür zu, schloss ab, zog Johns Schlüssel heraus und warf ihn in eine dunkle Ecke des Gartens.

Aus Donovans Telefon waren verschiedenste Geräusche zu hören.

Das Schwirren von bewegter Luft.

Quietschendes Eisen.

Das Scharren und Rascheln von wer weiß wie vielen menschlichen Körpern, Bewegung im dichten Gedränge, vereinzelte Stimmen.

»Haltestelle Sloane Square. Bitte beachten Sie den Abstand zwischen Zug und Bahnsteig.«

»Dreißig Sekunden«, frischte Donovan mein Gedächtnis auf.

Er marschierte los und zerrte mich hinter sich her.

Ich war voll und ganz auf das Rauschen und Rascheln konzentriert, das aus dem Lautsprecher seines Handys drang, gefolgt vom Zischen, als die Türen des Zuges sich öffneten.

Aber da war auch noch etwas anderes.

Das rhythmische Geräusch von Schritten, die sich von links näherten.

Ich ließ den Kopf herumschnellen und sah zwei Frauen in unsere Richtung eilen. Donovan riss an mir und zwang mich so, stehen zu bleiben.

Die Frauen waren in ein angeregtes Gespräch vertieft. Beide trugen Jeansjacken und Schals, ihre Absätze schlugen ein rhythmisches Stakkato auf den Gehsteig.

Ein heißes, nervöses Kribbeln kletterte an meinen Beinen empor.

Immer noch waren die scharrenden Hintergrundgeräusche aus Donovans Handy zu hören. Das Rascheln und Schlurfen von Passagieren, die sich bewegten und aneinander vorbeischoben.

Wer auch immer da ein Auge auf Sam hatte, sagte kein Wort, doch ich hatte keinen Zweifel daran, dass die Person ebenso angestrengt lauschte wie ich.

Die beiden Frauen kamen schnell näher.

Donovan drückte meine Hand. Ein deutliches Zeichen und eine Warnung.

Die Passantinnen gingen am Gartentor vorbei, und im selben Moment sah eine von ihnen in unsere Richtung – ein kurzer, unachtsamer Blick –, zu schnell, als dass ich reagieren und ihr ein Zeichen hätte geben können, dass ich in Not war.

Mir drehte sich der Magen um.

Aus dem Handylautsprecher drang ein Knistern.

Die beiden Frauen gingen weiter, ohne uns noch eines Blickes zu würdigen.

»Los, bewegen Sie sich«, knurrte Donovan kaum hörbar und zerrte mich weiter.

Meine Knie waren wie aus Gummi. Ich geriet ins Stolpern und sah den Frauen hinterher. Sie drehten sich nicht um. Offenbar hatten sie keinerlei Gefahr gewittert oder gespürt. Sie waren voll und ganz auf sich und ihr Gespräch konzentriert.

»Ich will mit Sam reden«, sagte ich.

»Sie werden mit ihm sprechen können, sobald er hier eintrifft.«

»Davor. Ich muss wissen, dass er in Sicherheit ist.«

»Ist er nicht.«

Er stieß mich durch Johns Gartentor, lenkte mich nach links und dann wieder nach links, schob mich auf Armeslänge vor sich her durch das Tor zu unserem Grundstück und auf den Lichtschein zu, der aus unserem Haus drang.

»Dies ist ein Zug der District Line Richtung Wimbledon. Nächste Haltestelle South Kensington.«

»Los, Beeilung«, drängte Donovan.

Ein Knoten aus Angst ballte sich in meiner Brust zusammen. Donovan hatte mich nicht rücklings in eine Badewanne gestoßen und unter Wasser gedrückt. Er hatte nicht hinter sich abgeschlossen, mich nicht an den Haaren gezogen oder am Hals gepackt.

Und trotzdem hatte ich das Gefühl, keine Luft zu bekommen.

Der Weg zu unserer Haustür war nur drei oder vier Meter lang. Ich war diesen Weg in der Vergangenheit unzählige Male gegangen, ohne groß einen Gedanken daran zu verschwenden.

Ganz anders als jetzt.

Ich hastete aufs Haus zu, völlig atemlos, aber gleichzeitig schien ich kaum voranzukommen.

Das Schild in unserem Vorgarten mit der Aufschrift »Zu verkaufen« glitt wie in Zeitlupe linkerhand an uns vorüber. Ich erinnerte mich, wie ein Vertreter der Immobilienfirma vorbeigekommen war, um es zu montieren. Er hatte es mit Kabelbindern an den Gitterstäben des Zauns befestigt, nachdem er den Pfosten mit einem Gummihammer in den Kies geklopft hatte.

Klong.

Klong.

Klong.

In diesem grauenvollen Moment war mir, als könnte ich das Vibrieren der Schläge unter mir im Boden spüren.

»Bitte zurückbleiben. Türen schließen.«

Donovan stieß mich vorwärts und suchte dabei in seiner Manteltasche nach Sams Schlüsselbund.

Zu meiner Rechten bemerkte ich winzige helle Punkte in den Jalousien am großen Erkerfenster und einen Lichtstreifen außen herum, aber ich konnte nicht ins Haus sehen.

Und leider auch sonst niemand.

Aus dem Telefon war ein weiteres pneumatisches Zischen der sich schließenden U-Bahn-Türen zu hören, ein blechernes Quietschen, das kaum wahrnehmbare Rascheln und Schaben von Füßen.

Donovan brachte Sams Schlüsselbund zum Vorschein und suchte den richtigen heraus. Der Schlüssel glitt mühelos ins Türschloss und nur eine Sekunde später wurde die Telefonverbindung unterbrochen. Die Leitung war mit einem Schlag tot.

Donovan sah mich an.

Ich sah ihn an.

Eine Million Gedanken jagten mir gleichzeitig durch den

Kopf. Noch einmal beugte ich mich zur Seite und versuchte, den beiden Frauen hinterherzusehen, die sich über den Gehsteig entfernten. Dann saugte ich mit einem tiefen Zug Luft in meine Lunge und setzte zum Schrei an.

67

Donovan presste mir die behandschuhte Hand auf den Mund, bevor ich auch nur einen Laut herausbrachte. Meine offene Lippe schrammte schmerzhaft über meine Zähne. Er drückte noch hartnäckiger zu und rammte meinen Hinterkopf gegen die Mauer hinter mir.

Ich jaulte vor Schmerz auf, versuchte zu schreien, doch es war zwecklos. Ich konnte weder Luft holen noch ausatmen, hatte den Geschmack von Leder im Mund.

Die Sekunden krochen quälend langsam dahin.

Völlig ungerührt beobachtete Donovan mich.

Ich hatte die Augen vor Entsetzen weit aufgerissen.

Hatte schreckliche Angst um Sam, wollte verzweifelt um Hilfe rufen.

Donovan warf einen prüfenden Blick hinter sich.

Die beiden Frauen, die gerade an uns vorbeigegangen waren, hatten nichts mitbekommen. Sie liefen zielstrebig weiter.

Mit der freien Hand drehte er Sams Schlüssel im Schloss, schob die Tür auf und zog den Schlüssel wieder ab. Er schubste mich über die Schwelle ins Haus und stieß mit der Ferse die Tür hinter uns zu.

Der Riegel rastete ein.

… *Klick.*

Ich schnappte keuchend nach Luft. Kalter Schweiß stand mir auf der Stirn.

Ich presste mir die Hand an die Brust und atmete stockend

ein. Das Deckenlicht im Flur stach mir in die Augen. Alles fühlte sich fremd an. Was an unserem Zuhause zuvor freundlich und einladend gewirkt hatte, erschien mir jetzt eigenartig inszeniert und unecht. Ich nahm den Duft der Lilien wahr, die ich am selben Tag in der Vase auf dem Wohnzimmertisch arrangiert hatte. Jetzt löste der Geruch Übelkeit in mir aus und kam mir künstlich vor.

Einzig die Bedrohung durch Donovan war real. Sie war so unmittelbar und greifbar wie der Schmerz in meiner Lunge.

Sein Telefon begann zu klingeln.

Er hatte versucht anzurufen, kaum hatte er die Tür hinter uns zugeworfen, doch es kam keine Verbindung zustande. Jetzt starrte er mich an, Zornesröte im Gesicht, das Telefon auf Höhe des Mundes mit der Hand umschlossen.

Gedanken an Sam und daran, was man ihm antun könnte, stürmten auf mich ein. Donovan hatte seinen Komplizen angewiesen, er solle ihn sich schnappen, falls Donovan ihm kein Zeichen gab, dass alles in Ordnung war, bevor sie das Signal verloren.

Nicht auszudenken, was er damit hatte andeuten wollen. Er hatte mir klipp und klar gesagt, dass Sam nicht sicher war.

Ich malte mir einen kaltblütigen Mörder aus, der sich in einer überfüllten U-Bahn langsam auf Sam zuschob, bewaffnet mit einem Messer oder einem vergifteten Schirm oder hundert anderen Waffen. Ich wollte gar nicht darüber nachdenken.

Die Verbindung kam zustande.

Ein Strudel angespannter Stille.

»Haltestelle South Kensington. Umsteigemöglichkeit zur Piccadilly …«

»Wir sind im Haus«, erklärte Donovan knapp und sah mich dabei scharf an. »Gib mir deinen aktuellen Standort durch.«

Schweigen.

Dann ein Knacken in der Leitung. Ein elektronisches Zischen.

Ich brauchte dringend Luft, aber meine Brust fühlte sich zu eng an zum Atmen.

Dann erklang eine Stimme, dünn und digital verzerrt. Weder männlich noch weiblich. Nicht jung und nicht alt.

»Da waren zu viele Leute. Ich bin erst nicht an ihn rangekommen, aber jetzt bin ich ganz in seiner Nähe. Sag mir, was ich tun soll.«

Donovan hielt meinen Blick. Seine Miene gab nichts preis.

Der Moment dauerte an und zog sich qualvoll in die Länge.

»Halt dich zurück«, sagte er nur.

Damit trennte er die Verbindung und starrte mich noch einen Augenblick länger an.

»Okay«, sagte er seufzend. »Jetzt unterhalten wir beide uns mal.«

68

Die Erleichterung stellte sich erst mit Verzögerung ein. Sam war am Leben, zumindest vorerst, aber er war auf dem Nachhauseweg und hier erwartete ihn *das*: Donovan und die grauenvolle Gewalt, die in unser Heim Einzug gehalten hatte.

Die Lautsprecherdurchsage am Bahnhof hatte mir verraten, dass er in einem Zug Richtung South Kensington saß. Das hieß also, dass er noch ungefähr zwanzig Minuten unterwegs wäre, gefolgt von einem fünfminütigen Fußweg.

Und dann wäre Sam hier.

Mir war klar, dass ich dringend etwas unternehmen musste, die Frage war nur, *was*.

Mein Körper war vor Angst schlaff und kraftlos, als wäre jemand auf meiner Brust herumgetrampelt. Meine offene Lippe brannte und mir pochten die Schläfen.

Trotzdem war ich hochkonzentriert, suchte fieberhaft nach einem Ausweg aus dieser gefährlichen Situation.

Jetzt schob Donovan sich an mir vorbei ins Wohnzimmer, schloss die Finger um Sams Schlüsselbund und ließ ihn in der rechten Hosentasche verschwinden.

Das war nicht gut.

Wenn Sam nach Hause kam, hätte er keine Möglichkeit, eigenständig ins Haus zu gelangen. Er würde klingeln müssen, genau wie John, und dann wäre Donovan vorbereitet.

Ich starrte zur Tür und überlegte krampfhaft, ob Sams Verfolger mit ins Haus kommen würde, um Donovan zu unterstützen. Dann drehte ich mich um und spähte zum oberen Treppenabsatz. Bethany war da oben im Dachgeschoss. Ob sie bei Bewusstsein war? Würde sie diese ganze Sache unbeschadet überstehen?

»Setzen Sie sich, Lucy.«

»Ich möchte erst nach Bethany sehen.«

»Schluss jetzt. Es reicht mit der Zeitschinderei. Setzen Sie sich!«

Er baute sich vor dem Sofa auf, mit Blick zum Wohnzimmertisch, und deutete auf den Sessel links vom Kamin.

Es handelte sich um ein Designer-Stück aus cremefarbenem Bouclé, direkt daneben stand eine Monstera. Sam und ich hatten den Sessel aus einem Möbelgeschäft in der Tottenham Court Road, in der Nähe des Ladens, in dem ich beschäftigt war, als wir uns kennenlernten. Sam war sich wegen der Farbe anfangs nicht hundertprozentig sicher gewesen. Er hatte befürchtet, dass der Sessel schnell unschöne Flecken bekäme.

Eiseskälte durchrieselte mich, als ich mir vorstellte, wie das klebrige Blut an meinem Hinterkopf den cremeweißen Stoff ruinieren würde.

Ein letztes Mal sah ich nach oben Richtung Dachgeschoss. Die Vorstellung, Bethany sich selbst zu überlassen, eingesperrt in diesen Schrank, war mir zuwider. Doch schließlich wandte ich mich steif ab und ging zu ihm ins Wohnzimmer. Allerdings ging ich an dem Sessel, auf den Donovan gedeutet hatte, vorbei und setzte mich stattdessen auf die Armlehne des Sessels beim Erkerfenster.

Donovan starrte mich mit ausdrucksloser Miene an, als würde mein kleiner Akt der Rebellion ihn weder überraschen noch groß kümmern.

»Also, die Party. Erzählen Sie mir vom Dach. Ich will alle Details. Alles, woran Sie sich erinnern.«

Noch einmal holte ich angestrengt Luft. Wie aus dem Nichts überkam mich ein Schwindel, mein Kopf wurde ganz wattig. So ging es mir manchmal, wenn ich das Mittagessen hatte ausfallen lassen.

Ich hatte mich lange bemüht, nicht an jene Nacht zu denken, hatte die Ereignisse von damals mit aller Macht verdrängt.

Im gleichen Moment durchschnitt ein digitales Pling die Stille.

Ich versteifte mich unwillkürlich, während Donovan das Handy hochhob und einen prüfenden Blick aufs Display warf.

»Was ist los?«, flüsterte ich. »Geht es um Sam?«

»Die Nachricht kommt von dem Labor, in das ich Ihre DNA-Probe geschickt habe, um einen Schnelltest durchführen zu lassen. Man hat mir den Eingang der Probe bestätigt.«

Ich starrte ihn entgeistert an.

»Warum tun Sie uns das an?«, fragte ich.

»Reden Sie«, sagte er und nahm auf dem grünen Samtsofa Platz. »Erzählen Sie mir von der Party. Denn wenn Sie sich noch länger bitten lassen, gehen wir beide, bevor Sam nach Hause kommt, noch einmal nach nebenan zu John. Und ich verspreche Ihnen, diesmal werde ich mich nicht annähernd so zivilisiert benehmen wie vorhin.«

69

Ich zögerte es noch einen Moment hinaus, doch dann fing ich an zu reden – und zwar ohne zu wissen, was er hören wollte, und immer noch unfähig zu begreifen, was das alles zu bedeuten hatte und warum der DNA-Test gemacht worden war.

»Sie sprechen von der Party in Farringdon?«, hakte ich zur Sicherheit noch einmal nach.

»Natürlich.«

»Da gibt es ... einige Lücken in meinem Gedächtnis.« Dinge, an die ich mich nicht erinnern *wollte*, und andere, die ich verdrängt hatte.

»Erzählen Sie mir das, was Sie noch wissen.«

Blinzelnd sah ich ihn an. Ich merkte, wie meine Atmung schneller wurde, flacher.

Es war nicht so einfach, und das lag nicht nur daran, dass ich nach wie vor in der Leugnungsphase war oder weil es zu schmerzhaft für mich gewesen wäre, mich an die Einzelheiten jener Nacht zu erinnern. Nein, da war wirklich so einiges, an das ich mich schlichtweg nicht erinnerte. Beim besten Willen nicht.

Ich war mir natürlich darüber im Klaren, dass ich Donovan *irgendetwas* liefern musste. Ich nahm seine Drohung, dass er nach nebenan gehen und John etwas antun würde, durchaus ernst.

Aber es fiel mir unendlich schwer.

»In meiner Erinnerung klaffen wirklich viele Löcher.«

»Dann füllen Sie sie.«

»Aber wie denn? Das ist nicht so einfach, wie Sie es sich vorstellen.« Natürlich hätte ich einiges von dem wiedergeben können, was Sam mir erklärt hatte. Von wegen, dass das Gehirn auf Selbsterhaltung ausgelegt ist. Dass ich die Erinnerungen nicht aktiv blockierte, sondern einige davon vielmehr weggepackt wurden, bis ich bereit war, die Ereignisse vollständig aufzuarbeiten.

Ich wusste, dass ich, je mehr Zeit verstrich – je weiter mein Heilungsprozess voranschritt –, nach und nach wieder das Gesamtbild sehen würde, vielleicht sogar von einer Sekunde zur nächsten, als wäre ein Schalter umgelegt worden. Aber bis dahin war ich praktisch machtlos, es gab nichts, wodurch ich es erzwingen könnte.

Natürlich *wollte* ich nicht, dass diese wichtigen Erinnerungen fort waren. Schließlich bekäme ich, wenn ich mich deutlicher an den Überfall und an meinen Angreifer erinnern könnte, vielleicht eine Ahnung, warum ausgerechnet mir das passiert war. Vielleicht könnte ich dann endlich mit der Geschichte abschließen.

Das eigentlich Problematische an der ganzen Sache waren in meinen Augen nicht die Einzelheiten, an die ich mich *nicht* erinnerte, sondern die Bruchstücke, die noch da waren, denn die waren komplett aus dem Zusammenhang gerissen und zeitlich ungeordnet, sodass sie für mich absolut keinen Sinn ergaben. Wann immer ich versuchte, wirklich ernsthaft versuchte, sie in eine logische Reihenfolge zu bringen und die Zusammenhänge herzustellen, kam es mir vor, als wäre mein Gedächtnis leer und schwarz wie ein kaputter Fernseher.

»Es war auf einer Geburtstagsfeier«, hörte ich mich sagen.

Seine Miene zuckte. Nur ganz leicht, aber es entging mir nicht.

»Oder zumindest glaube ich, dass es eine Geburtstagsparty war.« Ich drückte meinen Arm, schloss die Finger um die Narbe unter meinem Ärmel, dachte daran, wie ich markiert worden war durch das, was mir zugestoßen war. Währenddessen sah ich über meine Schulter zum Fenster und dachte an Sam, der bald nach Hause käme.

Von draußen hörte ich Verkehrsgeräusche. Hörte den Wind, der das Laub in den Bäumen zum Rascheln brachte.

»Es war niemand, den ich kannte«, fuhr ich fort. »Keine Ahnung, über wen ich zu der Einladung gekommen war oder warum ich dort war. Da waren sehr viele Leute.«

»Leute, die Sie kannten?«

»Nein, ich glaube nicht.«

Er wirkte nicht überzeugt. »Sie müssen doch zumindest ein paar von den Partygästen gekannt haben.«

Ich schüttelte frustriert den Kopf. »Ich weiß nicht, wie ich es erklären soll. Ich kann mich an Musik erinnern und dass ich geraucht habe, und ich glaube, ich hatte auch was getrunken – ja, ich muss getrunken haben, weil selbst die wenigen Erinnerungen, die ich an die Party noch habe, verschwommen sind. Aber ich trinke normalerweise keinen Alkohol.«

Wieder sah ich hinunter auf meine Hand, die ich auf meinen Unterarm gelegt hatte. Ich war mir so gut wie sicher, dass ich mir die Narbe zugezogen hatte, als ich in diese Badewanne gestoßen wurde. Vielleicht hatte ich mir den Arm dabei an irgendetwas Spitzem aufgerissen. Oder an etwas Scharfkantigem, das mein Angreifer bei sich trug. Aber auch daran hatte ich keine klare Erinnerung. Ich wusste nur, dass ich die Narbe vor diesem Abend noch nicht gehabt hatte.

»Ich glaube, ich hatte ein Meeting mit potenzieller Kundschaft ganz in der Nähe. Das Treffen fand in einer Bar irgendwo nicht weit von Farringdon statt. An den Namen der Bar kann ich mich nicht erinnern, auch nicht daran, wer dieser Interessent war oder wie man mich kontaktiert hatte. Ich bin seither öfter durch die Gegend gelaufen. Nichts kommt mir bekannt vor. Ich weiß nur noch, dass meine Agentur nicht mehr so gut lief. Die Auftragslage war schlecht. Ich muss mir einen Drink bestellt haben. Vielleicht auch mehrere. Aber anschließend …«

Wieder runzelte er die Stirn, als ob das, was ich ihm hier erzählte, nicht zu dem passte, was er erwartet hatte. »Wollen Sie damit sagen, Sie glauben, Sie hätten in dieser Bar jemanden getroffen, der auf dem Weg zu dieser Party war?«

»Möglich. Oder man hat mir was in den Drink gekippt.«

Das ließ ihn stutzen. Ich sah ihm deutlich an, dass er seine Hypothesen völlig neu überdenken musste und dass ihn meine Geschichte überraschte.

»Es würde jedenfalls passen«, sagte ich. »Zu dem, was später geschehen ist.«

»Was ist später denn geschehen?«

»Ich …« Ich zuckte zusammen und hob die rechte Hand an den Kopf.

Da war wieder dieser Schmerz, nur dass er diesmal rein gar nichts mit dem Schlag gegen den Hinterkopf zu tun hatte.

Dieser Schmerz war älter, saß tiefer, irgendwo links von meinem Frontallappen. Er überfiel mich öfter hinterrücks, wenn ich an diese Nacht zurückdachte, vor allem dann, wenn ich krampfhaft versuchte, die Erinnerungen zu erzwingen, mich durch das grellweiße Leuchten in meinem Schädel hindurchzukämpfen. Das war noch so ein Grund, warum ich mich scheute, mich mit diesem Teil meiner Vergangenheit auseinanderzusetzen.

Ich hörte, wie Donovan sein Gewicht auf den Sofapolstern in meine Richtung verlagerte. Zwischen meinen gespreizten

Fingern hindurch spähte ich verstohlen zu ihm und stellte fest, dass er sich tatsächlich zur Sofakante vorgeschoben hatte, die Ellbogen auf die Knie gestemmt, die Hände locker ineinander verschränkt.

War da ein beunruhigter Ausdruck auf seinem Gesicht? Ich bemerkte, wie sein Blick abwesend und nachdenklich wurde, ehe er den Kopf abwandte und durch die Küche Richtung Keller sah.

Oh Gott.

Mein Herz verfiel in einen schnellen Galopp.

Nein, bitte nicht.

Die Kellertür stand immer noch offen.

Überlegte er, ob er mich da runterschaffen und mich mit meiner klaustrophobischen Angst foltern sollte, bis ich endlich sagte, was er hören wollte? Vielleicht wollte er mich da unten einsperren, bis Sam eintraf?

»Ich ging ins Badezimmer«, beeilte ich mich weiterzusprechen und verspürte einen Anflug von Erleichterung, als Donovan seine Aufmerksamkeit wieder auf mich richtete.

»Reden Sie weiter.«

Ich schluckte schwer.

Wenn ich doch nur diese Vase mit den Lilien beiseiteschieben könnte, die zwischen uns stand. Der intensive Duft der Blüten stach mir in den Nebenhöhlen wie Menthol. Ich rieb mir die Schläfen, doch es half nicht, den Schmerz zu lindern oder das nervöse Flattern im Magen zu vertreiben.

Nichts half.

Nicht die Meditationsübungen, die ich trainiert hatte, nicht die Medikamente gegen Angstzustände, die mein Hausarzt mir verschrieben hatte, auch nicht die Therapiesitzungen, durch die Sam mich begleitet hatte.

Sam hatte mir vorgeschlagen, mich an Therapeuten zu wenden, mit denen er befreundet war. Aber ich hatte mich geweigert. Dieses Trauma war mir von einem Fremden zugefügt worden. Fremden zu vertrauen war ein Problem für mich.

»Es fällt mir unendlich schwer, darüber zu reden, verstehen Sie doch«, sagte ich.

»Wie schade, weil ich es nämlich hören muss.«

»Bitte …«

»Erzählen Sie mir den Rest. Los jetzt.«

Ich sah auf den Boden, stellte mir vor, wie Sam heimkam, malte mir aus, wie Donovan ihn ins Haus zog, ihn überwältigte …

»Jemand ist mir gefolgt«, sagte ich schließlich und der Schmerz in meiner Schläfe flammte aufs Neue auf, scharf und Übelkeit erregend.

»Okay. Jemand ist Ihnen also ins Badezimmer gefolgt. Aber wie passt das mit der Sache auf dem Dach zusammen?«

»Da war nichts mit einem Dach. Das habe ich Ihnen doch gesagt. Da war …« Wieder unterbrach ich mich, verzog schmerzhaft das Gesicht, ließ den Kopf in beide Hände sinken. »Wer immer da war, hat die Tür hinter sich verriegelt.«

… *Klick.*

»Wer hat das getan?«

Ich hielt inne, war wie versteinert. Denn mir war ein neuer Gedanke gekommen. Ein komplett neuer und grauenvoller Gedanke.

»War es etwa Ihr Komplize?«

»Wie bitte?«

»Wer auch immer mir das angetan hat, ist das die Person, mit der Sie telefoniert haben? Die Person, die Sam folgt?«

Denn vielleicht hatte derjenige Angst, ich könnte immer noch hinter ihm her sein, zur Polizei gehen, meine Story an die Presse verkaufen wollen oder, keine Ahnung, versuchen, ihn zu verklagen.

Ich bemühte mich um volle Konzentration, dachte angestrengt nach.

War mein Angreifer vielleicht wohlhabend oder in irgendeiner Hinsicht eine bedeutende Persönlichkeit? Und hatte deshalb Angst vor einem Skandal? Einer Art Rachefeldzug im Stil von #MeToo? Aber warum ausgerechnet *jetzt*? Wieder spähte ich zwischen den gespreizten Fingern hindurch zu Donovan. Meine Augen juckten und waren verquollen.

Er starrte mich nachdenklich an. Sein Mund öffnete sich, als hätte ich endlich etwas gesagt, das von Interesse war, das etwas bei ihm auslöste.

»Moment mal.« Er rutschte auf dem Polster noch weiter nach vorn. »Nur damit wir uns richtig verstehen.«

Ich zog den Kopf noch mehr ein, überwältigt von einer neuerlichen Schmerzattacke. Ich hatte Schwierigkeiten, mich auf seine Worte zu konzentrieren, zu roh war der Schmerz, zu tief saß der Stachel des mir zugefügten Traumas.

»Mit dem, was Sie getan haben, werden Sie nicht ungestraft davonkommen. Deshalb bin ich hier.«

»Was *ich* getan habe? Wovon reden Sie? Ich habe doch nichts verbrochen. *Mir* wurde etwas angetan.«

Er lehnte sich zurück, sichtlich verwirrt. Seine Augen wirkten verschleiert und forschend. Er sah aus wie jemand, der nicht recht wusste, ob man ihn an der Nase herumführte oder nicht.

»Was ist mit dem, was *er* getan hat?«, presste ich hervor. »Oder was *Sie* getan haben? Was …« Scharf saugte ich die Luft ein, bleckte die Zähne, die Augen fest zugekniffen.

Wieder war da nur diese grellweiße Leere. Der Schmerz in meinem Kopf war unerträglich. Ich war wie blind.

»Hey«, sagte er. »Hey, sehen Sie mich an.«

Er klatschte in die Hände, als ob er mich aus meinem Zustand holen wollte, nur dass es dafür längst zu spät war.

»Etwas mehr Konzentration. Reden Sie mit mir. Das Badezimmer. Jemand ist Ihnen dort hinein gefolgt und hat die Tür abgeschlossen und …«

… *Klick.*

In Gedanken war ich wieder in diesem Raum.

In einem Teil meines Gehirns würde ich für immer dort eingesperrt bleiben.

Weil ich einfach nicht loslassen konnte.

Die sich schließende Tür, der Fremde, der sich mir näherte, und ich, wie ich stürzte, der Duschvorhang, in dem ich mich verhedderte, mein Arm, in dem der Schmerz aufflammte, und …

»Hören Sie auf.« Ich schlug mir beide Hände seitlich an den Kopf, drückte dagegen, wand mich. »Hören Sie auf. Hören Sie endlich auf, bitte.«

70

»Hey«, sagte er. »Hey.«

Offenbar hatte ich jegliches Zeitgefühl verloren. Und es war nicht das erste Mal, dass mir das passierte. Komplette Gedächtnislücken mitten am Tag waren inzwischen normal. Es war jedes Mal ein tiefer Abgrund, in den ich stürzte.

»Hey.«

Es machte mir fürchterliche Angst. Mir war klar, dass ich bei Bewusstsein bleiben, präsent sein, mich schützen musste.

Ich war zu Boden gesunken. Zu einer Kugel zusammengerollt.

»Hey.«

Donovan wedelte mit der Hand vor meinem Gesicht herum. Eben noch hatte er mir gegenübergesessen, der Couchtisch zwischen uns. Jetzt kauerte er auf einem Knie neben mir. Ich konnte nicht sagen, wie viel Zeit verstrichen war. Es konnten ebenso gut fünf Sekunden wie fünf Minuten gewesen sein.

»Hey.« Vorsichtig rüttelte er mich an der Schulter. »Sind Sie noch da? Was ist passiert?«

Ich zitterte am ganzen Leib.

Die Erinnerung an das Mädchen, das draußen vor dem Haus gestürzt war, durchzuckte mein Bewusstsein. Donovan sprach auf die gleiche beruhigende Weise auf mich ein wie zuvor auf das Kind, im gleichen fürsorglichen Tonfall.

Ein Schauder kroch über meine Haut.

»Hey.«

Meine Stirn und mein Nacken glühten. Meine Kopfhaut schmerzte, als würde man mich an den Haaren ziehen. Ich hielt den Blick gesenkt. Starrte auf meine Hände, die direkt vor meinem Gesicht lagen, die Finger zusammengekrampft. Meine Sicht war verschwommen. Ich schien doppelt so viele Finger zu haben wie normal.

»Hören Sie mich? Konzentrieren Sie sich auf meine Stimme.«

Seine Worte ließen mich schaudern. Das, was er da sagte, war ganz und gar nicht das Richtige, es machte mir Angst. Ich durchschaute nämlich genau, was er damit bezweckte. Natürlich handelte es sich hier um den klassischen Versuch, eine Panikattacke abzuwenden. Aber mich auf Donovans Stimme zu konzentrieren, war wirklich das Letzte, was ich wollte. Weil es mich nämlich an diese *andere* Stimme erinnerte. Die von der Gestalt im Badezimmer. Dem Mann, der mich überwältigt hatte.

»Ich habe dich beobachtet.«

»Nicht.«

Ich kniff die Augen fest zu. Spürte, wie der Schmerz durch meine Schläfen rauschte. Ich merkte, wie Donovan leicht zurückwich, doch er ließ seine Hand auf meiner Schulter ruhen und ich wollte sie nicht da haben. Ich wollte *überhaupt* nicht angefasst werden.

»Lassen Sie mich los.«

Er zog seine Hand zurück, aber ich spürte immer noch schmerzhaft den Nachhall der Berührung.

»Höchste Zeit, dass Sie wieder auf die Beine kommen«, sagte er jetzt.

Ich regte mich nicht.

»Kommen Sie, ich helfe Ihnen hoch in den Sessel, und dann …«

Wieder streckte er die Hände nach mir aus, aber ich wich vor ihm zurück und richtete mich selbst auf. Zu schnell. Zu wackelig auf den Beinen. Der Boden unter mir schwankte und kippte unvermittelt weg. Ich streckte den Arm nach dem Sessel aus, auf dem ich gesessen hatte, aber meine Hand schien einfach hindurchzugleiten. Schnell griff Donovan nach meinem anderen Handgelenk und hielt mich aufrecht.

Meine Narbe brannte höllisch unter seinem Griff. Mein restlicher Körper hingegen fühlte sich feucht und schlaff an, als wäre ich in einen Regenschauer geraten.

»Nur falls Sie es nicht mitbekommen haben«, erklärte er mir, »Sie waren gerade für einige Sekunden ohnmächtig. Ich meine, so richtig ohne Bewusstsein.«

Ich entwand ihm meinen Arm. »Als würde Sie das kümmern.«

»Vielleicht ja doch?«, gab er zurück. »Also. Zurück zu der Party. Sie erinnern sich wirklich nicht ans Dach?«

»Ich habe es Ihnen doch gesagt, ich war auf keinem Dach.«

»Sie müssen …«

»Lassen Sie mich in Ruhe! Sie wollen mir doch gar nicht helfen. Sie haben Bethany betäubt. Sie wollten John erwürgen. Und jemand verfolgt in Ihrem Namen meinen Freund.« Ich hob die Hand, um von vornherein jede Gegenrede zu unterbinden. Der Schweiß rann mir in Strömen herunter. Der Speichel in meinem Mund war heiß und zähflüssig. Ich befürchtete, noch einmal ohnmächtig zu werden.

»Nur zur Erinnerung«, sagte er. »Ihr Mann wird bald hier sein.«

Sam. Angst ballte sich in meiner Brust und ließ sie eng werden. Ich wollte nicht, dass er nichts ahnend hier hereinspazierte und in die Gewalt dieses Mannes geriet. Nicht auszudenken, wenn ihm meinetwegen etwas zustieße.

»Bitte«, flehte ich. »Halten Sie ihn aus der Sache raus.«

»Nicht aufregen … Setzen Sie sich einfach wieder, ja? Ich hole Ihnen etwas zu trinken.«

71

Donovan wandte sich ab und machte einen Schritt von mir weg, allerdings kam ich seinem Vorschlag, mich zu setzen, nicht nach. Ich würde mich hüten, *irgendetwas* zu tun, wozu er mir riet.

Nein, diesmal nicht. Nie wieder.

Leicht vornübergebeugt stand ich da, entkräftet und zitternd. Ich hatte höllische Angst. Um Sam und um mich. Genau davon musste Donovan ausgegangen sein, denn jetzt entfernte er sich noch einen Schritt von mir, ohne sich umzusehen.

Und genau diesen Moment der Unachtsamkeit nutzte ich aus, um mich auf die Vase mit den Lilien zu stürzen, einen weißen Keramikkrug mit gebogenem Griff und einem dicken Boden. Das Material war schwer und solide. Als ich ihn heute auf den Wohnzimmertisch gestellt hatte, war ein tiefer, dumpfer Laut zu hören gewesen.

Ich kam dem Krug nur quälend langsam näher, als ob ich durch Wasser watete. Es dauerte eine gefühlte Ewigkeit, bis meine Finger sich um den Griff schlossen.

Meine Angst und die überstürzte Aktion machten mich unvorsichtig und fahrig, sodass ich mit den Fingerkuppen gegen die kalte Keramik stieß. Der Krug geriet ins Kippeln und stürzte schließlich um. Ich umfasste die Vase seitlich mit der linken Hand, um ihn zu stützen, und bekam den Griff im letzten Moment zu fassen. Dann hob ich ihn hoch.

Ich stieß die Luft aus, ein leises Keuchen, schockiert und

überrascht. Zum einen war ich verblüfft über mich selbst, weil ich es tatsächlich gewagt hatte, zum anderen war das Ding wirklich unheimlich schwer. Außerdem kam hinzu, dass er mich gehört hatte und sich umzudrehen begann.

Ich war immer noch dabei, den Krug hochzuhieven. Die Köpfe der Lilien wippten und bogen sich über den Rand der Vase, der Blütenstaub verteilte sich in einer trüben Wolke in der Luft, das Wasser spritzte heraus und schwappte auf den Tisch.

Ich wollte Donovan das Ding über den Kopf ziehen. Mit einem einzigen harten Schlag. Ein beherztes Ausholen und Herumschwingen. Damit er bewusstlos zu Boden ging.

Allerdings begann ich bereits, die Schwierigkeit an meinem Vorhaben zu erkennen.

Denn der Krug war zu groß und zu schwer für mich und mein Gegner war viel zu aufmerksam und zu flink. Ich war nicht schnell genug für ihn. Damit mein Plan aufging, musste ich den Krug noch höher über meinen Kopf bringen, dann innehalten und das Gewicht und den Schwung nutzen, um ihn runterkrachen zu lassen.

Auf seinen Schädel.

Was eine gewaltige Herausforderung darstellte, weil er nämlich ein ganzes Stück größer war als ich. Und weil er sich jetzt blitzschnell zu mir umwandte, wobei sich sein Mantel um seine Schenkel herum aufbauschte und er den Ellbogen schützend vor seinen Kopf hochriss, während er mir gleichzeitig den Krug aus der Hand schlug.

Die Zeit selbst schien sich zu beschleunigen. Das Gefäß fiel krachend und platschend in sich zusammen, als es auf dem Boden aufschlug, es ging alles so schnell. Instinktiv wich ich zurück.

Eine Explosion von Keramikscherben, Wasser und Blütenblättern.

Gefolgt von einigen Sekunden absoluter Stille. Ich sah, wie Donovans Gesichtszüge sich vor Zorn und Enttäuschung verzerrten, als hätte ich ihn verraten, und er ärgerte sich offensichtlich enorm darüber, nicht wachsam genug gewesen zu sein.

Aber ich sank bereits auf die Knie. Nicht absichtlich, nein, sondern weil meine Beine unter mir wegsackten. Donovan bückte sich nach mir, griff nach meinem Arm, um mich wieder aufzurichten. Ich entriss ihm meinen Arm, aber er griff unbarmherzig nach meinem Handgelenk und zerrte mich auf die Füße, wobei er mit dem Unterschenkel den Couchtisch beiseiteschob. Er trat mit dem Schuh auf die Keramikscherben, die unter der Sohle knirschten, watete durch Wasser und Blütenblätter.

Er hob mich hoch, als wäre das kein Problem für ihn. Der Raum verschwamm vor meinen Augen. In meinem Bewusstsein blitzte es wieder grellweiß auf. Der Gestank der Lilien war durchdringend und beißend. Plötzlich hielt Donovan inne. Er wurde ganz ruhig, als wäre in ihm etwas gerissen oder hätte den Dienst versagt.

Oder als ob ein Filmregisseur in die Hände geklatscht und gerufen hätte: »Schnitt!«

Langsam – unendlich langsam – richteten wir beide den Blick nach unten.

Auf meine Faust seitlich an seinem Körper.

Auf die scharfe Keramikscherbe, die ich ihm tief in den Bauch gerammt hatte, unter seinem Mantel, durch den Pullover hindurch. Und auf das heiße Blut, das sich pulsierend über meine Hand ergoss.

72

Fauchend ließ er die Luft durch die Zähne entweichen. Seine Nasenflügel blähten sich. Sein Blick bohrte sich mit düsterer, vibrierender Intensität in meine Augen.

Ich ließ das spitze Keramikstück los und trat zurück, war wie schwerelos, schien zu schweben.

Donovan presste sich beide Hände unter dem Mantel an den Unterleib. Die Scherbe war knapp unterhalb seiner Rippen eingedrungen.

Ich war keine Ärztin. Hatte mich nie näher mit der menschlichen Anatomie befasst. Und trotzdem war mein erster Gedanke, ob die Scherbe eine Vene oder eine Arterie durchtrennt hatte.

Du hast das getan.

Ich zitterte.

Das Blut floss in einem steten Strom aus der Wunde. Rhythmisch quoll es hervor, glänzend und dunkel, und sickerte zwischen seinen behandschuhten Fingern hindurch, durchtränkte seinen Pullover.

Ich sagte kein Wort. Brachte keinen Ton heraus. Die ganze Situation kam mir unwirklich vor.

Wieder stieß er zischend Luft aus. Speichelbläschen sprudelten zwischen seinen Zähnen hervor. Ein Schauder ging durch ihn hindurch und er starrte mich fassungslos an. Dann sank er langsam und sichtlich unter Schmerzen auf die Sofakante, kippte erst nach links, wo er sich mit dem Ellbogen abstützte, ehe er sich in die andere Richtung lehnte, von dort aus zu Boden sank und dabei den Couchtisch ein Stück beiseiteschob.

Er stieß einen schmerzerfüllten, wimmernden Laut aus. Es bestand kein Zweifel, dass er Höllenqualen litt und es ihm unmöglich war, wieder aufzustehen.

Ich machte eine Bewegung, wollte auf ihn zueilen, ihm helfen, doch dann hielt ich abrupt inne und wich wieder zurück.

Nein.

Er konnte mir immer noch wehtun. Ich war mir sicher, dass er keine Sekunde zögern würde, mich zu verletzen.

Und Sam.

Mein Herz krampfte sich zusammen. Kurz überlegte ich, ob ich hinauf zu Bethany laufen sollte, aber was wir jetzt brauchten, war Hilfe, und zwar dringend.

»Wo wollen Sie …? Lucy? Was …?«

Seine Worte mündeten in einem gequälten, lang gezogenen Stöhnen. Ich ging um das Sofaende herum. Er starrte auf seine blutigen Hände, die Augen vor Entsetzen weit aufgerissen. Er zitterte am ganzen Leib, hatte im Schmerz die Zähne gebleckt.

Ohne zu überlegen rannte ich los Richtung Haustür. Der Riegel war eingerastet.

»Komm schon, komm schon.« Unbeholfen fingerte ich am Schloss herum. Meine Hände waren vor lauter Nervosität schweißnass und rutschig und glitten an der Schließvorrichtung ab. Nach einigem vergeblichem Bemühen löste sich der Riegel. Kühle Nachtluft strömte ins Haus. Dunkelheit und Straßenlicht.

Noch einmal spähte ich zurück zum Sofa, sah ihn aber nicht. Dann stürmte ich los, rannte blindlings nach draußen. Und stieß mit jemandem zusammen, prallte schmerzhaft ab und krachte unsanft gegen die Gitterstäbe oben auf der Mauer.

73

Von der Seite schlang sich ein Arm um meinen Oberkörper und brachte mich in eine aufrechte Position.

Sam.

Er starrte mir ins Gesicht, sein Blick flackerte vor Schreck und Besorgnis.

»Gott sei Dank!«, rief ich und warf mich ihm an den Hals, umarmte ihn, atmete seinen vertrauten Duft ein. Es war so unendlich erleichternd, ihn zu sehen. Ich spürte, wie die Anspannung aus mir wich. Doch dann versteifte ich mich und schob ihn auf Armeslänge von mir weg, um mich auf die Zehenspitzen zu stellen und aufmerksam die Straße rauf und runter zu blicken.

»Lucy? Was ist los? Stimmt was nicht?«

»Ist jemand bei dir? Hast du mitbekommen, dass dir jemand gefolgt ist?«

Fieberhaft suchte ich die Dunkelheit und die Lichtkreise unter den Straßenlaternen ab, hielt Ausschau nach einer einzelnen Gestalt, die uns aus den Schatten heraus beobachtete, hinter einem Baum oder einem Fahrzeug hervor.

»Was redest du da?«

»Jemand hat dich beobachtet. Und ist dir nach Hause gefolgt. Ist dir jemand aufgefallen?«

»Was?«

»Jemand aus deiner Selbsthilfegruppe?«

Er sah mich an, als hätte ich den Verstand verloren.

Seine dunklen Haare waren gegelt, so wie immer. Sein Gesicht war unrasiert, er wirkte vollkommen ruhig und gelassen. Er trug sein altes Kordjackett über einem dunklen Karohemd. Sein Rucksack hing lässig über seiner Schulter.

Ich musste ihm die Dringlichkeit der Lage unbedingt begreiflich machen.

»Jemand hat dir deinen Haustürschlüssel geklaut.«

Sam starrte mich völlig entgeistert an. Dann nahm er den Rucksack von der Schulter, zog den Reißverschluss an der Außentasche auf und tauchte mit der Hand hinein.

»Aber meine Schlüssel sind da.«

Ich starrte auf seine ausgestreckte Handfläche und spürte, wie sich in mir etwas löste und verschob. Der Schlüsselanhänger mit der kleinen Luke-Skywalker-Legofigur und den vier Schlüsseln. Ein brüllendes Getöse erfüllte meinen Kopf, ein Sturm der Verwirrung.

»Nein«, sagte ich. »Nein, das kann nicht stimmen.«

Ich starrte zurück zum Haus, auf die offene Haustür und den Lichtschein, der nach draußen fiel, registrierte die Stille und die Ruhe, die davon ausgingen. Donovan hatte mir Sams Schlüsselbund doch gezeigt. Ich hatte es mit eigenen Augen gesehen. Ich hatte die Schlüssel sogar in meiner Hand gehalten. Vielleicht hatte Donovan Sams Schlüssel ja nachmachen lassen, redete ich mir ein. Und sich den gleichen Schlüsselanhänger besorgt.

So musste es gewesen sein.

Meine Kopfschmerzen verstärkten sich. Eine ganze Salve von Synapsen feuerte gleichzeitig, es kam zu einem Kurzschluss.

Noch einmal spähte ich die verlassen daliegende Straße entlang. Entweder hielt sich die Person, die Sam gefolgt war, versteckt oder es hatte von Anfang an keinen Verfolger gegeben. War das denkbar? Hatte Donovan mich angelogen?

Ich dachte über diese Möglichkeit nach, während Sam seine Schlüssel wieder in der Außentasche verstaute und den Reißverschluss zuzog.

Vielleicht hatte Donovan mir nur etwas vorgemacht. Ich hatte die Stimme am anderen Ende der Leitung nur ein einziges Mal kurz gehört. Und diese Stimme war digital verzerrt gewesen. Hatte es sich um ein Fake gehandelt?

Aber was war mit den Durchsagen in den U-Bahn-Stationen?

Auch die konnte Donovan vorab aufgezeichnet haben, um sie für mich abzuspielen. So konnte er jederzeit die Illusion erzeugen, Sam wäre in Gefahr, um ein Druckmittel zu haben.

Das hätte zwar einiges an vorausschauender Planung erfordert, aber machbar war es durchaus. Er hatte sich ja auch in unsere Haustür-App gehackt, er verfügte also ganz offenkundig über ein gewisses technisches Know-how. Und dieses ganze Schlamassel war eindeutig von langer Hand geplant.

»Was ist mit deinem Kopf?«, fragte Sam. »Lucy, blutest du? Und schau dir deine Hände an!« Er griff nach meinen Handgelenken und drehte sie im Schein der Straßenbeleuchtung hin und her. Verwundert starrte er auf das Blut an meinen Fingern, schwarz und klebrig wie Teer. »Um Himmels willen, was ist passiert?«

»Da ist ein Mann in unserem Haus«, sagte ich.

»Was?«

»Ein Mann namens Donovan. Er ist im Wohnzimmer. Er kam wegen einer Besichtigung. Da waren nur wir beide, Bethany war verspätet. Er meinte, er habe nach mir gesucht, habe schon länger versucht, mich aufzuspüren.«

»Was? Warum? Ich verstehe nicht …«

»Ich verstehe es auch nicht, Sam!« Ich stellte mich auf die Zehenspitzen und überprüfte noch einmal die Straße. »Er redet dauernd was von einem Dach. Das ergibt überhaupt keinen Sinn. Kannst du die Polizei rufen?«

»Sollte ich nicht erst …«

»Er hat Bethany betäubt und in den Wandschrank oben im Dachgeschoss gesperrt. Sie ist bewusstlos.«

Er wirkte bestürzt.

»Sam, bitte. Ruf einfach an.«

Ich machte mich an seiner Jacke zu schaffen, holte sein Telefon heraus. Dann drückte ich es ihm entschlossen in die Hand und sah ihn flehend an, während er mich in ernstem Schweigen musterte. Er schluckte, dann nickte er knapp und entsperrte das Display.

Er wählte die 999 und drückte auf die Wähltaste.

»Ruf auch gleich einen Krankenwagen«, sagte ich, als er das Telefon ans Ohr hob. »Ich habe ihm eine Stichwunde zugefügt, bevor ich rausgelaufen bin. Es sah übel aus. Ich habe Angst, dass er es vielleicht nicht überlebt.«

74

Sam entfernte sich einige Schritte, um den Anruf zu tätigen, während ich vornübergebeugt an der Gartenmauer stand, völlig außer Atem und am Ende meiner Kräfte. Meine Fingerkuppen berührten das Laub der Buchsbaumhecke dahinter. Ich fühlte mich wie ausgehöhlt, völlig aufgelöst.

Ich warf einen Blick nach rechts zu Johns Haus. Ein leichtes Pulsieren der Erleichterung durchzuckte mich. Wenigstens John hatte ich vor größerem Unheil bewahrt. Vielleicht war das der Strohhalm, an dem ich mich in den kommenden Tagen und Wochen würde festhalten können.

»Sie sind auf dem Weg«, teilte Sam mir mit und beendete das Telefonat.

Ich nickte steif. Ein leicht chemischer Geschmack füllte meinen Mund.

Ich sah zu unserem Haus auf, zum Fenster von Sams Arbeitszimmer unter dem Dach. Wieder gingen meine Gedanken zu Bethany, die dort oben eingeschlossen war. Ich konnte mich einzig und allein auf Donovans Aussage verlassen, dass das Mittel, das er ihr verabreicht hatte, innerhalb weniger Stunden seine Wirkung verlieren würde. Aber was, wenn er mich auch in diesem Punkt belogen hatte? Was, wenn er ihr ernsthaft etwas angetan hatte? Etwas, das nicht wieder rückgängig zu machen war?

Erst als ich den Blick senkte, merkte ich, dass Sam sich auf die Haustür zubewegte.

»Sam?«

Er antwortete nicht.

»Sam, was hast du vor?«

»Schon gut, Lucy.«

»Komm zurück.«

»Ich will nur einen kurzen Blick reinwerfen.«

»Was? Nein. Mach das nicht.«

Er hielt mir seine Hand hin, ohne sich nach mir umzusehen.

»Sam.«

»Du sagtest doch, du hättest jemanden verletzt, Lucy.«

»Dieser Mann ist gefährlich!«

»Wenn du jemanden verwundet hast, müssen wir nachsehen, ob es ihm gut geht.«

»Der Krankenwagen ist unterwegs.«

»Ja.« Er sah zu mir und ein schuldbewusster Ausdruck huschte über sein Gesicht. »Und die Polizei auch. Aber sie werden wissen wollen, was hier passiert ist. Du könntest Ärger bekommen.«

»Ärger?« Ich stemmte mich von den Gitterstäben ab und folgte ihm mit schleppenden Schritten. »Das war reine Selbstverteidigung. Sam, bitte!«

»Ich halte nur kurz den Kopf zur Tür rein. Wenn wir ihm helfen können, sollten wir das tun.«

Ihm helfen.

Immer wollte Sam anderen Menschen helfen. Das lag in seiner Natur. Leute heil machen, die seelisch gebrochen waren. Aber Ungeheuer wie Donovan verdienten seine Hilfe nicht.

»Sam, du gehst da nicht rein.«

Hinter einem der Schlafzimmerfenster im Haus schräg gegenüber ging das Licht an. Eine Frau tauchte hinter der Scheibe auf. Sie sah zu mir herüber.

»Sam.«

Er setzte einen Fuß über die Schwelle, wo er innehielt und seinen Rucksack abnahm. Vorsichtig stellte er ihn rechts von sich auf dem Boden vor der Haustür ab.

»Sam.«

Er machte noch einen zaghaften Schritt in die Diele, ging leicht in die Hocke, beide Arme zu den Seiten hin ausgestreckt, bereit, auf alle Eventualitäten zu reagieren.

Ich biss mir auf die Innenseite meiner Wange und schaute noch einmal in beide Richtungen die Straße entlang.

Dann sah ich besorgt zu der Nachbarin auf, die mich von ihrem Fenster aus beobachtete. Stirnrunzelnd hielt sie meinen Blick noch eine Sekunde, ehe sie die Vorhänge zuzog.

Ich lief hinter Sam her und prallte gegen seinen Rücken, als er unvermittelt stehen blieb und ins Haus spähte.

»Ich sehe nichts«, sagte er.

»Er ist hinter dem Sofa«, flüsterte ich.

Er wagte sich einen weiteren Schritt vor und ich blieb dicht hinter ihm, krallte die Faust in den Stoff seines Jacketts.

Im Haus herrschte keineswegs gespenstische Stille. Vielmehr schien es zu brummen und zu vibrieren. Vielleicht die Kühl-Gefrier-Kombi. Oder es war der Strom, der surrend durch die in den Wänden verborgenen Leitungen floss.

»Hallo?«, rief Sam.

Nichts.

Er ist tot, durchzuckte es mich. Klackernd purzelten die Worte durch meinen Kopf und kamen zum Stillstand. *Du hast jemanden umgebracht.*

Ich wollte Sam zurückhalten, doch er ging weiter und zog mich mit sich. Ich reckte den Hals und konnte über die Sofalehne gerade so den Couchtisch ausmachen. Er war zum Kamin hin verschoben. Donovan war bei seinem Sturz dagegen gestoßen.

»Pass auf«, flüsterte ich. Mit Gummibeinen bewegte ich mich seitwärts und zog Sam hinter mir her, steuerte uns nach links um das Sofaende herum, sodass die Küche hinter uns lag und das Wohnzimmer vor uns, die geöffnete Haustür, die zur Straße führte, zu unserer Rechten.

Ich spähte ihm über die Schulter, und während wir uns in einem langsamen, stetigen Bogen vorwärtsbewegten, präsentierte sich uns der Anblick wie durch eine Tür, die aufschwang.

Der Kamin und der schief dastehende Couchtisch, die Scherben der Vase, die Blumen und das Wasser und schließlich das Blut.

Sam versteifte sich und legte den Kopf schief.

Unter meinen Füßen öffnete sich eine Falltür.

»Da ist niemand«, sagte er.

75

Meine Sicht verschwamm und ich geriet ins Wanken.

An der Stelle, wo Donovan gelegen hatte, war der Boden blutverschmiert, aber er war nicht mehr da.

Ein unsagbarer Druck baute sich um mich herum auf und drohte mich zu zerquetschen.

Wo steckte er? War er nach oben zu Bethany gegangen?

»Zeigst du mir bitte noch einmal deine Hände?«, forderte Sam mich auf. »Wo wir jetzt Licht haben?«

»Wir müssen von hier verschwinden«, sagte ich zu ihm.

Sam nickte nur wortlos und musterte zweifelnd die verstreuten Scherben der zerbrochenen Vase.

»Wir müssen sofort von hier abhauen, Sam.«

Es war eiskalt im Raum. Viel kälter als vorhin. Eine Gänsehaut kroch über meine Haut, als ich zur geöffneten Haustür sah.

Sam trat auf mich zu und ergriff sanft meine Hände, betrachtete sie schweigend, dann hob er den Zeigefinger an mein Kinn und schob es zur Seite. Scharf saugte er die Luft durch die Zähne, als er die Verletzung an meinem Hinterkopf entdeckte.

»Erzählst du mir bitte noch einmal, wie du zu der Verletzung gekommen bist?«

Und in dem Moment dämmerte es mir. Es traf mich wie ein Hammerschlag.

Er glaubte, ich sei gestürzt, und vermutete, ich hätte mir den

Kopf an der Ecke des Couchtisches gestoßen, dabei die Vase zerbrochen und mir eine Gehirnerschütterung zugezogen. Er hielt alles, was ich ihm gesagt hatte, für pure Einbildung. Eine Wahnvorstellung, ausgelöst durch ein leichtes Schädel-Hirn-Trauma. Ein Trigger, der meine Ängste und Phobien in ein Märchen über einen fiesen Eindringling verwandelt hatte.

Etwas kribbelte am Ende meiner Wirbelsäule. Ein Gefühl, als ob uns jemand beobachtete.

Ich wollte nicht, wirbelte trotzdem blitzschnell herum und starrte in die Küche.

Niemand zu sehen.

Aber die Tür zum Keller stand immer noch weit offen.

Ich richtete den Blick auf den Boden.

Da waren Blutstropfen auf den Stufen, die in die Küche führten.

Ein Schmierer an der Kante der Arbeitsplatte aus Granit gleich hinter dem Spülbecken, ein weiterer Tropfen unweit der Kellertreppe. War Donovan in den Keller gegangen?

Sam ließ meine Hände los und ging zurück in den Flur, wo er den Kopf zur Tür rausstreckte, bestimmt, um nach der Polizei und dem Krankenwagen Ausschau zu halten. Dann drehte er sich wieder zu mir um, zuckte ratlos mit der Schulter und kam zurück ins Wohnzimmer. Diesmal ging er um das andere Ende des Sofas herum, das näher am Erkerfenster stand, als wollte er sich die Szene der Verwüstung aus einem anderen Blickwinkel ansehen.

Dann bewegte sich plötzlich etwas und Donovan erhob sich brüllend hinter dem Sessel und schlang Sam von hinten seinen Arm um die Kehle.

76

Sam stieß einen erschrockenen Schrei aus. Er hatte die Augen weit aufgerissen. Donovan presste ihm die freie Hand über den Mund, sodass sich seine Wangen hinter der behandschuhten Hand aufblähten. Sam krümmte sich und stöhnte.

Doch Donovan ließ nicht locker. Er hielt Sams Hals wie im Schraubstock in seiner Ellenbeuge fest und drückte auf seine Kehle.

Sams Stöhnen wurde lauter, verzweifelter, als Donovan ihm auch noch ein Knie ans untere Ende der Wirbelsäule stieß und ihn auf Höhe der Hüfte nach hinten riss.

Die Angst hämmerte panisch in mir. Donovans Bewegungen waren von so geübter Präzision, vermutlich war er im Nahkampf ausgebildet oder verfügte zumindest über einiges an Know-how. Ich musste daran denken, wie er mich in seine Gewalt gebracht hatte. Ich hatte seine Kraft und seine Beherrschtheit am eigenen Leib zu spüren bekommen. Deshalb hatte ich nicht den leisesten Zweifel, dass er genau wusste, was er tat.

Und doch wirkte seine Gesichtshaut kränklich und blass. Er war schweißüberströmt und bleckte vor Schmerz die Zähne.

Ich wollte mich auf ihn stürzen, aber er zischte »Nicht!« und riss Sam noch weiter nach hinten.

Sofort blieb ich stehen. Mir fiel auf, dass er seinen Mantel abgelegt hatte, und ich sah, dass sein Pullover blutdurchtränkt war, ein langer Riss klaffte an der Stelle, wo ich ihm die Scherbe in den Bauch gerammt hatte. Die Wunde selbst konnte ich nicht sehen, weil er sie mit einem gefalteten Geschirrtuch abgedeckt hatte, das durch mehrere Streifen Klebeband fixiert war. Er hatte sich das Klebeband mehrfach um die Mitte gewickelt, ein schneller und einfacher Verband, der seinen Dienst tat.

Jetzt wusste ich auch, woher die Blutstropfen in der Küche kamen. Er war gar nicht in den Keller gegangen. Er hatte das Erste-Hilfe-Set benutzt, das ich auf der Arbeitsfläche hatte liegen lassen.

Das Geschirrtuch hatte vorhin noch am Griff der Herdklappe gehangen, das Klebeband musste er in einer der Schubladen an der Kücheninsel gefunden haben. Sein Gesicht, sein Hals und seine Handschuhe waren blutverschmiert.

Sams Zehen scharrten über die gewachsten Dielenbretter auf der Suche nach Halt. Er streckte die Hände nach hinten und grub seine Finger in Donovans Arm, versuchte verzweifelt, sich aus dessen Umklammerung zu befreien.

Ich erkannte, dass er keine Luft mehr bekam. Sein Gesicht bekam im hellen Licht der Deckenlampe bereits einen leichten Violettstich.

»Aufhören!«, kreischte ich.

Donovan reagierte, indem er den Druck auf Sams Kehle verstärkte. »Schließen Sie die Haustür.«

Sams Wangen blähten sich auf. Seine Augen flehten mich an, der Aufforderung Folge zu leisten. Sein Gesicht glänzte, der Adamsapfel an seinem Hals trat erschreckend deutlich hervor.

Ich hatte Angst, mich zu rühren. Und gleichzeitig fürchtete ich mich davor, es nicht zu tun. Alles, was mir im Leben wichtig war, hing an einem seidenen Faden.

»Machen Sie die Tür zu. Sofort, sonst breche ich ihm das Genick.«

Donovan drückte Sams Kopf mit der Hand ein wenig zur

Seite, als wollte er mir demonstrieren, dass er jederzeit bereit war, seine Drohung in die Tat umzusetzen. Die Muskeln an Sams Hals traten hervor wie dicke Kordeln.

»Nein, nicht«, wimmerte ich.

»Sie sind heute Abend schon einmal ungeschoren davongekommen, Lucy.« Er deutete mit dem Kinn nach nebenan in Richtung von Johns Haus. »Eine zweite Chance kriegen Sie nicht.«

Sam stampfte wiederholt mit dem Fuß auf. Ein Ruck ging durch ihn hindurch. Seine Finger begannen zu zucken.

»Schließen Sie die Tür.«

Ich sehnte das Heulen der Sirenen herbei, das blinkende Blaulicht der Rettungsfahrzeuge.

»Die Polizei ist unterwegs«, sagte ich. »Sie wird jeden Moment hier sein.«

»Dann schließen Sie am besten auch gleich ab. Los, gehen Sie schon. Ich meine es ernst. Sie haben drei Sekunden, dann war's das für ihn.«

Widerstrebend setzte ich mich in Bewegung. Der Boden unter meinen Füßen fühlte sich weich und sumpfig an.

Keine Sirenen. Kein Blaulicht. Ich schob die Tür zu. Meine Hand zitterte, als ich den Arm hob und den Daumen auf den kleinen Knopf an der Verriegelung legte.

Ich blinzelte die Tränen zurück und schob ihn nach oben.

... *Klick.*

77

»Drehen Sie sich um«, wies Donovan mich an.

Ich tat wie geheißen und starrte ihn an. Mein Blick flackerte zu Sam.

Verzweiflung durchspülte meinen Körper. Ein Cocktail aus Adrenalin und Kortisol. Meine Kampf-oder-Flucht-Reaktion meldete sich mit voller Wucht, aber ich konnte nirgendwohin fliehen und hatte keine Möglichkeit, zu kämpfen. Der Kampf fand lediglich in meinem Bewusstsein statt und er zerriss mich innerlich.

Sam klammerte sich an Donovans Unterarme, um nicht zu stürzen oder zu ersticken.

Seine Blicke schossen immer wieder zwischen uns beiden hin und her. Ein wilder, flehender Ausdruck lag darin.

»Gehen Sie in die Küche«, befahl Donovan.

Schweiß rann Sam über Stirn und Gesicht. Hinter Donovans Hand erzeugte er panische Laute.

»Lassen Sie ihn los.«

»In die Küche«, wiederholte Donovan. »Sofort!«

Ich sah Sam kopfschüttelnd an – eine wortlose Entschuldigung – und setzte mich in Bewegung, schob mich im Krebsgang seitwärts und stieg die Stufen in den tiefergelegten Küchenbereich hinunter.

»Setzen Sie sich auf einen der Hocker.«

Am Rand meines Blickfeldes nahm ich die offene Kellertür wahr, vermied es aber, direkt hinzusehen, als ich an der

Kücheninsel vorbeieilte. Das Letzte, was ich wollte, war, dass ich Donovans Aufmerksamkeit darauf lenkte. Sonst käme er noch auf die Idee, uns da runterzuschicken.

»Setzen!«

Ich schob mich auf denselben Holzhocker, auf dem ich vorhin bereits gesessen hatte, als er mit Bethany nach oben gegangen war. Die Sitzfläche unter mir fühlte sich hart und unnachgiebig an.

Meine Hände wanderten zu der Arbeitsplatte aus Granit. Ich spreizte die Finger. Sie waren klebrig vom Schweiß und vibrierten vor nervöser Energie, sodass der kleine Finger meiner rechten Hand unkontrolliert zitterte.

»Sie müssen ihn jetzt loslassen«, sagte ich. »Bitte. Er kriegt keine Luft.«

Für eine weitere lange Sekunde sah er mich an und eine seltsame Neugier leuchtete in seinen Augen auf. Dann löste er seinen Griff und trat zurück, sodass Sam kraftlos zu Boden sackte. Keuchend rang er um Luft. Er bog den Rücken durch und bäumte sich auf, wurde von einem krampfhaften Hustenanfall erfasst und stemmte sich auf Hände und Knie hoch. Speichel tropfte ihm von den Lippen, sein Brustkorb bebte und aus seiner Kehle drang ein würgender Laut.

Donovan presste sich die Hand auf die Wunde seitlich an seinem Bauch, verzog das Gesicht zu einer schmerzerfüllten Grimasse. Dann wischte er sich mit dem Handschuh über den Mund und hinterließ einen blutigen Streifen auf seiner Wange.

Nachdem er sich noch einen Moment Zeit genommen hatte, um durchzuatmen, bewegte er sich auf die Haustür zu und benutzte seinen nachgemachten Schlüssel, um abzuschließen. Jetzt waren wir eingesperrt. Er steckte den Schlüsselbund zurück in seine rechte Hosentasche und bückte sich, wobei er unter einer neuerlichen heftigen Schmerzattacke scharf ausatmete. Hektisch klopfte er Sams Kleidung ab, bis er sein Handy fand und es ihm aus der Tasche zog.

Nachdem er das Telefon konfisziert hatte, packte er Sam am Hemdkragen, zerrte ihn hoch und schleifte ihn über den Boden, während Sams Füße erneut verzweifelt nach Halt suchten. An den Stufen zum Küchenbereich blieb Donovan stehen und stieß ihn hinunter.

Sam landete auf der Seite, kämpfte sich auf die Beine und entfernte sich rückwärts humpelnd von Donovan. Er wich zu der unverputzten Ziegelwand links hinter mir zurück.

Aus dem Augenwinkel heraus sah ich ihn mit einer Hand auf der Brust schwer atmen, während er mit der anderen Hand vorsichtig seinen Hals berührte, die Schrammen und Blessuren in seinem Gesicht abtastete, während er Donovan mit angsterfüllten Augen musterte.

Donovan erwiderte seinen Blick völlig ungerührt, presste sich abermals die Hand an den Bauch und kämpfte sich die Stufen hinunter. Er ging zur anderen Seite der Kücheninsel und öffnete die Klappe der Mikrowelle. Ich sah mein Handy darin liegen und ein zweites, das vermutlich Bethany gehörte.

Die Plastikgehäuse beider Telefone waren verformt und voller Blasen. Ein grauenvoller Geruch nach verbrannten Chemikalien wehte mich an.

Donovan warf Sams Handy zu den anderen, rammte die Tür zu und drückte auf verschiedene Knöpfe am Bedienfeld. Es piepste und plingte, und als er eine letzte Taste betätigte, erwachte die Mikrowelle surrend zum Leben.

Seine Züge waren schmerzverzerrt, als er das Gesicht wieder uns zuwandte. Die Handys in der Mikrowelle hinter ihm sprühten Funken und verschmorten.

Es zischte und knallte. Ein Rauchfähnchen stieg auf.

»Ein kleiner Ratschlag.« Er sprach gepresst, die Zähne vor

Schmerz aufeinandergebissen. »Ein Handy nie länger als eine Minute erhitzen. Normalerweise reichen zehn Sekunden, damit kein Signal mehr durchkommt. Wir wollen hier ja schließlich keinen Brand verursachen, richtig?«

Die Mikrowelle gab ein letztes *Pling* von sich, dann wurde es dunkel im Inneren, abgesehen von einem kurzen bläulichen Knistern.

Als Nächstes riss Donovan eine Schublade an der Kücheninsel auf, direkt gegenüber von mir.

Es klirrte und klapperte, dann brachte er ein großes Hackmesser zum Vorschein und legte es auf die Arbeitsplatte. Es hatte einen kurzen gummierten Griff und eine große, rechteckige Schneide. Bei uns in der Küche kam es nur selten zum Einsatz, deshalb lag es tief in dieser Schublade vergraben, in der sich auch das Klebeband befunden hatte. Sam hatte dieses Messer vor einigen Monaten aus einer Laune heraus bei einem Shoppingtrip erstanden. Er hatte zwei, drei Fleischgerichte damit zubereitet, seither lag es unbenutzt in der Schublade.

Bis jetzt.

Ich versuchte, mir meine Angst nicht anmerken zu lassen, womit ich allerdings ernstliche Schwierigkeiten hatte, wusste ich doch, wie höllisch scharf diese Klinge war. Und so wie Donovan die Klinge ins Licht neigte und sie mit einem kurzen, anerkennenden Blick musterte, wusste er das auch.

Verstohlen musterte ich ihn.

Ich hatte keine Vorstellung, wie viel Blut er bereits verloren hatte, er schien jedoch in keiner guten Verfassung zu sein. Er wirkte ausgezehrt und kränklich, sein Gesicht war blutleer und hohläugig, Blut sickerte durch das Geschirrtuch, das er sich mit Klebeband seitlich an den Bauch befestigt hatte, und tropfte auf den Boden. Aber er schien nicht daran zu denken, aufzugeben oder uns laufen zu lassen.

Ganz vorsichtig löste ich meine Hände von der Arbeitsplatte und legte sie auf meinem Schoß ineinander, die Handflächen nach oben.

Ich hörte Sam neben mir etwas murmeln, das wie ein Gebet klang. Er ließ sich gegen die nackte Backsteinwand hinter ihm fallen. Sein Hemd war aus dem Hosenbund gerutscht, einige Knöpfe hatten sich gelöst. Die schmale Chino war ihm über die Hüfte ein Stück nach unten gerutscht, sodass der Bund seiner Boxershorts zu sehen war. Sein Haar lag platt an seinem Kopf an, nur einige Büschel standen nach oben, auf seinen Lippen glänzte Speichel.

»Warum sind Sie hier?«, fragte er an Donovan gewandt. »Was wollen Sie?«

Donovan antwortete nicht. Er nahm einfach nur das Hackmesser zur Hand und zog eine Grimasse, als ihn eine neue Woge des Schmerzes erfasste und er noch einmal die Wunde an seinem Bauch inspizierte.

»Sie hätten mich nicht gleich abstechen müssen, Lucy. Das tut wirklich verdammt weh.«

Offenbar nicht genug.

Ich warf einen verstohlenen Blick zur Haustür und lauschte auf etwaige Sirenen, die sich näherten, auf das Quietschen von Bremsen, das dumpfe Schlagen von Fahrzeugtüren.

»Was werden Sie tun, wenn die Polizei hier eintrifft?«, fragte ich ihn.

Donovan hielt inne und musterte mich mit geheuchelter Verwunderung. »Sam?« Er fuchtelte mit der Klinge in Richtung meines Mannes. »Wollen Sie es ihr erklären oder soll ich das übernehmen?«

78

Sam reagierte nicht sofort, immerhin stand er unter Schock und war verängstigt, und ich nahm aber auch an, dass er befürchtete, Donovan könnte durchdrehen und mit dem Messer auf uns beide losgehen, falls er ihm sagte, dass die Polizei unterwegs war.

Vielleicht glaubte er, dass die Beamten besser mit der Situation umzugehen wüssten, sobald sie hier eintrafen, und dass er es deshalb besser hinauszögerte. Oder er versuchte, Donovan zu beobachten, um ihn besser einzuschätzen und zu verstehen. Sams Verstand arbeitete eher analytisch und er hatte Erfahrung im Umgang mit Menschen, die unter Ängsten und Wahnvorstellungen litten. Ich wusste, dass er sich bereits öfter mit Leuten in einem Raum aufgehalten hatte, die unberechenbar und gefährlich gewesen waren.

Doch jetzt wünschte ich mir nichts mehr, als dass er etwas sagte und mir den Rücken stärkte.

»Sam?«

Hinter seinen Augen flackerte etwas auf. Etwas, das ich nicht einzuordnen wusste.

»Sam?«

Er schluckte und sagte dann heiser: »Es tut mir leid, Lucy.«

Ich starrte ihn an. Tief in mir baute sich ein Grollen auf. Ein warnendes Beben, wie von einer düsteren Vorahnung.

Ich hatte mich nicht bewegt. Mein Hocker hatte sich nicht bewegt. Das wusste ich mit absoluter Gewissheit. Aber für einen irrwitzigen Moment fühlte es sich so an, als geriete der Stuhl gefährlich ins Wanken.

»Sam?«

»Scheiße. Oh, Scheiße.« Er raufte sich die Haare, fuhr sich mit beiden Händen übers Gesicht. »Ich ... ich hab's vermasselt. Ich habe nicht angerufen. Ich dachte ...«

Er verstummte. Aber es war auch gar nicht nötig, dass er weitersprach. Er hatte die Situation falsch interpretiert und einen Fehler gemacht, der uns das Leben kosten konnte.

»Na ja, so, wie du dich in letzter Zeit verhalten hast, deine Panikattacken und deine ständige Sorge wegen der Hausbesichtigungen ... du weißt doch selbst am besten, wie sehr du dich in so was reinsteigern kannst und ...«

Ich antwortete nicht, sagte keinen Ton.

Im Geiste kehrte ich zurück zu dem Anruf, den Sam draußen vor dem Haus getätigt hatte. Ich dachte daran zurück, wie er sich einige Schritte von mir entfernt hatte, während ich vornübergebeugt dastand und mich an den Gitterstäben festklammerte. Er hatte nur so getan, als würde er telefonieren.

Ich dachte daran zurück, wie Sam vor mir ins Haus geschlichen war und ich mich von hinten an ihm festgeklammert hatte, wie er den verschobenen Couchtisch und die zerbrochene Vase und das Blut begutachtet hatte und wie er mich dann noch einmal gefragt hatte, wie ich mir die Kopfverletzung zugezogen hatte.

Er hat dir nicht geglaubt. Diese Erkenntnis warf mich komplett aus der Bahn.

»Wir sind auf uns allein gestellt?« Ich hatte immer noch Mühe, die Situation restlos zu begreifen. »Es wird also niemand kommen?«

»Nun, das trifft es nicht ganz«, sagte Donovan.

Er wechselte das Hackmesser in die andere Hand und fischte

sein Telefon aus der Hosentasche. Nach einem kurzen Blick aufs Display stieß er einen kurzen, zufriedenen Laut aus.

»Wovon reden Sie?«, wollte Sam wissen.

»Es geht um das, weshalb ich hier bin«, gab Donovan zurück. »Und warum *Sie* hier sind, Sam. Und warum auch *Louise* hier ist.«

79

Schwer zu sagen, ob Donovan sich darüber im Klaren war, dass er mich beim falschen Namen genannt hatte. Es kam mir vor wie ein unbewusster Versprecher, vielleicht verursacht durch den starken Blutverlust und die heftigen Schmerzen. Louise statt Lucy. Vielleicht war seine Konzentration beeinträchtigt.

Als er nichts weiter sagte, als er seine Aufmerksamkeit wieder auf mich richtete und zweifellos eine Reaktion meinerseits abwartete, sickerte allmählich die Erkenntnis zu mir durch, dass er es mit voller Absicht getan hatte. Ganz gezielt.

»So heiße ich nicht«, erklärte ich.

Er starrte mich nur an und wischte sich mit der Daumenkuppe den Schweiß von der Oberlippe.

»Sie sagten *Louise.*«

Wieder keine Reaktion.

»Mein Name ist *Lucy.*«

Ich vernahm ein gedämpftes Ticken, das von der Wanduhr über Sam kam, aber genauso gut nur in meinem Kopf hätte existieren können.

Verwirrt spähte ich zu Sam. Er stand gegen die Wand gelehnt da, sein ganzer Körper unter Anspannung, das Gesicht kreidebleich, die Augen riesig und mit einem furchtsamen Ausdruck.

Kopfschüttelnd sah er mich an. Wir spürten beide, dass wir es hier mit einem Menschen zu tun hatten, dessen Verhalten immer unberechenbarer und absurder wurde. Sam konnte das sicher sehr viel besser beurteilen als ich, aber ich konnte mir gut vorstellen, dass Donovan so etwas wie einen psychotischen Schub durchmachte. Doch dann kam mir noch eine weitere mögliche Erklärung in den Sinn. Eine, die im Grunde klar auf der Hand lag.

»Sie haben die falsche Person.«

Je länger ich darüber nachdachte, desto logischer erschien es mir. Die Bluttests. Die DNA-Analyse. Er hatte davon gesprochen, sich so vergewissern zu wollen, dass ich die Person war, nach der er gesucht hatte, was implizierte, dass durchaus Zweifel bestanden. Es bedeutete, dass er sich darüber im Klaren war, dass er einen Fehler begangen haben könnte.

»Sie haben die falsche Person. Das falsche Haus. Alles falsch. Sie sind auf der falschen Fährte.«

Donovan betrachtete mich einen langen Augenblick, das Kinn leicht angehoben und mit zuckenden Nasenflügeln, als würde er erst jetzt den unangenehmen Geruch unserer Handys aus der Mikrowelle wahrnehmen.

»Sie fürchten sich vor dem Keller?«, fragte er mich.

Nicht das schon wieder.

Ich streckte eine Hand nach Sam aus und er ergriff sie.

»Sie leidet an Klaustrophobie«, erklärte Sam und drückte liebevoll meine Hand.

»Und da sind Sie sich ganz sicher?«, hakte Donovan nach.

»Ja, natürlich.«

»Weil Sie ein Experte auf diesem Gebiet sind, stimmt's? Ich habe einige Ihrer Arbeiten gelesen, Sam. Ihre wissenschaftlichen Abhandlungen.«

Noch einmal drückte Sam meine Hand. »Soll mich das jetzt einschüchtern?«

»Nein.« Er sah Sam fest an. »Aber ich müsste lügen, wenn ich behauptete, dass ich Ihnen Ihre Angst nicht ansehen würde.

Also, in einem Ihrer Aufsätze ging es darum, dass es für einige Phobien ganz simple Auslöser gibt, während sie bei anderen komplexer sind. Ich gebe das nur mit meinen eigenen Worten wieder, doch ich glaube, der Punkt, auf den Sie hinauswollten, ist der, dass es eine ganze Reihe von Ursachen geben kann, eine kunterbunte Mischung sozusagen. Ein Erlebnis aus der Kindheit, das von einer weiteren traumatischen Erfahrung überlagert wird, zum Beispiel. Oder diverse Traumata, die in Schichten übereinanderliegen. Dies kann dazu führen, dass das Gesamtbild unklar wird. Weil die zugrundeliegenden Ursachen durcheinandergeraten.«

»Das kann passieren, ja.«

»Interessant.« Donovan richtete seine Aufmerksamkeit wieder auf mich. »Im Badezimmer, das ans Schlafzimmer grenzt, habe ich einen Blick in Ihren Medikamentenschrank geworfen. Sie haben da sehr viele Arzneien.«

Ich starrte ihn wütend an, wusste nicht, worauf er hinauswollte.

»Gegen Ihre Ängste?«, fragte er mich.

»Das geht Sie nichts an.«

»Verschrieben von Ihrem Hausarzt?«

Ich sagte nichts.

»Holen Sie die Medikamente selbst ab?«

Sam übernahm das normalerweise. Gleich in der Nähe der Universität gab es eine Apotheke, da bot es sich an, dass er sie besorgte. Aber das würde ich Donovan garantiert nicht auf die Nase binden.

»Und was geschieht jetzt?«, erkundigte sich Sam.

»Hm?«

»Ich fragte, was geschieht jetzt? Was wollen Sie von uns?«

»Jetzt?« Wieder sah er mich prüfend an. »Jetzt bitten wir Louise, uns endlich die Wahrheit zu sagen.«

80

Das Herz sackte mir weg. Er schien sich nicht von seiner Überzeugung abbringen zu lassen, ich sei die Person, nach der er suchte. Ich hatte Angst, dass es für uns keinen Ausweg mehr gab. Auf die Polizei würden wir vergeblich warten. Sam hatte nicht angerufen. Ich war stinksauer auf ihn, weil er mich angelogen hatte. Und zutiefst verletzt. Warum hatte er mir nicht vertraut?

Natürlich wusste ich selbst, dass meine Ängste in letzter Zeit ganz neue Dimensionen angenommen hatten, ich hatte es nicht mehr im Griff, trotz Sams Beistand und Unterstützung, und ja, auch trotz der Medikamente, die ich regelmäßig einnahm. Aber mir war nicht klar gewesen, wie besorgt Sam gewesen sein musste. Mir war nicht bewusst gewesen, dass mein Zustand *derart* außer Kontrolle geraten war.

Der einzige Mensch außerhalb dieses Hauses, der von Donovan wusste, war John, aber Johns Verstand war wirr und unzuverlässig. Sicher, er war aufgebracht gewesen, als er während meiner Auseinandersetzung mit Donovan das Wohnzimmer verlassen hatte, aber der Gedanke, er könnte jemanden alarmieren, jetzt, wo wir wieder fort waren, war wirklich weit hergeholt.

Alles hängt von dir ab. Du musst dir was überlegen. Aus diesem Horror musst du dich selbst befreien.

»Oliver Downing«, sagte Donovan.

»Wer?«

Er ließ ein Knurren tief in seiner Kehle vernehmen und schüttelte den Kopf. Sein ganzes Gebaren wies darauf hin, wie sehr es in ihm brodelte.

»Sie merken doch selbst, dass wir keine Ahnung haben, wer das sein soll«, erklärte Sam ihm.

»DNA«, gab Donovan zurück.

»Entschuldigung?«

Er verzog gereizt das Gesicht. Für einen kurzen Moment betrachtete er den behelfsmäßigen Verband, mit dem er seine Wunde versorgt hatte. Ihm war deutlich anzumerken, dass ihn das viele Blut, das er verlor, beunruhigte. Ich fragte mich, ob er deshalb vielleicht überstürzte Entscheidungen traf.

»Ich habe eine DNA-Probe genommen«, sagte er. »Bei Louise. Die Nachricht, die ich soeben erhalten habe, war ein erster Zwischenbericht aus dem von mir beauftragten Labor. Es sollte nicht mehr allzu lange dauern, bis ich die vorläufigen Ergebnisse bekomme. Ein etwas kurzfristiger Auftrag, das gebe ich zu. Nichts, was vor Gericht Bestand hätte. Aber es wird reichen, um mir Gewissheit zu geben, ob es eine Übereinstimmung mit der am Tatort gefundenen DNA gibt.«

»Tatort?«, hakte ich verwundert nach.

»Der Schauplatz des Verbrechens. Oben auf dem Dach.« Sein Blick war bitter, die Stimme angespannt. Es war nicht zu übersehen, wie nahe ihm das ging. Nur konnte ich mir nicht erklären, was das alles mit mir zu tun haben sollte.

»Ist jemand hinuntergestürzt?«, fragte Sam.

»Ja, Oliver.«

»Und Sie glauben, Lucy hat etwas damit zu tun?«

»Louise. Ja, so ist es.«

»Wie kommen Sie darauf?«

»Weil es mir im Blut liegt, solche Dinge herauszufinden, Sam. Wegen meines Berufs. Ich bin Geheimdienstoffizier bei der Britischen Armee. Gerade bin ich von einer längeren Stationierung in Übersee zurück. Mein Talent liegt darin, Informationen zu bekommen. In der Regel sind das Informationen, von denen andere nicht wollen, dass ich sie habe. Laienhaft ausgedrückt könnte man sagen, ich bin so etwas wie ein Ermittler. Ein Sonderermittler. Und wie jeder Ermittler gehe ich Hinweisen nach. In diesem Fall liefen sämtliche Fäden an einem Ort zusammen. Sie führten hierher. Zu Louise.«

Ich warf Sam einen Blick zu. Er schien genauso ratlos wie ich.

Geheimdienstoffizier. War das sein Ernst? Ich ging Donovans Verhalten seit seiner Ankunft in unserem Haus noch einmal durch, dachte über das nach, was er über sein Benehmen gesagt hatte. Gelegentlich war er grob geworden, ja, er war sogar richtig Furcht einflößend, aber hatte ich nicht zwischendurch auch den Eindruck gewonnen, er verhielte sich sehr kontrolliert, als folgte er einer Art innerem Regelwerk oder Kodex?

Ob das vielleicht daran lag, dass er eine militärische Ausbildung genossen hatte? Das würde auch erklären, wie es ihm so mühelos gelingen konnte, Bethany zu überwältigen und zu betäuben, und warum er auch mich problemlos entwaffnet hatte, als ich mit dem Schlüsselbund auf ihn losging. Und es würde den Würgegriff erklären, in den er Sam genommen hatte. Aber was konnte das alles mit uns zu tun haben?

»Sie müssen mir zuhören«, sagte ich ganz langsam. »Wenn dieser Mann …«

»Oliver.«

»Wenn er wirklich gestürzt ist, dann hatte das nichts mit mir zu tun.«

»Die Untersuchung Ihrer DNA wird zu einem anderen Ergebnis führen.«

Allmählich kam mir der Verdacht, dass es sinnlos war, ihm

mit Vernunft beikommen zu wollen. Sicher war es besser, wenn ich mich auf andere Dinge konzentrierte. Zum Beispiel auf das Messer, das er aus der Schublade geholt hatte. Das lag nach wie vor auf dem Küchentresen, er hatte seine rechte Hand nur locker darauf liegen, ohne es richtig festzuhalten.

Momentan schien er mehr mit der Wunde beschäftigt, die ich ihm zugefügt hatte. Gerade presste er die andere Hand darauf und saugte mit schmerzverzerrtem Gesicht die Luft ein, fluchte leise vor sich hin.

Wir waren nur drei Meter auseinander.

Ich hatte meinen Fuß auf der metallenen Querstrebe am unteren Ende des Hockers abgestellt, auf dem ich saß, schielte auf das Messer und schob die Zehen nach unten, übte Druck auf meinen Fußballen aus.

»Die Probe befand sich übrigens unter seinen Fingernägeln«, sagte Donovan, schloss die Hand um den Messergriff und zog es über die Arbeitsplatte zu sich. »Nur Spuren, aber ausreichend. Alles deutet darauf hin, dass er die Person, die ihn angegriffen hat, gekratzt hat, und zwar fest. Als sie ihn gestoßen hat. Kurz bevor er starb.«

Etwas in mir krampfte sich zusammen. Ich spürte, wie die Narbe an meinem Arm unvermittelt prickelte. Natürlich wusste ich, dass er sie nicht sehen konnte. Nicht jetzt in diesem Moment. Aber sicher war sie ihm vorhin aufgefallen, als er mir den Pulloverärmel hochgerollt und mir die Nadel gesetzt hatte. Und so, wie er mich jetzt anstarrte, begriff ich, dass er mir genau das zwischen den Zeilen mitteilen wollte.

»Er ist tot?«, hakte ich nach.

»Ja.«

»Ich hatte nichts damit zu tun«, versicherte ich ihm.

»Wenn das, was Sie da behaupten, wahr wäre, hätte die Polizei doch längst in der Sache ermittelt«, wandte Sam ein.

»Oh, Sie haben recht, das hat sie auch.«

»Ach ja? Und?«

»Und nichts. Oliver ging wohl mit einer unbekannten Frau nach oben. Das haben Zeugen bestätigt. Die Polizei hatte eine Personenbeschreibung, doch niemand wusste, wer sie war. Es war eine große Party. Da waren sehr viele Leute.«

Meine Überzeugung erhielt einen Dämpfer.

Eine große Party. Viele Leute.

Ein unbehagliches Gefühl wühlte in mir. Die Narbe an meinem Unterarm schien sich zusammenzuziehen. Ich musste an meine Gedächtnislücken denken. An die vielen Leerstellen.

Eines Tages fällt dir alles wieder ein.

Aber ich erinnerte mich an kein Dach. Alles, was ich noch im Bewusstsein hatte, und das auch nur schemenhaft, waren die Musik und die Lichter und der Angriff auf mich im Badezimmer.

Und das ist dein Arm. Die Narbe, für die du keine Erklärung hast.

Und dann hatte ich eine plötzliche Eingebung.

»Wie sah er aus?«, fragte ich. »Dieser Oliver?«

Donovan dachte über die Frage nach. Er ließ sich reichlich Zeit damit, wobei er die Spitze des Messers auf den Tresen stellte und den Griff versonnen hin und her drehte. Dann brummte er kurz, langte nach seinem Handy und tippte ein paarmal mit dem Daumen darauf. Er scrollte eine Weile und tippte erneut.

Er drehte es herum, damit ich das Display sehen konnte, genau wie schon einmal, als er mir das Foto gezeigt hatte, das er oben im Schlafzimmer von mir gemacht hatte.

Nur dass das Display diesmal voller Blut war und er mir eine andere Aufnahme zeigte.

Ich starrte auf das Bild eines gut aussehenden jungen Mannes in Outdoor-Kleidung. Seine Haare waren windzerzaust. Seine Wangen gerötet. Lächelnd stand er vor einer weiten Moorlandschaft. Ich gewann den Eindruck, dass das Foto bei einer Wanderung aufgenommen worden war.

Sein Anblick verstärkte das ungute Gefühl in meinen Eingeweiden. Ich erkannte ihn nicht, hatte allerdings eine Ahnung. Eine Regung. Das unbestimmte Gefühl, dass da irgendeine Verbindung bestand. In meinem Kopf baute sich eine neue Art von Druck auf, wie bei einer beginnenden Migräne. Da war ein sonderbares Prickeln auf meiner Haut. Und dann nahm ich einen grellen Blitz hinter meinen Augen wahr. Ein Stechen, blendend hell. Und … *noch* etwas.

»Was ist los?«, fragte Donovan. »Was ist mit Ihnen?«

Ich stöhnte auf. Presste die Handwurzel gegen meine Schläfe. Ich wollte nicht wieder einen Komplettausfall erleben. Das durfte ich auf keinen Fall zulassen.

Gleichzeitig spürte ich, dass ich dicht davor war, eine Erinnerung auszugraben.

»Sprechen Sie mit mir!«, forderte Donovan mich auf.

Ich fletschte die Zähne und sah noch einmal aus zusammengekniffenen Augen auf das Foto. Der Mann auf dem Bild – Oliver – sah hochgewachsen und muskulös aus, genau wie die verschwommene, dunkle Gestalt, die über mich hergefallen war.

Mein Angreifer mit der metallisch rauen Stimme. *»Ich habe dich beobachtet.«*

Wieder ein schmerzhafter Stich. Vor meinem inneren Auge nahm ich unscharf und verschwommen ein Gesicht wahr, eine Bewegung von jemandem, der mich bedrängte. War es möglich, dass Oliver der Mann gewesen war, der mich in diesem Badezimmer überwältigt hatte?

»Louise?«

Ich zuckte zusammen. Falls es *wirklich* Oliver gewesen war, dann würde das auch noch etwas anderes erklären. Der Überfall war zum Teil auch deshalb so erschreckend gewesen, weil er aus dem Nichts gekommen war. Es hatte keinen erkennbaren Grund dafür gegeben. Was aber, wenn diese Grundlosigkeit der Tatsache geschuldet war, dass mein Angreifer nicht ganz zurechnungsfähig gewesen war? Was, wenn sein Angriff auf mich nur die Vorstufe zu einer sehr viel fundamentaleren psychischen Krise gewesen war?

»Woher wollen Sie wissen, dass er gestoßen wurde?«, fragte ich.

Donovan versteifte sich. »Wollen Sie etwa andeuten, er könnte gesprungen sein?«

»Ja.«

»Zu diesem Schluss kam die Polizei auch. Oliver hatte so seine Probleme. Eine lange Vorgeschichte mit klinischen Depressionen. Deshalb entschied man letztlich, dass das Blut auch anderweitig unter seine Fingernägel gelangt sein konnte.«

Durch mich, ging es mir durch den Kopf. *Bei der Sache im Badezimmer.*

»Deshalb hat man aufgehört, nach Hinweisen zu suchen.« Er schob den Kiefer vor, steckte sein Handy weg und musterte mich eindringlich. Ich hörte auf, mir die Schläfe zu reiben, und ließ die Hand sinken. »Niemand hat die Sache richtig untersucht, bis ich von meiner Entsendung heimkehrte.« Er drehte die Messerklinge noch eine Weile auf der Granitplatte hin und her. »Aber ich bin ganz sicher, dass er nicht gesprungen ist. Ich weiß, dass er an seinen Problemen arbeitete. Und er hatte einiges, wofür es sich zu leben lohnte. Alles, was sich ein junger Mann nur wünschen konnte. Er war gerade erst in eine eigene Wohnung gezogen, zusammen mit seiner Schwester, die zufällig auch meine Schwester ist. Deshalb bin ich überzeugt, dass ihn jemand gestoßen haben muss. Oliver war mein kleiner Bruder.«

81

Weil ich das Gefühl hatte, die Situation wäre noch unberechenbarer geworden, jetzt, wo ich wusste, dass das Ganze für Donovan eine sehr persönliche Angelegenheit war, schob ich mich von meinem Hocker. Vielleicht legte mir aber auch irgendein Instinkt nahe, dass ich an der ganzen Dynamik zwischen uns etwas ändern, seine Aufmerksamkeit auf etwas anderes lenken musste, was ich unabsichtlich tat, indem ich versehentlich den Hocker fast umstieß und mit einem Bein wegknickte und hingefallen wäre, hätte Sam mich nicht im letzten Moment am Arm gepackt, wobei er gleichzeitig den kippenden Hocker auffing.

»Setzen Sie sich wieder hin«, befahl Donovan.

Ich protestierte nicht, kam seiner Aufforderung allerdings auch nicht nach, befreite mich stattdessen aus Sams Griff und streckte die Hand nach der Arbeitsfläche aus. Ich klammerte mich an der Kante fest und hangelte mich daran entlang, weg vom Ende der Kücheninsel, von dem aus Donovan mich im Auge behielt.

Mein Kopf lastete schwer auf meinen Schultern, meine Schläfen pochten. Ich fühlte mich krank und mir war heiß.

Die Wohnung. Die Party. Die Wunde an meinem Arm. Das alles ergab Sinn und irgendwie auch wieder nicht.

Ich versuchte, mich zu konzentrieren. Versuchte, gegen die Blockade in meinem Hirn anzukämpfen und mich klar und deutlich an das zu erinnern, was mir zugestoßen war.

Vergebens.

Die Blockade ließ sich nicht durchbrechen. Sie war wie eine elastische weiße Folie vor meinem inneren Auge. Durchscheinend, mit einem schattenhaften Schemen, der sich dahinter bewegte. Ich konnte mit dem Finger gegen diese Folie drücken, aber sie dehnte sich jedes Mal nur und hielt dem Druck stand, ohne zu reißen. Es war unmöglich, zu sehen, was sich dahinter verbarg.

Eines Tages reißt diese Folie vielleicht einfach. Zumindest hatte Sam es mir so erklärt.

Ich glaubte, in meinem Schädel ein irres Surren zu hören. Ein Dröhnen wie von der Trommel eines Wäschetrockners, die sich völlig unkontrolliert drehte.

Oliver. Oliver Downing.

Ich sagte mir den Namen gedanklich wieder und wieder vor, es machte jedoch keinen Unterschied. Bei dem Namen klingelte einfach nichts. Ich bewegte mich weiter am Tresen entlang, setzte eine Hand vor die andere und hangelte mich auf diese Weise rückwärts, vorbei am nächsten Hocker.

Ich näherte mich dem Ende der Kücheninsel. Und damit der Glastür in meinem Rücken und dem dahinterliegenden Garten.

Als ich allerdings einen schnellen Blick zur Tür warf, sah ich etwas, das mir das Blut in den Adern gefrieren ließ und ich spürte, wie mein Herz panisch anfing zu wummern.

Der Schlüssel, der vorhin noch im Schloss gesteckt hatte, war weg. Offenbar hatte Donovan ihn ebenfalls abgezogen.

Ich hatte also keine Möglichkeit mehr, einfach raus in den Garten zu stürmen und aus Leibeskräften um Hilfe zu rufen.

Und selbst wenn ich rauskäme, gäbe es kein Entrinnen. Die metallenen Zaunelemente, die wir oben auf der Mauer montiert hatten, waren zu hoch.

»Wissen Sie«, Donovan richtete seine Aufmerksamkeit auf

Sam, »mein Bruder hat an der LSE studiert, allerdings Wirtschaft, nicht Psychologie. Haben Sie ihn je getroffen?«

»Nein, ich denke nicht.«

»Ich dachte nur. Weil er nämlich, wie bereits erwähnt, so seine Probleme hatte. Das hat mich ins Grübeln gebracht: An wen könnte Oli sich gewandt haben, als er Hilfe brauchte? Und dann bin ich auf Ihre Selbsthilfegruppen aufmerksam geworden. Ich habe Ihnen sogar extra eine E-Mail geschickt deswegen. Vielleicht haben Sie sie ja gelesen?«

»Es gibt verbindliche Datenschutzbestimmungen, an die wir uns halten müssen.«

»So ungefähr stand es in der Antwort, die ich auf meine Nachricht hin erhielt. Sie kam von einer Verwaltungskraft aus Ihrem Fachbereich. Ich habe versucht, am Telefon mit ihr zu reden, ihr meine Situation zu erklären, habe sie sogar persönlich aufgesucht. Sie hat mir erklärt, dass jede Person, die an Ihren Selbsthilfegruppen teilnimmt, eine Einverständniserklärung unterzeichnen muss, aber sie wollte sie mich nicht einsehen lassen. Aber ich bin bekannt für meine Hartnäckigkeit, und so habe ich gewartet, bis eine Ihrer Gruppensitzungen zu Ende war. Ich hatte überlegt, Sie direkt anzusprechen, aber nicht gleich beim ersten Mal. Stattdessen habe ich Sie beobachtet, bin Ihnen nach Hause gefolgt. Aus keinem bestimmten Grund, einfach nur aus reiner Gewohnheit. Ich bin es gewohnt, Informationen zu sammeln. Der Großteil ist in der Regel reine Zeitverschwendung. Das Erste, was mir auffiel, war, dass Ihr Haus zum Verkauf stand. Und die zweite Erkenntnis war, dass Sie darin nicht alleine lebten.«

Er ließ die rechte Hand in der Hüfttasche seiner Hose verschwinden und zog etwas heraus, das wie ein zerknülltes Stück Papier aussah. Es war hellblau mit glänzender Beschichtung. Etwa auf die Größe einer Kreditkarte zusammengefaltet.

Er warf es mir zu.

Das Papier segelte durch die Luft, landete auf der Arbeitsplatte und schlitterte in meine Richtung.

»Was ist das?«

»Sehen Sie selbst.«

Ich wechselte einen Blick mit Sam.

Er hielt immer noch den Hocker fest, wirkte abwesend, fast, als hätte er vergessen, dass er ihn aufgefangen hatte. Ich bemerkte eine tiefe Furche zwischen seinen Augenbrauen. Ein beunruhigtes Flackern lag in seinem Blick.

Ich griff nach dem Stück Papier und entfaltete es mit zitternden Händen.

»Das fand man in Olivers Zimmer«, erklärte Donovan mir. »Nach seinem Tod hat man seine Sachen in Kisten gepackt. Ich war der Erste, der sie sich näher angesehen hat.«

Es war der Flyer einer Agentur. Das Papier war von hoher Qualität, die Schrift einfach, aber elegant.

Der Zettel war so oft gefaltet worden, dass sich Risse gebildet hatten. Die Ränder waren abgegriffen und zerfranst.

Louise Patton
Interior Design
Haus- und Wohnraumgestaltung

Auf der Vorderseite war ein Foto abgebildet … von *mir*.

Eine Porträtaufnahme. Nur dass ich komplett anders aussah. Meine Haare waren lang und zu einem Pferdeschwanz hochgebunden. Ich trug eine Art Businessblazer und eine Bluse, dazu ein strahlendes, selbstbewusstes Lächeln im Gesicht.

»Ich verstehe nicht.«

»Was ist das?«, fragte Sam.

Ich hielt den Flyer zwischen Zeigefinger und Daumen hoch

und zeigte ihn Sam. Auf der Vorderseite standen die Adresse einer Website und eine Telefonnummer unter dem Bild.

Die Rückseite war leer.

»Haben Sie den entworfen?«, fragte ich Donovan.

Er musterte mich wortlos. Seine Lippen waren schmal geworden. Ich konnte nicht sagen, ob er sich konzentrierte oder eine neuerliche Schmerzattacke unterdrückte.

»Soll mich das hier von irgendetwas überzeugen?«, fuhr ich fort. »Das tut es nämlich nicht.«

»Die URL für diese Website funktioniert nicht mehr«, erklärte Donovan. »Und auch die Mobilfunknummer ist nicht mehr aktiv.«

Sam bewegte sich ein Stück nach rechts auf Donovan zu, der sofort sein Messer hochhob und die Spitze auf ihn richtete, wobei er die Klinge hin und her drehte.

»Wie wäre es, wenn Sie den Hocker abstellen, Sam?«

Sam sah verdutzt auf den Hocker und stellte ihn langsam ab, hob die Hände zu einer kapitulierenden Geste.

Donovan wandte sich mir wieder zu und malte mit der Messerspitze kleine Kreise in die Luft.

»Ich habe ein wenig nachgeforscht zu Louise Patton. Habe auch mit einigen ihrer früheren Klientinnen und Klienten gesprochen. Eine dieser Kundinnen war erfreut, von mir zu hören, allerdings schwang auch eine Portion Frust mit, als wir uns unterhielten. Sie erzählte mir, Louise Patton habe gerade einen Auftrag von ihr übernommen, als sie plötzlich nicht mehr auf ihre Nachrichten reagierte. Schließlich habe sie es aufgegeben und eine andere Agentur für den Job angeheuert.«

»Die Karte ist nicht von mir«, sagte ich. »Ich habe keinen Schimmer, wie Sie zu diesem Flyer gekommen sind. Ich habe ihn noch nie gesehen.«

»Diese Klientin hat mir auch erzählt, sie habe sogar versucht, Louise über ihren Arbeitgeber ausfindig zu machen. Sie meinte, sie habe zu der Zeit halbtags in einem Möbelgeschäft auf der Tottenham Court Road gearbeitet.«

Dazu sagte ich nichts. Es ergab einfach keinen Sinn.

»Ich bin mit diesem Flyer zu dem Möbelgeschäft gegangen«, fuhr er fort. »Habe ihn der Geschäftsführerin gezeigt. Sie hat bestätigt, dass Sie dort gearbeitet haben. Aber sie meinte, Sie hätten gekündigt. Per SMS. Sie meinte, sie hätte versucht, Sie zu kontaktieren, hätte auch eine Sprachnachricht hinterlassen. Auf die habe sie jedoch nie eine Antwort erhalten. Sie hatte wohl schon öfter Angestellte, die sie so eiskalt abserviert haben. Manche Menschen sind komisch, wenn es ums Kündigen geht.«

Ich schüttelte den Kopf.

Ich gab meinen Job auf, als ich mit Sam zusammenzog, aber ich hatte damals mit Corrine, meiner Vorgesetzten, gesprochen. Sie hatte mir sogar alles Gute gewünscht und mir erklärt, ich sei jederzeit willkommen und könne zurückkommen, falls ich es mir anders überlegte.

»Fragen Sie mich doch mal, wann diese Textnachricht verschickt wurde«, sagte Donovan.

Wieder warf ich einen verstohlenen Blick zu Sam, in dessen Gesicht ich nicht nur Sorge sah, sondern auch Nervosität.

»Nein?«, sagte Donovan. »Ich sage es Ihnen trotzdem. Sie wurde genau einen Tag nach dem Tod meines Bruders verschickt. Einen Tag, nachdem man ihn von diesem Dach gestoßen hat.«

82

Ich ließ den Flyer auf die Arbeitsplatte fallen und zog mich noch weiter um das Ende der Kücheninsel herum zurück.

Ich verstand das alles nicht. Keine Ahnung, was er damit zu erreichen hoffte.

»Lucy?«, sagte Sam mit fragendem Unterton und Verunsicherung in der Stimme. »Was hat das zu bedeuten?« Er hob die Hand und griff in seine Haare. »Was passiert hier?«

»Das ist nur ein Trick«, versicherte ich ihm. »Alles gelogen.« Wütend starrte ich Donovan an, ignorierte den Flyer, musterte ihn herausfordernd und wartete ab, was er noch zu sagen hatte.

»Louise.« Donovan fixierte mich mit festem Blick. »Ihr Name ist Louise.«

Ich hatte Tränen in den Augen. Das Dröhnen in meinem Schädel wurde lauter, beharrlicher. Die Art, wie Donovan mich ansah, gefiel mir nicht.

»Sam, er lügt.«

Trotzdem schien wieder ein Stück von meinem Herzen abzubröckeln, als ich bemerkte, wie Sam mich ansah. Sein innerer Kampf war offensichtlich, er war verängstigt und nervös und hatte eindeutig Schwierigkeiten, mir zu vertrauen.

Wieder und wieder wanderte sein Blick zwischen Donovan und mir hin und her.

»Lucy?« Er verstummte und schloss für eine Sekunde die Augen, als könnte er selbst nicht glauben, was er gleich sagen würde. »Hör zu, wenn du mir etwas mitzuteilen hast, wenn da auch nur ein Fünkchen Wahrheit an alldem ist … Du lieber Himmel.« Er nahm die Hand wieder herunter, die er in seinen Haaren vergraben hatte, und legte sie sich in den Nacken. »Ich meine … Er hat ein Messer.«

Vier harmlose Worte, aber sie sagten so viel mehr aus, weil Sam mich nicht nur daran erinnerte, dass Donovan über eine Waffe verfügte. Er teilte mir auch mit, dass er nicht wollte, dass Donovan dieses Messer gegen mich oder gegen ihn selbst richtete. Und genau das war das eigentliche Problem, oder nicht?

Donovan hatte ein Messer und damit saß er am längeren Hebel. Er konnte über mich sagen, was er wollte, ganz egal, wie empörend es auch sein mochte … allein das Messer verlieh seinen Worten Glaubwürdigkeit.

In Sams Augen konnte mich dieses Messer jederzeit zu einer Lügnerin machen.

Einer Mörderin. Einer Betrügerin.

Aus diesem Grund griff ich nach unten, öffnete den Weinkühlschrank direkt vor mir und zog eine Flasche Weißwein heraus.

83

Ich hob die Weinflasche am Hals wie einen Schläger über meine Schulter und trat hinter der Kücheninsel hervor. Noch ein großer Schritt und ich stand Donovan gegenüber, nichts mehr zwischen uns als zwei, drei weitere Schritte.

»Ganz schlechte Idee«, sagte Donovan.

Vermutlich hatte er damit sogar recht.

Aber ich war am Ende meiner Kräfte und hatte schreckliche Angst.

Ich hielt das hier keine Sekunde länger aus.

»Stellen Sie die Flasche ab. Und dann denken Sie einen Augenblick über alles nach, was ich Ihnen gesagt habe. Denken Sie über Oli nach.«

Ich dachte nicht daran, die Flasche abzustellen. Und nachgedacht hatte ich in den letzten Stunden schon viel zu viel.

Winzige Wassertröpfchen bedeckten das grüne Glas der Flasche. Kühl und glatt lag sie in meiner Hand. Donovan musterte mich lang misstrauisch, dann hob er das Messer und richtete es auf mich. Er benutzte die rechte Hand, die linke hatte er sich an die Wunde gepresst.

»Wagen Sie es nicht«, warnte er mich.

Ein Zittern jagte durch mich hindurch. Ich fühlte mich erschöpft und ausgeliefert, als ob ich in einem Orkan gefangen wäre.

Die geöffnete Tür in den Keller befand sich jetzt direkt in meinem Rücken. Ich spürte die Dunkelheit von dort unten herausströmen, sie wand sich um meine Knöchel, zerrte mich mit sich.

Ich machte einen kleinen Schritt nach hinten.

»Lucy, pass auf«, warnte Sam mich. Seine Stimme klang angespannt und schrill. Er wirkte fast panisch.

Donovan drehte sich halb zu ihm und bewegte auch das Messer in seine Richtung. Missbilligend sah er ihn an.

Langsam streckte Sam die Hand nach dem Küchenhocker aus. Er schloss die Hände um die hölzerne Sitzfläche, hob ihn ein paar Zentimeter vom Boden hoch und hielt ihn vor sich, die Beine des Hockers auf Donovan gerichtet.

»Das mit Ihrem Bruder tut mir leid«, sagte ich. »Was ihm zugestoßen ist, ist bedauerlich. Aber Sie müssen jetzt unser Haus verlassen.«

Die Weinflasche war schwer, meinen Arm durchzuckte eine vibrierende Energie. Ich machte einen weiteren kleinen Schritt und sah, wie Donovan mich wieder ins Visier nahm und angestrengt fixierte, als blickte er durch dichten Nebel.

»Das geht nicht«, erklärte er mir bedächtig. Die Art, wie er mit mir sprach, ärgerte mich. Als wäre er von uns beiden der Ruhige und Vernünftige und ich diejenige, die ganz extrem überreagierte. »Ich gehe erst, wenn Sie gehen. Wir verlassen dieses Haus gemeinsam. Sie kommen mit mir.«

Warum das denn?, fragte ich mich. Und wohin? Außerdem würden die Nachbarn uns sehen, wenn er wirklich versuchen sollte, mich von hier wegzubringen. Selbst wenn er damit bis tief in die Nacht hinein wartete, ging er das Risiko ein, dass es Zeugen gab und man uns bemerkte. Und auf gar keinen Fall würde ich freiwillig mit ihm gehen. Nicht, wenn ich es verhindern konnte. Lieber nutzte ich die Chance, um zu schreien und zu protestieren.

Und was war mit Sam?

Ich gehe, wenn Sie gehen.

Hieß das, dass er ernsthaft glaubte, er könnte Sam einfach hier zurücklassen? Genau wie Bethany?

»Meine Mutter leidet«, erklärte er jetzt. »Immer wieder stellt sie sich die Frage, warum Oli gesprungen ist, was sie wohl falsch gemacht haben könnte, was ihr entgangen war. Es bringt sie fast um. Ich musste zusehen, wie sie sich immer mehr aus dem Leben zurückzog, wie zerbrechlich sie wurde. Oli war nicht das einzige Opfer der Ereignisse jener Nacht. Deshalb werden Sie mit mir kommen, werden ihr in die Augen sehen und Sie werden ihr die Wahrheit sagen. Das ist es, was ich will. Sie werden ihr die Antworten geben, die sie so dringend braucht.«

»Ich habe aber nicht die Antworten, die Sie hören wollen«, erklärte ich ihm.

»Oh doch, die haben Sie. Sie werden die Fragen beantworten. Wir besuchen sie.«

»Nein!«

Ich stürzte mich auf ihn, holte mit der Flasche aus, zielte auf sein Gesicht und warf.

Die Flasche schoss durch die Luft und drehte sich dabei um sich selbst.

Donovan zog den Kopf ein und tauchte nach hinten weg. Er stieß einen bellenden Laut aus.

Dann erfolgte der Aufprall. Scherben und Wein spritzten in alle Richtungen davon.

Ich hatte ihn verfehlt und die Dunstabzugshaube über dem Herd getroffen.

Der Wein ergoss sich über die Kochplatten. Glassplitter rieselten klirrend zu Boden.

Mit einem Schlag war mein Arm ganz leicht. Den Flaschenhals hielt ich immer noch umklammert, nur dass jetzt lediglich ein kurzes, unregelmäßig gezacktes Stück von der Flasche übrig war.

Ich starrte darauf.

Genau wie Donovan.

Ich bemerkte den verängstigten Ausdruck, der über sein Gesicht huschte. Wahrscheinlich musste er daran denken, wie ich ihm die Scherbe von diesem Krug in den Bauch gerammt hatte, vielleicht rechnete er sich auch schon aus, dass er mit seinen langen Armen und der Messerklinge sehr viel mehr bewirken konnte als ich mit dem abgebrochenen Stück Flasche.

»Nicht«, sagte er. »Sie machen einen großen Fehler. Sie müssen ...«

Ich schrie auf.

Donovans Kopf wurde zur Seite gerissen, seine Schultern und sein Oberkörper folgten keine Sekunde später. Es sah aus, als wäre er von einem heranrasenden Auto überrollt worden.

Ein kurzer Schrei. Ein lang gezogenes Brüllen.

Ich brauchte einen Moment, bis ich begriff, dass Sam losgestürmt war, den Küchenhocker vor sich hochhaltend wie einen Rammbock. Mit dessen Metallbeinen hatte er Donovan an Hals und Oberkörper erwischt.

Sam hörte nicht auf zu brüllen. Donovan stürzte nach hinten, krachte mit dem Oberkörper rücklings auf die Herdplatte, fixiert von den Stuhlbeinen, der Kopf gegen den gefliesten Spritzschutz gedrängt.

Eine der Querstreben aus Metall am Fußende des Hockers – die Fußraste – drückte gegen seine Kehle.

Sam brüllte noch lauter, aus tiefster Seele, wie in Todesangst, und drückte mit roher Gewalt zu.

Donovan stieß erstickte Laute aus und versuchte, den Oberkörper anzuheben, doch vergebens. Er bekam keine Luft und konnte deshalb auch nicht um Hilfe rufen. Die Metallstange drückte ihm die Luftröhre ab. Aber das Messer befand sich immer noch in seiner Hand und stellte nach wie vor eine Gefahr für uns dar.

Donovan stieß mit der Klinge in Sams Richtung, zielte auf seinen Oberschenkel.

Ein Reißen war zu hören, in Sams Jeans klaffte ein Riss.

Sam schrie auf und neigte sich zur Seite, während Donovan das Messer zurück in die andere Richtung schwang.

Nein!

Ich ließ den Flaschenhals los, preschte vor und versuchte, Donovans Handgelenk zu packen.

Ich rammte seine Hand mit dem Messer gegen den Griff der Backofentür.

Und dann gleich noch einmal.

Grub meine Nägel in seine Haut.

Ich hielt ihn immer noch fest und versuchte verzweifelt, ihm das Messer aus der Hand zu schlagen, während Sam über mich gebeugt dastand, vor Angst und Panik wimmernd, und seine Füße nach hinten wegrutschten, vergebens um Halt suchend. Immer fester drückte er mit den Beinen des Hockers zu, bis Donovans Hand und Arm nach und nach schlaff wurden, die Kraft aus seinem Körper wich und das Messer klappernd zu Boden fiel.

84

Ich trat einen Schritt zurück und starrte Donovan an.

Entsetzen brandete durch meinen Körper.

Donovans Augen waren geschlossen, die Querstrebe des Hockers immer noch an seiner Kehle. Sein Körper war völlig erschlafft, die Arme hingen rechts und links an ihm herab. Langsam tropfte das Blut unter dem Verband hervor auf die Herdplatte.

»Sam?«, flüsterte ich.

Sam versuchte taumelnd, seinen Stand zu finden. Sein Mund stand offen. Ich sah einen großen Blutfleck auf seinen Jeans, wo das Messer ihm ins Bein geschnitten hatte.

Er nahm ein wenig von dem Druck weg, den er immer noch auf den Stuhl ausübte, wirkte verängstigt und schockiert über das, was er getan hatte.

Als Donovan sich auch nach einer Weile noch nicht rührte, schluckte ich schwer gegen die Enge in meiner Kehle an und streckte die Hand nach seinem Hals aus, langsam, ganz langsam, bis meine Finger seine Halsschlagader berührten.

Nichts.

Sanft drückte ich Sams Oberarm mit der anderen Hand, bis er den Druck auf den Hocker noch etwas mehr lockerte.

Eine grauenvolle Sekunde der Anspannung.

Wieder schluckte ich, während ich Donovans warmen, feuchten Hals abtastete, wachsam auf die geringste Bewegung achtend.

Ein leichtes Flackern unter meinen Fingerkuppen. Sein Puls war träge, aber er war da.

Ich spürte, wie ein Rinnsal der Erleichterung in meinen Magen sickerte, vermischt mit einem Rest Unsicherheit.

Jetzt, wo ich ihn aus der Nähe sah, bemerkte ich das leichte Zucken seiner Pupillen unter den Augenlidern, und als ich den Handrücken unter seine Nasenlöcher hielt, strich ein schwacher Hauch Atemluft über meine Haut. Das erinnerte mich an Bethany. Wir mussten schleunigst nach ihr sehen.

»Ich glaube, er ist nur bewusstlos«, flüsterte ich.

»Bist du sicher?«

»Ich denke, du kannst loslassen. Schon gut.«

Mit bangem Blick hob Sam den Hocker an, in stockenden Etappen, stets darauf vorbereitet, wieder zuzudrücken, falls Donovan sich rühren sollte.

»Schon gut«, sagte ich wieder, »wirklich. Er bewegt sich nicht mehr.«

Ganz langsam hob Sam den Hocker, legte ihn auf der Kücheninsel ab und löste die Hände von der Sitzfläche, als wünschte er sich, er hätte das Ding nie angefasst, und behielt ihn trotzdem in Reichweite.

Mir entging nicht, wie sehr ihn das alles mitgenommen hatte. Tränen standen ihm in den Augen und er humpelte stark wegen der Schnittwunde an seinem Schenkel.

Als er abermals einen Blick auf Donovan warf, wirkte er gleichzeitig verwundert und erschüttert angesichts seiner Tat.

»Danke«, sagte ich zu ihm.

Er nickte wortlos, aber es war nicht zu übersehen, wie unangenehm ihm das Ganze war. Ich spürte, dass er immer noch nicht hundertprozentig sicher war, was mich anging.

Ich legte ihm eine Hand auf den Rücken, spürte die Hitze, die sein Körper unter dem Hemd ausstrahlte.

»Du hast mir das Leben gerettet«, flüsterte ich. »Du hast das Richtige getan.«

Seine Arme hingen seitlich schlaff an ihm herunter. Er erwiderte meine Umarmung nicht.

»Aber könntest du jetzt bitte die Polizei rufen?«, bat ich. »Und zwar diesmal in echt? Ich muss nach oben und nach Bethany sehen.«

Gerade wollte ich loseilen, als Sam nach meiner Hand griff und mich zurückhielt.

»Warum dachtest du, dass da noch jemand anderer sein könnte?«, fragte er. Sein forschender Blick huschte über mein Gesicht. »Draußen. Du sagtest, du hättest Angst, dass jemand mich beobachtet. Du dachtest, jemand wäre mir nach Hause gefolgt.«

»Na, weil er mir das gesagt hat. Er hat mich glauben lassen, er stünde mit jemandem aus deiner Selbsthilfegruppe in Kontakt. Er meinte, derjenige hätte so getan, als leide er an einer Phobie. Inzwischen glaube ich, dass das alles gelogen war.«

»Warum?«

Wieder warf ich einen Blick auf Donovan. Er lag nach wie vor reglos da, doch ich wollte keine Zeit mehr verschwenden.

»Na, wenn er wirklich mit jemandem zusammenarbeiten würde, wäre uns derjenige längst ins Haus gefolgt. Donovan hätte nach diesem Komplizen gerufen, damit der ihm hilft, nachdem ich ihn verletzt hatte. Genau wie wir jetzt die Polizei rufen sollten.«

Eine neue Furche bildete sich zwischen Sams Augenbrauen.

»Was ist los?«, fragte ich.

Er gab mir keine Antwort. Sein Blick war nach innen gekehrt, als würde ihn etwas beschäftigen, ein Gedanke, den er nicht aussprechen wollte.

»Sam, was ist?«

»Da war heute tatsächlich jemand in der Gruppe«, sagte er langsam, fast, als ob er die Puzzleteile gedanklich selbst erst zusammensetzen müsste. »Sie ist mir bis zum Ende nicht von der Seite gewichen. Mir ist aufgefallen, dass sie ein Tattoo hatte. Auf der Innenseite ihres Handgelenks.«

Er drehte meine Hand um und zeigte es mir, strich mit den Fingerkuppen über die Haut unweit meiner Narbe.

Seine Finger fühlten sich seltsam kalt an. Der gequälte Ausdruck auf seinem Gesicht gefiel mir gar nicht.

»Es war eine tätowierte Hummel.«

»Und?«

»Ihre Phobie.« Er hob den Blick zur Decke und kniff für einen kurzen Moment die Augen zu, als hätte er etwas vollkommen Offensichtliches übersehen, etwas, das ihm eigentlich sofort hätte auffallen sollen. »Sie hat behauptet, an Trypanophobie zu leiden.«

»Ich verstehe nicht.«

»Angst vor Nadeln. Sie hätte eigentlich gar kein Tattoo haben dürfen.«

Im selben Moment packte Sam mich an beiden Armen, wirbelte mich herum und schubste mich mit einem kräftigen Stoß die Kellertreppe hinunter.

85

Sam

»Tut mir leid.« Er deutete mit dem Daumen hinter sich und verzog entschuldigend die Miene, ehe er sich in Richtung U-Bahn-Station Temple wandte. »Ich muss mich beeilen, damit ich meine Bahn noch kriege. Meine Freundin wartet zu Hause auf mich.«

So hatte Sam es Depri-Girl gesagt. Nur dass er gar nicht nach Hause ging. Nicht sofort. Und eine Freundin hatte er auch nicht.

Noch nicht.

Er hatte nur eine Ausrede gebraucht, um Depri-Girl zu entkommen und auf der anderen Straßenseite Stellung zu beziehen, im Eingang zu einem Bürogebäude. Von dort aus beobachtete er jetzt den Sportler und die Künstlerin.

Die beiden bekamen nichts davon mit, dafür waren sie viel zu sehr miteinander beschäftigt. Und mittlerweile war Sam ein Experte darin, sich im Verborgenen zu halten, unbemerkt zu bleiben.

Der Sportler hatte beide Daumen unter die Gurte seines Rucksacks gehakt. Er war einige Zentimeter größer als die Künstlerin, gab sich locker und gesprächig und lächelte mit seinen perfekten schneeweißen Zähnen, die sicherlich ein Vermögen gekostet hatten.

Die Künstlerin erwiderte das Lächeln auf ihre scheue Art, während sie in ihre Handtasche griff, einen glänzenden Flyer herausholte und ihn dem Sportler reichte. Dann musterte sie ihn bang und nachdenklich, während er den Zettel aufmerksam studierte und grinsend auf das Foto auf der Vorderseite deutete.

Beißende Säure kroch Sams Speiseröhre empor und brannte hinten in seiner Kehle.

Er erkannte, dass es sich um einen Flyer für die Agentur der Künstlerin handelte. Sie arbeitete im Bereich Interior Design. Dieselben grafischen Gestaltungselemente und dieselbe Schriftart hatte sie auch für ihre Website verwendet.

So war Sam überhaupt erst auf sie gestoßen. Beim Surfen im Netz. Auf der Suche nach jemandem, der das nötige Potenzial hatte, ihm bei der Umgestaltung des Hauses seiner Großeltern zu helfen, um den größten Profit daraus zu schlagen.

Auf ihrer Seite war er auf Links zu ihren Social-Media-Profilen gestoßen. Zum einen gab es da eine noch recht neue Facebook-Seite ihrer Agentur mit nur einigen wenigen Followern. Zum anderen war da ihr Twitter-Profil, auf dem sie nur selten etwas postete. Und dann war da noch ein Link zu ihrem Instagram-Account, den sie etwas häufiger nutzte, wobei sie allerdings so gut wie nie mit anderen Usern interagierte.

Wenig später wusste er über sie, was es zu wissen gab.

Ihren vollständigen Namen, ihre Adresse, den Namen des Möbelgeschäfts, in dem sie in Teilzeit arbeitete. Sie war erst vor acht Monaten nach London gezogen und schien keinen Kontakt zu Familienangehörigen oder Verwandten zu haben. Ihre Eltern waren bereits verstorben. Wenn sie irgendwelche engen Freunde aus der Zeit vor ihrem Umzug nach London hatte, dann standen sie online nicht in Kontakt mit ihr. Und auf neue Freunde deutete nichts hin. Abgesehen von einer Handvoll Klienten, die sie hatte gewinnen können, hatte sie in der Stadt bislang kaum Kontakte. Er spürte, dass sie einsam war.

Wie die meisten Menschen hatte sie ihre festen Routinen, was es ihm einfach machte, ihr zu folgen. Und als er einmal damit angefangen hatte, war es ihm schwergefallen, wieder aufzuhören.

Aber er beobachtete sie nicht einfach nur gern. Er war regelrecht *süchtig* danach.

Doch irgendwie war sie ihm dann auf die Schliche gekommen. Jedenfalls fing sie an, sich immer wieder über die Schulter umzusehen, spätnachts zu ihrem Fenster rauszuspähen, das vorne zur Straße hinausging, noch seltener auf Instagram zu posten und auf Twitter und Facebook überhaupt nicht mehr.

Er war überzeugt, dass sie ihn nicht direkt gesehen hatte.

Dafür war er viel zu gerissen. Aber es war offensichtlich, dass sie sich seiner Existenz bewusst war und Angst hatte.

Was im Grunde perfekt war, denn Ängste und Phobien gehörten zu seinem Spezialgebiet.

Und mit ein paar geschickt platzierten Anzeigen für seine Selbsthilfegruppen auf Instagram plus einigen von ihm eigenhändig aufgehängten Flyern – an der Bushaltestelle, von der er wusste, dass sie von dort aus jeden Tag nach Hause fuhr, sowie in dem Café, in dem sie regelmäßig alleine saß –, war er zuversichtlich, sie zu sich in seine Gruppe locken zu können.

Er beherrschte das Einmaleins guter Akquise. Genau wie Werbeschaffende. Man musste seine Zielgruppe kennen und den Leuten geben, was sie wollten. Man musste die Adressaten sehen lassen, was man sie sehen lassen wollte, glauben lassen, was man sie glauben lassen wollte.

Und dann hatte sich tatsächlich alles wie geplant gefügt und sie war eines Nachmittags in seinen Seminarraum gekommen … Dieses berauschende Gefühl, das er dabei empfunden hatte …

Es war nur schwer zu beschreiben.

Und noch schwieriger zu kontrollieren.

Denn sie zu beobachten, war das eine, als sie ihm aber von ihrer Angst erzählte, sie könnte einen Stalker haben, und dass sie dieses irrationale Gefühl habe, jemand würde sie beobachten ...

Da hatte es ihn seine ganze Selbstbeherrschung gekostet, nicht von seinem Stuhl aufzuspringen, sie an den Schultern zu packen und sie zu schütteln und ihr einzuschärfen, dass das alles andere als irrational war.

Weil sie nämlich wirklich jemand verfolgte.

Er verfolgte sie.

Und jetzt war sie zu ihm gekommen.

86

Die Kellertreppe hinuntergestoßen zu werden, war so, als würde ich wie im Traum fallen. Nur dass ich nicht aufwachte, als ich unten am Boden aufschlug.

Mein Albtraum hatte eben erst begonnen.

Ich versuchte, Luft zu holen, als ich den Mund jedoch öffnete, rasten die Kellerwände auf mich zu. Die Decke krachte auf mich herunter.

Ich kauerte mich zu einer Kugel zusammen, legte die Arme schützend um meinen Kopf, schloss die Augen, presste Rücken und Oberkörper gegen die nackte Backsteinwand am Fuß der Treppe, direkt in der Ecke des Raums.

Der geflieste Boden war rau und sandig, die Luft abgestanden.

Tausende und Abertausende Kubikmeter schweres Gestein und Erdreich sowie Ziegel drückten gefühlt von oben auf mich herab.

Ich fürchtete mich davor, über meinen Armen hervorzuspähen, denn wenn ich hinsah, müsste ich anerkennen, wo ich mich befand. Dann gäbe es keinen Zweifel mehr, dass ich tatsächlich hier unten war. Aus diesem Grund setzte mein Gehirn sich andere Prioritäten und führte eine rasche Bestandsaufnahme meines Körpers durch, machte jene Stellen ausfindig, an denen der Schmerz aufgeflammt war.

In meinen Knien und Ellbogen. Meinem Knöchel. Dem Kinn. Den Handballen, die vom Blut feucht waren.

Ich hatte die Hände im Sturz vor mir hochgerissen – sie waren zerschrammt und aufgeschürft. Aber seltsamerweise war der Gedanke an den Sturz schlimmer, weil ich mich jetzt erinnerte, dass ich dabei kein Hindernis gespürt hatte. Da war nichts gewesen außer Luft.

Ich war durch das *Nichts* gesegelt.

Bis ich hart unten aufschlug und all dieses Nichts auf mich einstürmte.

Stell dir vor, du wärst nicht hier.

Tu so, als wärst du woanders.

Aber es gelang mir nicht.

Dazu war ich nicht in der Lage. Weil die Realität dessen, was hier geschah, unentrinnbar war.

Und in dem Moment hörte ich es. Etwas, das tief im Mark meiner intimsten Ängste verwurzelt war.

... *Klick.*

Es war der Laut eines Riegels, der vorgeschoben wurde.

87

Sam

Sam folgte dem Sportler und der Künstlerin den restlichen Nachmittag bis in den frühen Abend hinein.

Er konnte es einfach nicht gut sein lassen.

Obwohl er wusste, dass er es sollte.

Obwohl er damit riskierte, entdeckt zu werden.

Was bislang nicht der Fall war, denn er war stets auf der Hut und gut in Übung, und weil er immer einen gewissen Sicherheitsabstand wahrte, stets auf seinen Standort achtete sowie auf Spiegelungen in Fenstern und reflektierenden Flächen, auch an vorüberfahrenden Fahrzeugen.

Er bewegte sich weder zu schnell noch zu langsam.

Er verschmolz nahezu mit seiner Umgebung.

Doch sie zusammen zu sehen, zu beobachten, wie wohl sie sich in der Gesellschaft des jeweils anderen zu fühlen schienen, wie sie sich unterhielten und lachten, der vertrauensvolle Umgang miteinander, zu erkennen, wie gut sie sich verstanden und dass sie später auch noch fröhlich lachend in einen Pub spazierten … Das zerfraß ihn innerlich, und zwar in einem Maß, auf das er nicht vorbereitet gewesen war.

Mehr, als er ertragen konnte.

Weil er sie zu *sich* gelockt hatte, für sich allein, nicht für den Sportler oder irgendjemand anderen. Außerdem ging das alles viel zu schnell. So war das nicht geplant gewesen. Er hatte sich mit der Absicht getragen, es langsam anzugehen und Vorsicht walten zu lassen, nach und nach ihr Vertrauen zu gewinnen, darauf hinzuarbeiten, dass sie sich aus freien Stücken auf ihn einließ. Und jetzt drohte ein dahergelaufener, oberflächlicher Schnösel, sie ihm vor der Nase wegzuschnappen.

In diesem Pub hatte der Sportler ihren Flyer aus der Tasche gezogen, um mit ihr darüber zu reden. Sie hatte auf ihrem Handy durch eine Bildergalerie gescrollt, um ihm ihre Arbeiten zu zeigen, und die beiden hatten über dem Tisch die Köpfe zusammengesteckt und gemeinsam aufs Display geschaut, wobei sich ihre Gesichter fast berührten. Als sich dann ihre Blicke ineinander verschränkt hatten, da hatte sich bei ihm die *Angst* geregt, dass es vielleicht zu spät sein könnte.

Vielleicht hatte er sie an ihn verloren.

Was natürlich absolut inakzeptabel war.

Und als sie kurze Zeit später gemeinsam den Pub verlassen hatten, leicht beschwipst und bestens gelaunt, da war er ihnen wieder gefolgt.

88

Ich spähte hinter den gespreizten Fingern hervor zu der schmalen Treppe mit den hohen Stufen, die hinauf zur Kellertür führten. Auf die weiß gestrichenen, unbehandelten Holzbretter.

Ich streckte die Arme zu den Seiten hin aus und stützte mich am unverputzten Mauerwerk ab. Es fühlte sich eiskalt an unter meinen Fingerkuppen. Mein Atem ging viel zu schnell und zu flach. Der Raum um mich herum begann, sich zu drehen. Immer noch glaubte ich, das Klicken des Riegels auf der Außenseite der Tür zu hören. Es schien von den Kellerwänden widerzuhallen und sich in meinem Bewusstsein festzusetzen, wo es sich endlos wiederholte. Jetzt ertappte ich mich dabei, wie ich mit dem Fingernagel der rechten Hand an den Ziegeln herumkratzte. Das hatte etwas Vertrautes an sich. Als würden sich meine Muskeln an diese Bewegung erinnern.

Eigenartig.

Mein Atem schien die Luft vor meinem Gesicht noch kälter zu machen, als ich den Blick auf meine Hand richtete und auf die Stelle, wo sie lag. Im grellen Kellerlicht konnte ich weitere Kratzspuren im Mauerwerk erkennen. Sie waren nur sehr schwach auszumachen, aber sie waren eindeutig da. Winzige Rillen, die in den Anstrich geschabt waren.

Genau dort, wo ich eben gekratzt hatte.

Mein Herzschlag glich einem Presslufthammer.

Meine Kehle war wie zugeschnürt, ich bekam keine Luft.

Dann stieg unvermittelt ein Schluchzen in mir auf und brach

aus mir heraus. Ein unfreiwilliger Rülpser der Angst und des Grauens.

Sam hat dich diese Treppe hinuntergestoßen.

Sam hat die Tür verriegelt.

Und dann war da plötzlich ein neuer Gedanke: Was, wenn der Grund, warum Sam die Polizei nicht gerufen hatte, ein ganz anderer war als der, mir nicht geglaubt zu haben?

Was, wenn er gar nicht gewollt hatte, dass die Polizei kam?

89

Sam

Der Sportler führte die Künstlerin in ein modernes Wohngebäude in Farringdon. Dort stiegen sie gemeinsam in den Fahrstuhl. Sie hielten nicht Händchen, aber sie standen sehr dicht nebeneinander und wechselten verstohlene Blicke, lächelten einander verlegen zu. Die Künstlerin wurde rot und hob den Blick zur Decke, als die Türen sich rumpelnd schlossen.

Mit leicht beschleunigtem Puls fegte Sam ins Foyer des Gebäudes und sah zu, wie die Zahlen über dem Aufzug nach oben kletterten.

... 8 ...

... 9.

Der Lift blieb stehen.

Sam behielt die Digitalanzeige im Auge und vergewisserte sich, dass sich daran nichts mehr änderte, ehe er in die zweite Fahrstuhlkabine stieg, in den zehnten Stock hinauffuhr und dann über die Treppe ein Stockwerk tiefer eilte.

Er hörte die laute Partymusik, noch bevor er den Hausflur betrat.

Das Gewummere dröhnte durch die Wände. Ein hektischer, poppiger Rhythmus. Eine einzelne Wohnungstür stand offen, davor eine Gruppe Partygäste, die E-Zigaretten rauchten und sich unterhielten. Musik und Licht drangen aus der Wohnung in den Flur. Einige von den jungen Leuten trugen weiße Laborkittel. Andere steckten in blauer Krankenhausmontur.

Sam zog sich wieder zurück und überlegte, wie er weiter vorgehen sollte. Vom Fahrstuhl her ertönte ein kurzes *Pling* und eine Gruppe von Neuankömmlingen stieg aus – ihrem Äußeren nach zu urteilen, Studierende. Sie trugen schwere Tüten mit Flaschen bei sich.

»Wessen Party ist das eigentlich?«, rief jemand.

»Wen interessiert's?«, gab ein nicht mehr ganz nüchternes Mädchen lautstark zurück und stieß ausgelassen lachend die Fäuste in die Luft.

Da waren genügend Leute, dachte er bei sich. Außerdem war der Großteil dieser Kids stark angetrunken. Und überhaupt, er war ein junger Assistenzprofessor. Da war es ja nicht vollkommen abwegig, dass er eingeladen war.

Du schaffst das.

Du musst es tun.

Du weißt genau, dass du dir diese Chance nicht entgehen lassen darfst.

Also ging er in die Wohnung. Es herrschte ein Chaos aus hektisch blinkenden Lichtern und sich im Takt der Musik wiegenden Körpern. Eine größere Ansammlung von Gästen stand draußen auf einem Balkon.

Er konnte weder den Sportler noch die Künstlerin entdecken, und als ihn ein ziemlich stark alkoholisiertes Mädchen anrempelte, packte er es am Arm und rief ihm über den Lärm zu: »Hey, wer wohnt hier?«

»Amy«, antwortete sie schreiend. Ihre Pupillen waren stark geweitet, die Augen glasig. Sie hatte ein dümmliches Grinsen im Gesicht. »Es ist ihre Wohnungseinweihung. Wir studieren zusammen Medizin.«

Sie deutete auf eine junge Frau, die grüne OP-Klamotten und ein Stethoskop um den Hals trug. Sie trank gerade direkt aus einer Flasche Prosecco, während die Umstehenden sie anfeuerten und ihr die schäumende Flüssigkeit an den Mundwinkeln herablief.

»Ihr Bruder wohnt auch hier«, rief das Mädchen. »Oliver.«

Sie drängte sich mit ihrem warmen, geschmeidigen Körper an Sam heran, doch er empfand dabei nichts als Ekel. Fieberhaft suchte er das Gewühl der Feiernden ab, hielt Ausschau nach der Künstlerin.

»Wer von denen ist Oliver?«

»Dieser superscharfe Typ. Er ist Ruderer. Er müsste da drüben …«

Doch als sie die Schultern zuckte, weil sie ihn im Gewühl nicht fand, war Sam bereits weitergegangen. Er bahnte sich seinen Weg durch die Menge, an der Küche vorbei, öffnete verschiedene Türen entlang des Flurs, störte ein junges Pärchen bei einer wilden Knutscherei im Badezimmer. Nachdem er sich entschuldigt hatte, betrat er ein Schlafzimmer, das leer war, abgesehen von zwei jungen Frauen, die am Fußende des Bettes saßen. Eine von ihnen hielt sich schluchzend die Hände vors Gesicht, während die andere tröstend ihre Schulter rieb.

Letztere warf ihm einen warnenden Blick zu, als er den Raum überprüfte. Er bemerkte ein paar Hanteln und Fitnessgeräte in der Ecke, ein Foto an einer Pinnwand, das den Sportler Arm in Arm mit seiner Schwester zeigte, der Medizinstudentin von vorhin, und mit einem jungen Mann im Tarnanzug, der vielleicht ein älterer Bruder war. Und dann kam der Moment, da ihn das kalte Grauen überrieselte, als er den zerknitterten Flyer für die Agentur der Künstlerin auf dem Schreibtisch liegen sah.

Eine Wohnungseinweihung, ging es ihm durch den Kopf.

Für ein wohlhabendes junges Geschwisterpaar.

Wahrscheinlich hatte der Sportler sie zu dieser Party locken wollen, ihr die Einladung möglicherweise schmackhaft gemacht, indem er Interesse an ihrer Arbeit bekundet hatte. Ihr vielleicht weisgemacht hatte, er bräuchte ihre Hilfe beim Einrichten.

»Was stehst du da und glotzt?«, fragte das Mädchen und musterte ihn angriffslustig.

»Entschuldigung, das wollte ich nicht«, sagte Sam.

Er wollte sich gerade aus dem Zimmer zurückziehen, da hörte er trotz der lauten Musik, was sie zu ihrer Freundin sagte, während sie sie fest an sich drückte.

»Ich meine, scheißegal. Soll er doch mit seiner neuen Tussi rauf aufs Dach steigen. Du hast doch selbst gesagt, ihr beide seid fertig miteinander. Er ist hier der große Verlierer, nicht du, Süße.«

90

Blinzelnd betrachtete ich den Teil des Kellers, den ich im Dunkeln erkennen konnte.

Die Wände schienen zu beben, sich zu verformen, als könnten sie jeden Moment aufbrechen und nach innen einstürzen. Sie waren weiß gestrichen, genau wie die Decke auch.

Der Boden war mit Terrakottafliesen ausgelegt. Als Sam mir das Foto gezeigt hatte, das er hier unten gemacht hatte, hatte ich nicht erwartet, dass der Raum so karg wirken würde.

Wir hatten keine Bilder vom Keller in die Unterlagen zum Hausverkauf aufgenommen, weil Bethany sich mit Sam einig gewesen war, dass das nicht unbedingt der Bereich war, auf den wir uns konzentrieren sollten.

Aber jetzt stellte sich mir die Frage: War das der eigentliche Grund gewesen?

Noch einmal spähte ich die Treppe nach oben zur Tür. Mir drehte sich der Magen um, wenn ich an Sam dachte, der dahinter lauerte, und an diesen Klicklaut, als er den Riegel vorgeschoben hatte. Das Geräusch hatte etwas in mir ausgelöst.

Es klingt genauso wie der Riegel an dieser Badezimmertür – der Laut, der dich schon so lange verfolgt.

Ich verschluckte mich an meinem eigenen Speichel. Mein Schädel pochte. Ich löste eine zitternde Hand von der Wand, kniff mir in den Nasenrücken, schob mich Stück für Stück auf die Knie und stand schließlich auf.

Der Boden unter mir verflüssigte sich. Oder zumindest

machte es den Eindruck. Ich stellte die Beine in größerem Abstand fest auf den Fliesen auf und streckte die Arme zu beiden Seiten hin aus, um nicht aus dem Gleichgewicht zu geraten.

So schob ich mich vorwärts.

Die Decke kracht nicht auf dich runter.

Du wirst hier unten nicht verschüttet.

Klar konnte ich mir das problemlos einreden, die Frage war nur, ob ich es auch *glaubte*. Meine Instinkte jedenfalls waren in allerhöchster Alarmbereitschaft und warnten mich, den Kopf einzuziehen und schützend die Arme darum zu legen, als würde das Mauerwerk bereits auf mich herunterprasseln.

Ich hatte erst einen Schritt gemacht, doch es fühlte sich an, als hätte sich hinter mir ein tiefer Abgrund aufgetan.

Ich spähte nach oben zur Tür, hatte aber das übermächtige Gefühl, dass hier unten etwas war, das ich mir dringend ansehen musste.

Etwas, dem ich mich stellen sollte.

Ich hatte einmal gelesen, dass Wölfe Angst riechen können. Die muffige Mischung aus Pheromonen und Panik, die das Beutetier ausdünstet.

Ich war mir unterschwellig bewusst, dass ich jetzt etwas Ähnliches wahrnahm, ein ganz spezifisches Aroma, das sich zusammensetzte aus der stehenden Kellerluft und den Gerüchen, die von der niedrigen Decke, den Ziegelmauern und den Terrakottafliesen ausgingen.

Es ist deine eigene Angst, die du riechst, meldete sich eine Stimme in meinem Kopf.

Plötzlich war da ein neuer Gedanke. Das hier war ein instinktgesteuertes, olfaktorisches Warnsignal, weit mächtiger als jede Erinnerung in visueller Form.

Diesen Geruch kennst du. Du hast ihn schon mal gerochen.

91

Es herrschte eine seltsame Abwesenheit jeglichen Lärms, als Sam mit dem Ellbogen die Tür zum Dach des Wohngebäudes aufstieß. Es war fast, als hielte die Stadt den Atem an.

Oder vielleicht war es Sam selbst.

Nur dass dafür gar keine Notwendigkeit bestand. Denn vor ihm war nichts als ein verrosteter Treteimer, eine kleine, mit Dachpappe ausgelegte Fläche und eine etwa hüfthohe gemauerte Umfassung. Die Dachpappe und die Mauer waren von Moos überwuchert und mit Vogelkot gesprenkelt. Der Mülleimer wies alle möglichen unschönen Flecken auf. In erster Linie wohl Spuren von Wasser und Zigarettenasche. Ein rascher Blick unter den Deckel bestätigte seine Vermutung, ein Mosaik aus weggeworfenen Kippen präsentierte sich ihm, begleitet vom schwachen Geruch nach Gras.

Der Deckel gab ein leises Quietschen von sich, als er ihn wieder sinken ließ, was ihn störte, jedoch nicht so sehr wie die Tatsache, dass er überhaupt hier war.

Das hier passte nicht zu ihm.

Was er tat, war in der Regel sorgfältig geplant und durchdacht. Er wartete ab, beobachtete alles aus sicherer Entfernung. Der heutige Tag hatte ihn offenbar verändert. Sie aus nächster Nähe zu sehen, hatte ihn verändert.

Und der Gedanke, man könnte sie ihm direkt vor der Nase wegschnappen, wo er doch so vorsichtig gewesen war, wo sie doch so perfekt war … Ein jäher, quälender Schmerz durchzuckte seine Stirn wie ein Stromschlag, von einer Schläfe zur anderen. Er biss die Zähne zusammen, doch das Gefühl verstärkte sich.

In dem Moment hörte er es.

Ein leises, amüsiertes Flüstern. Unterdrücktes Gekicher. Er verhielt sich mucksmäuschenstill, aber innerlich schäumte er. Noch mehr unterdrücktes Wispern und Glucksen. Die Laute kamen von irgendwo hinter ihm. Er gab sich einen Ruck, trat durch die Tür hinaus in die Dunkelheit, die gar nicht wirklich dunkel war, so wie keine nächtliche Skyline je komplett ohne Licht ist.

Der künstliche Lichtschein umgab ihn wie ein gespenstischer Nebel, unter seinen Schuhsohlen knirschte feiner Kies. Er hob einen Finger in die Luft, als er aus dem Schutz des Eingangs hervortrat, als wollte er auf etwas zeigen, mit dem Finger auf sie deuten, sie ermahnen, oberlehrerhaft und völlig sinnlos, umso mehr, als sie ihn überhaupt nicht sehen oder hören konnten, sich seiner Gegenwart noch nicht einmal bewusst waren, so völlig aufeinander fixiert, wie sie waren.

Der Sportler und die Künstlerin.

Ihre Körper waren sich ganz nah. Die Gesichter noch näher.

Seine Hand strich in kreisenden Bewegungen über ihren Unterarm, knapp unterhalb des Ellbogens.

Der Joint zwischen ihren Fingern.

Und ihre Köpfe gerade so geneigt, die Lippen leicht geteilt, verharrten sie in dieser Position, hielten inne in diesem Moment des Einschätzens und Bewertens, der Anziehung und der Lust. Der Sportler beugte sich noch näher zu ihr. Die Künstlerin kam ihm ihrerseits entgegen.

Und im selben Moment setzte Sam sich mit einem Satz in Bewegung und fing an zu laufen.

92

Stück für Stück schob ich mich tiefer in den Keller hinein.

Angst durchströmte meine Adern. Doch auch etwas anderes nahm in mir Gestalt an. Es gerann in meinen Blutgefäßen. Ein immenser Druck baute sich in meinen Nebenhöhlen und hinter meinen Augen auf. Das Gefühl war noch intensiver und akuter als der Schmerz und der Druck, die ich empfunden hatte, kurz bevor ich heute in Ohnmacht gefallen war.

Es war ein beinahe archaisches Gefühl.

Ich machte einen weiteren zaghaften Schritt am Fußende der Treppe vorbei. Mein Puls hämmerte in meinen Schläfen und zu meiner Rechten öffnete sich der Raum. Alles um mich herum drehte sich.

Eine zerschrammte alte Werkbank war an die Wand geschoben. Darunter waren einige Kartons verstaut, deren Deckel durchhingen. Links davon stand eine große, durchsichtige Plastikbox, in der wir den Großteil unserer Malerausrüstung aufbewahrten. Ich erkannte die schemenhaften Umrisse von Farbpaletten und Malerrollen, von Abdeckplanen, Sandpapier, diversen Rollen Klebeband und Pinseln.

An der Wand über dem Tisch hing eine Lochplatte, an der verschiedenstes Werkzeug hing. Ich hatte diese Lochwand auf den Fotos gesehen, die Sam gemacht hatte, und fast jedes dieser Werkzeuge hatte ich zu der einen oder anderen Gelegenheit bereits verwendet. Einige von ihnen – wie der Philipps-Akkuschrauber mit dem schwarz-gelben Griff oder das ausziehbare

Metermaß – waren mir so vertraut, dass ich fast glaubte, ihr Gewicht in meiner Hand zu spüren.

Mein Blick wanderte nach rechts zur Ecke des Raums. Zu dem Duschvorhang, der dort hing.

93

Sam

Es ging alles sehr schnell, dabei steckte jahrelange Vorarbeit und Planung dahinter.

In all der Zeit hatte er sich mit Studenten wie dem Sportler herumgeschlagen, Typen, die viel zu spät im Seminar aufkreuzten, die privilegiert waren und denen es das Leben im Allgemeinen sehr leicht machte, denen alles zuflog, die sogar noch die eigene Leidensgeschichte in einen Vorteil verwandelten, wirksam eingesetzt zu Verführungszwecken.

Da waren so viele Jahre, in denen er Gelegenheiten ungenutzt an sich vorüberziehen und verstreichen sah – Beziehungen, aus denen nichts geworden war, Forschungsprojekte, für die andere Wissenschaftler den Zuschlag bekommen hatten, die nie erreichte Beförderung, und selbst das Haus, das er geerbt hatte, erwies sich jetzt mehr als Fluch denn als Segen. Und vor allen Dingen waren da die vielen Jahre des Denkens und Grübelns und Theoretisierens über eine Vielzahl von Schrullen der Psyche, über Methoden und Experimente, die als »unethisch« oder nicht durchführbar abgetan worden waren.

Da waren die vielen Jahre, die er über die perfekte Partnerin nachgedacht hatte, das perfekte Leben, die richtigen Chancen und den Mut, sich das zu nehmen, was ihm seiner Ansicht nach zustand.

Alles das hatte ihn genau an diesen Ort geführt.

Er stürmte über das Dach, die Hand vor dem Körper ausgestreckt, als wollte er die Zeit selbst zum Stillstand bringen, auf den Pausenknopf drücken, besser noch: zurückspulen.

Sie bemerkten ihn nicht, bis es zu spät war.

Die beiden – der Sportler und die Künstlerin – lösten sich voneinander und wandten sich in seine Richtung, ihre Hüften immer noch fest aneinandergedrängt, die Hand des Sportlers knapp unterhalb ihres Ellbogens, die hell erleuchtete Skyline Londons im Hintergrund. Und dann war da dieser kurze Augenblick des Erkennens – ein Standbild der Überraschung und des Unverständnisses auf dem Gesicht des Sportlers, ein Aufflackern von Schreck und Besorgnis in den Augen der Künstlerin –, bevor Sams Hände ihr Ziel fanden, erst die eine auf der Brust des Sportlers landete, dann die andere.

All die Trainingseinheiten, all die Muskelkraft.

Der Sportler hatte einen kräftigen Rumpf und starke Beine, aber sein Oberkörper war im Vergleich dazu noch schwerer mit Muskeln bepackt, sein Brustkorb so breit wie ein Schrank, die Schultern kräftig, die beiden Bizepse von beachtlichem Umfang.

Was ihm nun zum Verhängnis wurde, denn wegen der hüfthohen Begrenzungsmauer trat der Pendeleffekt in Kraft, die Beine des Sportlers wurden nach oben gerissen, während seine obere Körperhälfte nach hinten wegkippte. Er stieß einen erstickten Schrei aus, wütend und entsetzt zugleich, und dann folgte der nächste finale Schritt, das Ergebnis, das Sam so nicht vorhergesehen hatte – genauso wenig, wie er hatte vorhersehen können, dass auch die Künstlerin zu fallen begann, denn der Sportler hielt sie immer noch am Unterarm fest, knapp unterhalb ihres Ellbogens.

Sam sprang vor und fasste sie um die Taille, schlang beide Arme kraftvoll um ihre Mitte und hielt sie fest, während der Sportler mit einem abrupten, heftigen Ruck an ihr abrutschte und in die Tiefe stürzte, dabei mit den Nägeln über die Innenseite ihres Unterarms kratzte und eine Linie hinterließ, tief und flammend rot, und im nächsten Moment trat Blut aus, was Sam zutiefst erschütterte, als sein Blick darauf fiel.

Weil sie nicht länger perfekt war.

Schon jetzt nicht mehr.

Sie hatte einen Makel, noch bevor das mit ihnen beiden richtig begonnen hatte.

94

Verwundert betrachtete ich den weißen Duschvorhang aus Plastik. Er hing an einer u-förmigen Metallstange, die an die Wand geschraubt war. Der Vorhang war zugezogen, wirkte neu und war makellos sauber, und er verströmte einen chemischen Geruch, als käme er frisch aus der Verpackung.

Ich starrte ihn eine lange Sekunde mit angehaltenem Atem an. Der Schmerz in meinem Kopf schwoll immer stärker an und intensivierte sich, eine schnelle Abfolge greller Blitze leuchtete hinter meinen Augen auf.

Langsam drehte ich mich um und ließ den Blick durch den Raum schweifen.

Leer.

Hier unten war sonst nichts.

Was konnte Donovan dann so lange beschäftigt haben, worauf war er gestoßen, das seine Neugier gefesselt hatte? Jeder normale Kaufinteressent wäre bis zum Fuß der Treppe gegangen, vielleicht noch ein paar Schritte in den Raum hinein, hätte sich kurz umgesehen, die Raumhöhe abgeschätzt und es dabei bewenden lassen.

Ja, zugegeben, inzwischen wusste ich, dass er nicht wegen des Hauses gekommen war. Ihn hatten andere Gründe hergeführt. Trotzdem blieb die Frage, was ihn hier unten so lange beschäftigt hatte.

Ich hielt es durchaus für möglich, dass er die Zeit genutzt hatte, um sein Handy zu überprüfen, eine Nachricht zu verschicken, einen Anruf zu tätigen. Vielleicht hatte er von hier unten sogar den Kurier bestellt. Auf jeden Fall konnte es sein, dass er mich hatte nervös machen wollen, indem er hier mehr Zeit als nötig verbracht hatte.

Möglicherweise gab es darüber hinaus weitere Gründe. Er hatte vorhin behauptet, er sei Geheimdienstoffizier und gut darin, Hinweisen nachzugehen. Vielleicht war er auf etwas gestoßen, das seine Neugier geweckt und zugleich Fragen bei ihm aufgeworfen hatte.

Er hatte mir bereits mehrfach demonstriert, was für ein aufmerksamer Beobachter er war.

»Nicht. Sie machen einen großen Fehler. Sie müssen …«

Das waren Donovans Worte gewesen, kurz bevor Sam mit dem Hocker auf ihn losgegangen war.

Zu dem Zeitpunkt war ich der Ansicht gewesen, dass Sam ihn attackiert hatte, weil er gerade abgelenkt war, dass er die Gelegenheit genutzt hatte, um ihn zu überwältigen. Aber was, wenn Sam ihn angegriffen hatte, weil er verhindern wollte, dass Donovan mir etwas mitteilte?

Donovan hatte mich aufgefordert, die Weinflasche herunterzunehmen. Er hatte mich gebeten, nichts zu überstürzen, erst einmal *nachzudenken*.

Langsam wandte ich mich noch einmal zu dem Duschvorhang um.

Wieder das jähe Anschwellen des Schmerzes. Das stroboskopartige Blitzen.

Es war nur ein einfacher, billiger Gegenstand. Eigentlich vollkommen harmlos. Doch es gab da zwei Punkte, die mich störten. Erstens konnte ich mir partout nicht erklären, was dieser Vorhang hier im Keller zu suchen hatte, zumal Sam ihn nie erwähnt hatte. Er war auf keinem der Fotos, die er vom Keller gemacht hatte.

Und zweitens wollte ich allein bei seinem Anblick am liebsten in die hinterste Ecke des Raums zurückweichen, mich auf den Boden werfen und ganz klein machen.

95

Sam

Die Künstlerin war vor Entsetzen wie gelähmt, und es gelang Sam erst, sie sicher vom Dach nach unten zu schaffen, nachdem er sie mit Chloroform betäubt hatte.

Zum Glück hatte er das Fläschchen in seinem Rucksack gehabt. Seit Wochen trug er es in einer Tüte mit Zippverschluss mit sich herum, zusammen mit einem fusselfreien Tuch. Immer wieder hatte er sich vorgestellt, wie er es an ihr benutzte, und hatte gedanklich die einzelnen Schritte durchgespielt.

Sie hatte geweint und geschluchzt und stark hyperventiliert, während er den Lappen mit dem Narkosemittel benetzte, um ihn ihr auf Mund und Nase zu pressen.

Natürlich lief die Sache dann alles andere als geschmeidig, schließlich war die ganze Aktion recht überstürzt und improvisiert über die Bühne gegangen und noch dazu hatte er selbst sehr viel mehr Angst gehabt und war deshalb nervöser gewesen als erwartet. Und dann hatte sie auch noch kurz aufgestöhnt und sich gewehrt und war schließlich zu Boden gesunken, bevor er sie festhalten konnte. In seinem Rucksack hatte er einen Hoodie gehabt. Den hatte er ihr eilig übergezogen und ihr die Kapuze aufgesetzt.

Der Weg durchs Treppenhaus war eine Herausforderung. Sie war schwer, ihr Körper schlaff und die Stufen zogen sich endlos hin. Das Ganze ging ihm extrem unter die Haut, die Angst saß ihm im Nacken, aber dieser Weg war immer noch besser, als den Aufzug zu nehmen. Hier würden sie niemandem begegnen und Kameras gab es auch keine.

Gut, zugegeben, der Abstieg dauerte eine gefühlte Ewigkeit und der Krankenwagen war bereits eingetroffen, bevor sie im Erdgeschoss ankamen, aber dadurch bot sich ihm die Gelegenheit, sich zu sammeln und zu wappnen und ihr zur Sicherheit eine weitere Dosis Chloroform zu verabreichen, nur für alle Fälle. Dann schlang er sich ihren Arm um den Nacken und lotste sie geschickt durch die Menge der Partygäste, die hinaus auf die Straße strömten, und weiter den Gehsteig entlang, weg vom Ort des Geschehens. Er winkte ein Taxi heran.

Ein Donnerstagabend in der Großstadt. Vielleicht kümmerte es den Fahrer nicht oder Sam spielte seine Rolle vom besorgten Freund, der sich um seine betrunkene Freundin kümmerte, überzeugender, als er es selbst für möglich gehalten hätte, oder aber seine ausweichenden Antworten, von wegen möglicherweise eine Messerstecherei oder ein Herzinfarkt, reichten aus, um die Fragen des Fahrers wegen des Krankenwagens und der bestürzten und fassungslosen Leute, die sich draußen vor dem Gebäude drängten, zu befriedigen.

Die Künstlerin rührte sich auf der Fahrt nach Hause ein paarmal kurz. Sie murmelte etwas Unzusammenhängendes. Ihr Kopf rollte gegen seine Brust und kam dann an seinem Kinn zu ruhen. Er nahm den Duft ihres Apfelshampoos wahr. Sie schwitzten beide stark, was ihm unangenehm war, doch dann fuhr das Taxi in die Forrester Avenue und Sam bezahlte und stieg mit ihr aus. Das Taxi fuhr bereits los, bevor sie sich entfernt hatten.

Und dann war es tatsächlich so weit.

Endlich führte er sie durch seine Haustür, in den tristen, muffigen Flur. Er knipste das Licht an. Das altmodische, abgenutzte Mobiliar sprang ihm aus der Dunkelheit entgegen.

Die heruntergekommene Küche war unaufgeräumt. Auch im Wohnzimmer herrschte das übliche Chaos. Der Wohnzimmertisch war bedeckt mit Hausarbeiten von Studenten und Behältern von irgendwelchen Lieferdiensten, das Sofa war komplett durchgesessen und der Sessel passte nicht dazu.

Wie gern hätte er ihre Meinung zu alldem gehört. Ihren ersten Eindruck. Aber das alles konnte warten.

Denn das Einzige, womit er fertig war, war der Keller. Und darauf kam es an.

Alles war seit Wochen vorbereitet.

Er schaffte sie nach unten, wobei ihre Füße polternd über die Stufen rutschten. Dann verlagerte er seinen Griff und versteifte seinen Rücken, um sie unter den Achseln zu fassen. Wieder begann sie, sich zu regen, als er sie auf diese Weise weiterschleppte, während in seinem Kopf eine vibrierende Erregung summte.

Dann endlich streckte er die Hand nach dem Duschvorhang aus.

96

Der Duschvorhang war kühl unter meiner Berührung. Die Metallringe am oberen Ende stießen klirrend aneinander.

Ein kurzes Innehalten, dann zwang ich mich zur Konzentration und zog den Vorhang beiseite.

Ich taumelte ...

... teils vorwärts, durch ein grellweißes Licht hinein in den Raum vor mir ... und teils rückwärts in meiner Erinnerung.

Ich starrte auf die Duschkabine. Sie bestand aus einer nicht ganz kniehohen Porzellanwanne, die schon vor langer Zeit in der Ecke des Raums installiert worden war. Es gab einen beweglichen Duschkopf, der an einer an die Wand montierten Schiebestange befestigt war. Die Stange schien neueren Datums zu sein. Es gab einen Kalt- und einen Warmwasserhahn.

Die Duschwanne war klobig, die Glasur stellenweise abgeplatzt, an anderen Stellen war sie durch Kalkflecken verfärbt. Die einst weißen Metrofliesen an der Wand hatten Risse und waren verschmutzt.

Während ich die Dusche betrachtete, gelangte ich zu der Überzeugung, dass das hier ursprünglich nicht als Dusche gedient haben konnte. Vielleicht war die Wanne früher als Waschrinne benutzt worden. Ich konnte mir gut vorstellen, wie Bethany potenziellen Käufern so etwas heutzutage als Hundedusche anpries.

Doch ich wusste es besser.

Denn das, was ich hier vor mir hatte, jetzt, in *diesem*

Moment, war gleichzeitig ein Teil meiner verschwommenen, bruchstückhaften Erinnerung.

Eigentlich war das unmöglich. Aber es war unbestreitbar real.

Weil ich instinktiv begriff – genau wie ich automatisch Atem holte, ohne darüber nachdenken zu müssen –, dass das hier – so unecht es war – das Badezimmer sein musste, in dem ich vor langer Zeit von einem Fremden angegriffen worden war, der in Wirklichkeit gar kein Fremder gewesen war.

Diese dunkle, schemenhafte Gestalt. Diese schabende, metallische Stimme.

»Ich habe dich beobachtet.«

Großer Gott.

Es war gar nicht auf dieser Party passiert, auf der auch Oliver gewesen war. Es war ihr hinterher angetan worden, hier in diesem Haus.

Von Sam.

97

Sam

Das erste Mal, dass er sie unter Wasser gedrückt hatte, war er lauter geworden als beabsichtigt. Es wurmte ihn, dass er derart die Beherrschung verloren hatte, aber alles war so schnell gegangen. Und er hatte so lange sehnsüchtig auf diesen Moment hingefiebert.

»Wer bist du?«, brüllte er.

»Louise.«

»Falsche Antwort. Dein Name ist Lucy. Wer bist du?«

Und dann die anderen Fragen. Unendlich viele Fragen.

Einige von ihnen geplant. Andere improvisiert. Einige auf das zugeschnitten, was auf der Party passiert war, oben auf dem Dach, um ihre Wahrnehmung der Ereignisse zu verändern, eine Verschiebung in ihrer Erinnerung zu erzwingen.

Fragen dazu, wo und wie sie beide sich kennengelernt hatten und wie lange sie schon ein Paar waren. Fragen zu ihrer Agentur, zu ihrer Arbeit, ihrem bisherigen Leben. Die Fragen würden mit der Zeit immer weiter verfeinert werden.

Genau wie ihre Antworten.

Er hatte nicht erwartet, dass es auf Anhieb klappen würde. Ein solcher Prozess erforderte sehr viel Geduld. Aber das war für ihn in Ordnung, denn er würde schon dafür sorgen, dass sie so viel gemeinsame Zeit bekamen, wie sie brauchten.

So viel Zeit, wie er wollte.

98

Weil meine Beine nachzugeben drohten, streckte ich die rechte Hand nach den Fliesen neben mir aus, um mich abzustützen, und starrte in das Abflussloch. Ich hatte mich im Duschvorhang verheddert.

Stöhnend presste ich mir die linke Hand ans Brustbein, um Atem ringend.

Die Erinnerung wird zurückkommen, wenn du es am wenigsten erwartest. Du wirst etwas sehen oder hören, eine Art Trigger ...

Aber dieser Trigger war die ganze Zeit über hier unten im Keller gewesen, und Sam hatte offenbar nicht gewollt, dass ich ihn zu Gesicht bekam. Er hatte ihn ganz bewusst vor mir versteckt gehalten und die Lücken in meiner Erinnerung gezielt aufrechterhalten.

Lücken, die er selbst geschaffen hatte.

Das Porzellan vor meinen Augen wurde unscharf.

Wenn es nach Sam ging, war unsere erste Begegnung, von der er mir viele Male erzählt hatte, wie aus einer romantischen Komödie.

Plötzlich musste ich an etwas denken, das Donovan gesagt hatte. Vorhin, als ich dachte, er wollte Sam provozieren – was er in gewisser Hinsicht ja auch getan hatte –, da hatte ich nicht begriffen, dass er auch mir damit etwas mitteilen wollte.

... in einem Ihrer Aufsätze ging es darum, dass es für einige Phobien ganz simple Auslöser gibt, während sie bei anderen

komplexer sind. Ich gebe das nur mit meinen eigenen Worten wieder, doch ich glaube, der Punkt, auf den Sie hinauswollten, ist der, dass es eine ganze Reihe von Ursachen geben kann, eine kunterbunte Mischung sozusagen. Ein Erlebnis aus der Kindheit, das von einer weiteren traumatischen Erfahrung überlagert wird, zum Beispiel. Oder diverse Traumata, die in Schichten übereinanderliegen. Dies kann dazu führen, dass das Gesamtbild unklar wird. Weil die zugrundeliegenden Ursachen durcheinandergeraten.

So wie mein Denken durcheinandergeraten war. So wie Sam meinen Verstand durcheinandergebracht hatte. Denn meine Ängste in Bezug auf diesen Keller waren nicht einfach nur auf einen simplen Fall von Klaustrophobie zurückzuführen.

Sie waren weit komplexer und hatten einen sehr viel dunkleren Ursprung.

99

Taumelnd wich ich von der Duschkabine zurück, völlig panisch und verstört.

Das Summen in meinem Kopf dröhnte pausenlos. Mein Herz schlug hektisch gegen meine Rippen.

Ich wusste, dass Sam ganz wild darauf gewesen war, bestimmte Forschungen durchzuführen, die ihm allerdings vonseiten der Universität nie genehmigt worden waren. Ich erinnerte mich, dass er sich regelmäßig über seinen Fachbereich beklagte, weil der für seinen Geschmack zu konservativ war.

Bücher fielen mir ein, die ich bei Sam im Büro gesehen hatte, ohne ihnen viel Beachtung zu schenken. Abhandlungen über Gehirnwäsche und Zwangskontrolle; Studien zu Folter- und Entführungsopfern sowie Gefangenen, die über lange Zeit inhaftiert gewesen waren.

Ob sie Donovan auch aufgefallen waren? Hatte er sie mit seiner schnellen Auffassungsgabe sofort registriert, so wie ihm der Schrank unter dem Dach nicht entgangen war?

Falls er wirklich Geheimdienstoffizier war, wie er behauptete, war ihm dann ein vergleichbares Szenario bei einem seiner Einsätze untergekommen? Vielleicht hatte er deshalb sofort eins und eins zusammengezählt. Es schien mir nicht unmöglich, dass er die Puzzleteile zusammengesetzt hatte, während ich ihn durch unser Haus führte.

Vor allem, nachdem ich ihm von meinen Problemen mit dem Keller erzählt und er sich längere Zeit hier unten aufgehalten hatte, die Dusche entdeckt, vielleicht sogar die Kratzspuren im Mauerwerk bemerkt hatte. Und insbesondere, nachdem ich ihm seine Fragen zu Oliver, zu seiner Party und zu dem, was auf diesem Dach geschehen war, nicht hatte beantworten können, ja noch nicht mal meinen eigenen Namen gewusst hatte. Ich durfte gar nicht an den umfangreichen Schaden denken, den Sam in meinem Gehirn angerichtet hatte.

Ich hatte mit diesem Mann unter einem Dach gelebt. Hatte mit ihm geschlafen. Ich ...

Ich starrte auf das Werkzeug und die Malerutensilien direkt vor mir. Er hatte mich dazu gebracht, mit ihm sein Haus zu renovieren. Über viele Monate hinweg. Ich hatte sein Haus bis auf das Grundgerüst auseinandergenommen und es dann nach und nach wieder neu zusammengesetzt, genau wie er meine Persönlichkeit in ihre Einzelteile zerlegt und dann in veränderter Weise wieder zusammengefügt hatte.

Er musste eine ganze Weile gewartet haben, bevor er mich wieder rausließ, bis er mich komplett neu konditioniert hatte. Und dann hatte er so getan, als würde er mir dabei helfen, mit dem Trauma eines zufälligen Überfalls fertigzuwerden, der in Wirklichkeit nie zufällig gewesen war.

Ich fasste mir an die Brust und wünschte, ich könnte dieses ganze Grauen aus mir herausreißen. Schaudernd blickte ich die Treppe hinauf und dachte an Donovan und Sam, die sich jenseits dieser Tür befanden. Donovan hatte Sam klar zu verstehen gegeben, was für ein exzellenter Ermittler er war, bevor Sam auf ihn losgegangen war. Jetzt glaubte ich, den Grund dafür zu verstehen. Er wollte ihn provozieren, ihn wissen lassen, dass er das Puzzle zusammengesetzt hatte. Stück für Stück.

Hatte Donovan mich deshalb so bedrängt? Hatte er beabsichtigt, damit meine Konditionierung zu durchbrechen, damit ich in Sams Beisein begriff, was er mir angetan hatte?

Jetzt streckte ich die Hand nach dem Treppengeländer aus. Ich schluckte schwer, reckte den Kopf und spähte nach oben.

Im selben Moment hörte ich ein Geräusch gleich hinter der Tür zur Küche. Vier hohe Pieptöne, die in rascher Folge ertönten.

100

Das Signal kam von der Mikrowelle. Offenbar drückte jemand an den Knöpfen herum. Wer immer die Mikrowelle benutzte, hatte sich wahrscheinlich für eine Funktion und eine Leistungsstufe entschieden, dann den Timer gestellt und abschließend auf den Startknopf gedrückt.

Jetzt würde das Gerät leise vor sich hin surren. Das Licht im Inneren würde angegangen sein.

Ich konnte nichts von dem Surren hören und nahm auch kein Licht wahr, aber ich wusste mit schmerzhafter Klarheit, was das zu bedeuten hatte. Denn ich erinnerte mich an etwas, das Donovan vorhin erwähnt hatte. Unsere Handys lagen in der Mikrowelle, und wenn sie länger als ein paar wenige Sekunden bei Betrieb darin blieben, konnten sie einen Brand verursachen. Das nervöse Kribbeln, das ich im Nacken spürte, fühlte sich an wie glühende Funken. Meine Knie wurden weich.

Du musst von hier verschwinden.

Du musst sofort raus hier.

Ich stürzte die Treppe hinauf und rüttelte an der Tür. Sie ließ sich nicht öffnen, wurde von dem Riegel gehalten, der auf der Außenseite vorgeschoben war.

»Öffnen Sie die Tür! Aufmachen! Lassen Sie mich raus!« Mit geballter Faust hämmerte ich gegen das Türblatt. Dann rammte ich die Schulter dagegen. Trat mit dem Fuß danach. »Sam? Donovan?«

Nichts.

Frustriert wich ich zurück und starrte die Tür einen Augenblick lang nachdenklich an. Ich stellte mir vor, wie der Riegel zurückglitt und die Tür aufging, aber nichts dergleichen passierte. Ich wirbelte herum und lief zurück nach unten, ging zur Werkbank und dem Lochbrett mit dem ganzen Werkzeug.

Das alles hätte mir damals, während meiner Gefangenschaft, nichts genützt. Aber jetzt sah die Lage anders aus. *Ich* war jetzt anders. Ich war in der Zwischenzeit auf der anderen Seite dieser Tür gewesen, hatte den Riegel gesehen, mit dem sie gesichert war. Ich wusste genau, auf welcher Höhe er angebracht war.

Vor dem Lochbrett blieb ich stehen und wischte mir mit der Hand übers Gesicht. Fieberhaft ließ ich den Blick über die Werkzeuge schweifen, die mir zur Auswahl standen. Nachdem ich mir einen Schraubenzieher und ein Stemmeisen gegriffen hatte, überlegte ich es mir noch einmal anders, warf den Schraubenzieher beiseite und langte stattdessen nach einem Hammer mit dickem gummierten Griff, der Schaft war aus glänzendem Stahl und er war viel größer und schwerer als der Hammer, den ich in meiner kleinen Werkzeugkiste im Dachgeschoss aufbewahrte, in erster Linie, um damit Bilder aufzuhängen.

Mit dem Stemmeisen in meiner linken Hand und dem Hammer in der rechten marschierte ich zurück zur Treppe und merkte, wie ich mit jedem Schritt wütender wurde. Auf den Stufen verstärkte ich meinen Griff um das Stemmeisen, ging im Geiste bereits durch, was als Nächstes zu tun wäre. Durch die Renovierungsarbeiten an diesem Haus hatte ich wirklich viel gelernt.

Aber bevor ich zuschlug, hielt ich einen Moment inne und presste das Ohr an die Tür.

Hatte ich das schon einmal getan?

Hatte ich auf irgendwelche verräterischen Geräusche gelauscht? Auf Anzeichen von Sams Gegenwart?

Aber ja – anfangs voller Panik, er könnte sich der Tür nähern und nach unten kommen. Später, was noch verrückter war, beinahe sehnsüchtig darauf wartend, dass er mich besuchte.

Ich hörte weder Schritte noch sonstige Bewegungen, dafür aber das Brüllen des Blutes in meinen Adern. Das tiefe Brummen der Mikrowelle.

Spucken. Zischen. Ein elektrisches Stottern.

Moment.

Dieses Lochbrett mit den Werkzeugen war nicht das Einzige, was neu war, seit Sam mich hier unten gefangen gehalten hatte. Und er hatte mich nicht nur dazu gebracht, sein Haus umzugestalten und zu dekorieren. Er hatte mir auch die Aufsicht über die Handwerker überlassen, die sämtliche Arbeiten ausgeführt hatten, die ich nicht selbst hatte übernehmen können. Darunter auch die Elektriker, die im kompletten Haus neue Leitungen verlegt hatten.

Als die Stromkabel erneuert wurden, empfahl man uns, den Stromkasten, der sich ursprünglich in einem der Küchenschränke befunden hatte, in den Keller zu verlegen, an die Wand hinter der Tür, dahin, wo ich jetzt stand.

Zitternd drehte ich mich zu dem Kasten um, wusste genau, was ich tun musste und in welch grauenvolle Situation es mich bringen würde, und trotzdem stand für mich außer Frage, dass ich es tun musste.

Ich streckte die Hand aus und hob die aufklappbare Plexiglasscheibe an, hinter der sich die Sicherungen verbargen.

Ich hielt inne.

Dann stellte ich im ganzen Haus den Strom ab.

101

Schlagartig wurde es stockdunkel. Die Finsternis verschluckte mich restlos. Ich starrte in die Schwärze hinein und befahl mir, ruhig weiterzuatmen und nicht in Panik zu verfallen. Was natürlich unmöglich war, denn Sam hatte mich darauf konditioniert, in finsteren Kellern panisch zu werden. Diese Reaktion war mir in Fleisch und Blut übergegangen.

Eine unangenehme Kälte beschlich mich.

Mittlerweile vernahm ich keinen Laut mehr, abgesehen von einem unerklärlichen Klicken. Ich brauchte einen Moment, um zu erkennen, dass es das Klappern meiner Zähne war.

Die Schwärze konnte nur zwei bis drei Sekunden lang angehalten haben, aber es kam mir vor wie eine Ewigkeit.

Dann begannen meine Augen, sich allmählich anzupassen.

Nicht an die Dunkelheit um mich herum. Die war zu vollkommen. Vielmehr orientierten sie sich an dem schwachen Schimmer rund um den Türrahmen.

Der Lichtschein flackerte und pulsierte.

Flammen!, kreischte eine schrille Stimme in meinem Kopf.

Und dann roch ich es.

Nur ganz schwach, aber es roch eindeutig nach verschmortem Plastik. Ein warmer Hauch lag in der Luft.

Mit den Fingerkuppen strich ich an der schimmernden Lichtspur am Türrahmen entlang, bis ich die Stelle ein Stück oberhalb des Griffes ertastete, von der ich annahm, dass sich hier der äußere Riegel befand.

Ich zwängte die Spitze des Stemmeisens in den haarfeinen Spalt zwischen Tür und Rahmen und fühlte mit der anderen Hand, bis ich mir sicher war, dass der Hammerkopf genau auf das dicke Ende des Stemmeisengriffs zielte.

Ich zog den Hammer zurück und schlug zu.

Und traf mit voller Wucht meinen Daumen.

Zischend saugte ich die Luft zwischen den Zähnen ein, korrigierte meinen Griff und schlug abermals zu. Diesmal traf ich das Stemmeisen und der helle Spalt weitete sich mit einem Knacksen um ein winziges Stück.

Gut.

Ich stellte mich breitbeiniger hin, beugte mich zur Seite und holte mit dem Hammer aus. Gerade wollte ich abermals zuschlagen, als ein elektronisches Gellen ertönte.

Es war durchdringend, schrill, unerträglich.

Die Rauchmelder. Sie waren zwar an die Stromversorgung angeschlossen, verfügten aber für den Fall, dass die Sicherung ausfiel, zusätzlich über Batterien.

Ich verzog entnervt das Gesicht und schlug mit dem Hammer fest zu. Leider daneben. Aber nicht ganz. Ich hatte das Stemmeisen knapp gestreift, sodass es zur Seite sprang, mir entglitt und klirrend in der Dunkelheit am Boden neben meinen Füßen landete.

Nein.

Ich ging in die Hocke, während der Alarm unverändert kreischte, und tastete den Boden ab. Es dauerte einige panikerregende Sekunden, ehe ich das Stemmeisen zu fassen bekam. Rasch erhob ich mich, klemmte das Werkzeug wieder in den Türspalt und hielt es fest, zum Teil am Griff, zum Teil am abgeflachten Kopf.

Ein weiterer Rauchfaden drang mir in die Nase.

Ich schwang den Hammer und traf wieder meinen Daumen.

Es tat höllisch weh, doch ich hatte bereits erneut ausgeholt und schlug zu. Ließ den Hammer wieder und wieder heruntersausen.

Manchmal traf ich. Manchmal nicht.

Irgendwann hatte ich wohl oft genug getroffen, sodass die Klinge tiefer eindrang und mir dabei die Handfläche aufschnitt. Es brannte, doch ich biss die Zähne zusammen. Denn ich würde dieses Stemmeisen nicht noch einmal fallen lassen. Ich hatte kein Interesse daran, auch nur eine Sekunde länger hier drin festzusitzen.

»Scheiße!«, schrie ich. Tränen standen mir in den Augen und meine Ohren klingelten. Diesmal hatte der Schlag mehr Wucht und traf exakt auf das flache Ende des Stemmeisens, sodass es mit voller Wucht in den Spalt getrieben wurde und Holzsplitter wegstoben, und dann war das Klirren von Metall auf Metall zu hören.

Der Riegel.

Ich schob die Hüfte zur Seite, sodass ich mehr Raum hatte, um auszuholen, und rammte den Hammer noch zwei weitere Male auf den Stemmeisenkopf.

Ein Splittern, ein metallisches Federn, dann ein leises Klimpern, als der Riegel jenseits der Tür auf den Küchenfliesen landete.

Hatte das jemand gehört? Sam etwa?

Nachdem ich das Stemmeisen mit beiden Händen wieder aus dem Spalt gezogen hatte und es hinter mir fallen ließ, hob ich den Hammer auf Schulterhöhe und streckte die andere Hand nach dem Türgriff aus.

102

Der Knauf war warm.

Schnell drehte ich ihn, schob die Tür auf und wich sofort wieder zurück, die gespreizten Hände schützend vors Gesicht gehoben.

Die Flammen konzentrierten sich auf den Bereich der Küche, der mir am nächsten war. Es sah aus, als hätte jemand Öl oder einen anderen Brandbeschleuniger vergossen. Eine klebrige Flüssigkeit auf der Arbeitsplatte stand ebenfalls in Flammen. Schimmernde blaue Gasflämmchen flackerten über den Spritzern und Pfützen auf der Arbeitsplatte, die sich an der Wand gleich neben mir entlangzog.

Das Feuer hatte sich noch nicht allzu weit ausgebreitet, war allerdings schon weit über die Größe hinaus, die ich selbst noch hätte löschen können. Nicht mehr lange und das ganze Haus würde lichterloh brennen. Die Wand war stellenweise bereits verkohlt, Rauch stieg davon auf. Jetzt entdeckte ich weitere Flammen im Inneren der Mikrowelle.

Ich benutzte meinen angewinkelten Unterarm als Schutzschild, spähte dahinter hervor in das grelle Feuer und die Hitze. Meine Ohren pochten von dem Lärmen der Rauchmelder.

Da entdeckte ich Donovan. Er lag nicht mehr ohnmächtig auf der Herdplatte. Jetzt war er zwischen Kücheninsel und Herd mit dem Gesicht nach unten reglos auf dem Boden ausgestreckt. Ein Arm klemmte stark verdreht unter seinem Körper, der andere lag auf seiner Brust.

Von Sam keine Spur.

Hinter den emporzüngelnden Flammen lag alles im Halbdunkel, aber ich konnte durch den dichten Rauch gerade noch die Haustür ausmachen.

Ob sie immer noch zugesperrt war?

»Scheiße.«

Ich beugte mich in den Raum und spähte nach links. Die Tür zur Terrasse war wahrscheinlich auch noch abgeschlossen, und selbst wenn ich die Scheibe einschlug und nach draußen entkommen könnte, säße ich im Garten fest.

Triff eine Entscheidung!

Das ohrenbetäubende Gellen der Rauchmelder machte es mir schwer, einen klaren Gedanken zu fassen. Ein Funkenregen explodierte in der Mikrowelle und ich stieß einen Schrei aus und ging in Deckung. Mein Blick wanderte wieder zu Donovan.

Er hatte sich nicht bewegt.

Allerdings fiel mir jetzt wieder ein, wie er unser Haus mit seinem eigenen Schlüssel abgesperrt hatte. Ich wusste noch, wie er sie hinterher in seiner Hosentasche hatte verschwinden lassen.

Einen Moment blieb ich noch, wo ich war, und überlegte. Die Vorstellung, mich ihm zu nähern, war mir zuwider. Letzten Endes kam ich zu dem Schluss, dass ich keine andere Wahl hatte.

103

Ich zog meinen Pulli aus, sodass ich nur noch mein ärmelloses Top trug, und presste ihn mir als improvisierte Maske vors Gesicht. Dann trat ich vorsichtig hinaus in den Lärm und die Flammen, ging auf Donovan zu und blieb zwei, drei Schritte vor ihm stehen. Die Hitze brannte auf meiner unbedeckten Gesichtshaut, auf den nackten Schultern und Armen.

Donovan regte sich nicht und gab auch keinen Mucks von sich.

Nicht weit von ihm lag ein achtlos weggeworfener leerer Behälter. Er hatte Feuerzeugbenzin enthalten. Ich erinnerte mich, wie Sam ihn vor einigen Monaten besorgt hatte, um den Flambierbrenner aufzufüllen, den er sich zugelegt hatte. Noch so ein Küchengerät, das nie benutzt wurde.

Genau wie dieses Hackmesser.

Bei dem Gedanken sah ich mich danach um, konnte es aber nirgends entdecken. Es lag nicht mehr auf dem Boden vor dem Herd, wo es Donovan aus der Hand gefallen war.

Jetzt sah ich mir seinen reglosen Körper etwas näher an. Er bewegte sich wirklich nicht.

Zu meiner Linken loderte das Feuer auf der Kücheninsel. Rechts von mir krochen die Flammen auf einen der Hängeschränke zu. Und vor mir hatte ich die rauchende, zischende Mikrowelle. Ein grellblaues Licht blinkte an dem Rauchmelder direkt über mir.

Das war wahrscheinlich keine gute Idee. Ich sollte einfach

zusehen, dass ich hier rauskam. Aber ich konnte ihn nicht einfach so liegen lassen und den Flammen ausliefern. Denn mittlerweile glaubte ich, begriffen zu haben, dass er mir nur hatte helfen wollen, auch wenn das nicht seine ursprüngliche Intention gewesen war, als er heute hier ankam.

Ich stupste ihn mit der Fußspitze an. Keine Reaktion. Ich bückte mich und streckte vorsichtig die Hand nach ihm aus, rüttelte ihn an der Schulter. Immer noch nichts. Er stellte sich nicht nur ohnmächtig. Warum auch? Er hätte schließlich nichts davon. Und nicht nur das. Im schummrigen Licht hatte ich die Pfütze nicht gleich bemerkt, in der ich mit der Spitze meines Turnschuhs stand.

Das war kein Brandbeschleuniger.

Es war Blut.

Ein kurzer Moment nackten, sprachlosen Entsetzens, dann packte ich Donovan am Oberarm und rollte ihn auf den Rücken.

Die Vorderseite seines Pullovers war blutgetränkt und im Schein der Flammen entdeckte ich zwei oder drei unregelmäßige Wunden in seinem Oberkörper. Sein Hals, seine Kehle und sein Gesicht waren blutüberströmt.

Plötzlich riss er die Augen auf und atmete scharf ein.

Ein grässliches, rasselndes Geräusch.

Erschrocken wich ich ein Stück zurück, in Richtung der angekokelten Kücheninsel, auf der die Flammen wüteten. Über mir brüllte der Alarm.

Mit sichtlicher Anstrengung wandte er mir das Gesicht zu und hob mühsam die rechte Hand. Aber es lag nichts Drohendes in dieser Gebärde und er tat es mit letzter Kraft. Seine behandschuhten Finger streckten sich und gaben den Blick auf einen länglichen Gegenstand auf seiner Handfläche preis, von dem inmitten der beißenden Rauchschwaden ein schwacher Schein ausging.

Sein Smartphone.

Das Display leuchtete.

»Krankenwagen ... kommt«, presste er aus pfeifender Lunge hervor. Auf dem Display lief ein Zähler, der die Dauer eines aktiven Anrufs anzeigte. Gegen das grelle Licht anblinzelnd, erkannte ich, dass er den Notruf vor etwas weniger als einer Minute abgesetzt hatte.

Er winkte mich heran und öffnete den Mund, um mir noch etwas zu sagen, doch als ich mich zu ihm hinabbeugte, brachte er kein Wort mehr heraus. Stattdessen glitt ihm das Telefon aus der Hand und fiel zu Boden.

104

Ich blieb noch eine Sekunde, wo ich war, und starrte Donovan einfach nur an, während der Feuermelder über mir unvermindert schrillte.

Ich glaube, ich hatte Angst, diesen Moment hinter mir zu lassen und mich wieder der harten Realität dessen, was hier geschah, zu stellen.

Es war Sam, der für all das verantwortlich war.

Er hatte wiederholt mit dem Messer völlig zügellos auf diesen Mann eingestochen, mit roher Gewalt.

Er hatte Feuer gelegt.

Endlich griff ich nach Donovans Handy und presste es an mein rechtes Ohr.

»Hallo?«, rief ich.

Es fiel mir schwer, über das Tosen der Flammen und das gellende Piepen der Rauchmelder hinweg etwas zu verstehen. Ich legte den Pullover beiseite und presste mir die frei gewordene Hand auf mein anderes Ohr. Im ersten Moment hörte ich nur statisches Rauschen, dann eine männliche Stimme, die sagte: »Sie sprechen mit der Notrufzentrale.«

»Oh, zum Glück! Das Haus brennt. Mein Freund hat jemanden erstochen. Er hat ein Messer. Wir wohnen in der Nummer 18 Forrester Avenue in Putney.«

Ich verstand leider nicht, was die Stimme als Nächstes sagte, weil der Rauch und die giftigen Dämpfe bei mir einen heftigen Hustenanfall auslösten. Ich trommelte mir mit der Faust gegen die Brust, um meine Lunge davon zu befreien, und sah mich dabei nach Sam um.

Immer noch keine Spur von ihm.

»Sind Sie in Sicherheit?«, glaubte ich, den Mann am Telefon fragen zu hören. »Wissen Sie, wo Ihr Freund aktuell ist?«

»Nein«, schrie ich.

Das Folgende verstand ich wieder nicht.

Abermals sah ich mich um und beugte mich schließlich zu Donovan hinunter.

»Wo ist Sam?«, brüllte ich ihm ins Ohr.

Er schüttelte langsam den Kopf und krächzte ein: »Weiß nicht.«

Meine Eingeweide krampften sich zusammen.

Natürlich war mir klar, dass ich Donovan nicht einfach hier liegen lassen konnte, aber ich hatte auch Bedenken, ihn zu bewegen. Was, wenn seine Verletzungen das nicht zuließen? Und ich empfand eine lähmende Angst, Sam könnte noch im Haus sein.

»Wie lange dauert es, bis die Rettungskräfte hier sind?«, fragte ich den Telefonisten.

Eine unverständliche Antwort.

»WIE LANGE?«

Wieder hörte ich nichts, nur dass ich es jetzt aufgab, das Handy in die Tasche gleiten ließ und mich zu Donovans Ohr beugte. »Ich muss Sie hier rausschaffen.«

Mir war so, als registrierte ich ein leichtes Nicken.

Also schnappte ich mir den Hammer, griff nach hinten, hob mein Top hoch und steckte ihn mir in den Bund meiner Jeans. Dann trat ich zu Donovans Füßen, umfasste mit beiden Händen seine Knöchel und zog.

Er stöhnte vor Schmerz auf und ich kam nur minimal vorwärts.

»Gehen Sie«, presste er mühsam hervor.

Ich schüttelte den Kopf und zog erneut, diesmal etwas entschlossener. Ich hustete Rauch aus meiner Lunge.

Donovan rutschte wieder ein winziges Stück weiter, wobei seine Arme hinter ihm herschleiften. Sein Pullover und sein behelfsmäßiger Verband blieben am Boden hängen und schoben sich hoch. Ich sah mich über die Schulter um und hielt mit brennenden, tränenden Augen nach Sam Ausschau. Dann wandte ich den Kopf wieder nach vorn.

Die Flammen auf der verkohlten Granitplatte der Kücheninsel wurden kleiner, dafür wüteten die, die am Oberschrank fraßen, umso heftiger. Der Lack warf bereits Blasen.

»Kommen Sie!«, brüllte ich, und dieses Mal zog ich mit meinen letzten Reserven, stemmte mich mit den Fersen in die Dielenbretter, um gleich noch einmal an ihm zu zerren.

Ich atmete wieder einen Schwall Rauch ein, machte aber unbeirrt weiter, schleifte Donovan Stück für Stück fort von den Flammen und gelangte schließlich zu den drei Stufen, die hinauf ins Wohnzimmer führten.

Dort ließ ich mich keuchend auf den Boden sinken, das Gesicht wegen der schrillen Lärmkulisse verzogen. Dann schob ich mich noch einmal hoch, ließ meine Hände an Donovans Schultern hinabgleiten und fasste ihn unter den Achseln. Mit einem Ruck wuchtete ich ihn hoch und drehte ihn gleichzeitig herum, sodass sein Oberkörper seitlich an den Stufen lehnte.

Er stieß einen Grunzlaut aus und wollte sich hochschieben, rollte die Hüften hin und her, versuchte, sich mit seinen kraftlosen Armen vom Boden abzustoßen.

»Lassen Sie mich das machen«, rief ich, stieg die Stufen hoch und griff mit beiden Händen nach seinem linken Handgelenk. Dann zog ich erneut mit aller Kraft. Donovan stöhnte. Mein unterer Rücken brüllte vor Schmerzen auf. Einer seiner Handschuhe rutschte ein Stück herunter, während sein Körper ruckartig und etappenweise über die Dielen glitt, die ich so sorgsam lackiert hatte.

Ich wiederholte das Ganze und schaffte es ein knappes Stück in Richtung Haustür. Im Eingangsbereich lärmte und blinkte ein weiterer Rauchmelder unter der Decke. Ich ließ Donovans Arm los, machte zwei Schritte nach hinten und versuchte, die Haustür zu öffnen.

Abgeschlossen.

Mit einem Mal fühlte ich mich beobachtet. Ich hatte höllische Angst, Sam könnte irgendwo aus einem Versteck springen und sich auf uns stürzen. Ich befürchtete, er könnte sich hinter demselben Sessel verborgen halten wie zuvor Donovan.

Hektisch riss ich den Hammer hinten aus dem Hosenbund und fischte auch Donovans Handy aus der Tasche. Nachdem ich mit zitternden Fingern am unteren Rand des Displays herumgetippt hatte, bekam ich die Taschenlampenfunktion auf und richtete den Strahl nach links auf den Bereich des Hauses, der komplett im Dunkeln lag. Kurz erfasste das Licht das grüne Samtsofa, den Kamin und den Designersessel.

Von Sam keine Spur.

Mit dem Hammer bewaffnet wagte ich mich weiter vor und wurde langsamer, als ich mich dem Sessel näherte. Jetzt hatte ich das blinkende blaue Licht seitlich von mir.

Ich zitterte vor Anspannung am ganzen Leib.

Den Hammer über die Schulter erhoben, machte ich einen beherzten Schritt vorwärts. Dann schwang ich ihn nach unten und herum und schrie dabei vor Frust und Angst, doch auch hier lauerte Sam nicht.

Da spürte ich es.

Einen schwachen kühlen Luftzug hinter mir. Ich fuhr herum und teilte die Lamellen der Jalousien. Das der Haustür am nächsten gelegene Schiebefenster war nach oben geschoben.

Es stand weit offen, dahinter die Nacht.

Sam muss hier durch entkommen sein.

Ich hatte keine Zeit zu verlieren. Rasch steckte ich den Hammer zurück in meinen Hosenbund, eilte wieder zu Donovan und ging neben ihm in die Hocke. Ich schob meine Finger in die rechte Hüfttasche seiner Hose und fand den nachgemachten Satz Schlüssel. Damit stürzte ich zur Haustür und sperrte auf. Dann riss ich die Tür auf.

Ein Schwall Nachtluft drang ins Haus. Frisch und kühl und schwarz.

Ich verlor keine Zeit und schleifte Donovan nach draußen auf den Weg vor dem Haus. Sein Gesicht war schmerzverzerrt. Unbeholfen stützte er sich auf, dicke Schweißtropfen auf der Stirn. Als ich mich aufrichtete, fühlten meine Beine sich bleischwer an und meine Lunge brannte.

Ich richtete den Blick nach unten und stellte fest, dass Sams Rucksack, den er neben der Haustür abgestellt hatte, verschwunden war.

Krampfhaft und stoßweise atmend presste ich mir Donovans Telefon ans Ohr.

»Sind Sie noch dran?«, fragte ich und sah zu, wie die Oberschränke in der Küche in Flammen aufgingen.

»Ja, ich bin noch dran«, gab der Telefonist zurück.

»Wie lange dauert es, bis Ihre Leute eintreffen? Bitte, Sie müssen uns helfen, das Feuer breitet sich immer weiter aus.«

»Die Einheiten sind unterwegs.«

Ich spähte hinter mich, konnte aber weder etwas sehen noch hören, das darauf hindeutete, dass sie bald hier wären.

»Ich muss noch jemanden rausholen«, sagte ich. Dann stieg ich über Donovan hinweg, mit dem Taschenlampenstrahl den Boden vor mir ableuchtend, und stürmte die Treppe hinauf ins Obergeschoss.

105

Auf und ab wippend durchschnitt der Schein des Handys die Dunkelheit vor mir. Ich folgte dem Strahl die Stufen hinauf und über den oberen Flur zur Vorderseite des Hauses. Während ich so rannte, war ein Teil meines Gehirns mit Gedanken an Sam beschäftigt. Ich überlegte krampfhaft, wohin er verschwunden sein könnte, was er wohl als Nächstes vorhatte.

Sam hatte mich die Kellertreppe hinuntergestoßen und die Tür hinter mir verriegelt. Er hatte sicherlich nicht damit gerechnet, dass ich einen Weg finden würde, mich zu befreien.

Und er hat das Haus mit dir drin in Brand gesteckt. Er wollte nicht, dass du entkommst.

Ich stürmte durch die Dunkelheit, während die Brandmelder um mich herum kreischten und blinkten, nahm die Treppe hinauf ins Dachgeschoss, stieß im Zwielicht gegen Wände.

Erst als ich mich dem oberen Absatz näherte, hörte ich über das Lärmen des Alarms hinweg die Schreie.

Bethany.

»Hilfe! Helft mir!«

Ich stürzte ins Zimmer und rannte auf den Einbauschrank in der Dachschräge zu.

Ich presste gegen den Druckmechanismus und die Schranktür sprang auf. Aber als ich danach griff und sie vollständig aufzog, wich Bethany vor mir zurück und hielt sich die über Kreuz gefesselten Hände schützend vors Gesicht, geblendet vom Strahl meines Handys.

»Schon gut«, redete ich beruhigend auf sie ein. »Bethany, ich bin's.«

Bethany spähte zu mir hoch, sichtlich benommen.

»Was ist passiert?«, stieß sie panisch hervor.

»Wir müssen weg hier«, gab ich zurück.

»Laut.«

Ich nickte. Die Rauchmelder waren hier oben laut und deutlich zu hören. Ich schätze, das hatte sie weit früher aus ihrer Bewusstlosigkeit geholt, als Donovan beabsichtigt hatte.

»Es brennt. Bitte, Bethany, wir müssen schnell sein. Können Sie gehen?«

»Feuer?«

Sie versuchte aufzustehen, taumelte aber nur hilflos nach vorne und fiel auf die Knie, als ihre Beine unter ihr nachgaben.

Ich griff nach ihrem Arm, half ihr auf und zog sie aus dem Schrank. Kraftlos sackte sie gegen mich.

»Fühl mich nicht gut«, nuschelte sie.

Ich schleifte sie zur Tür. Mit ihr voranzukommen, gestaltete sich als schwierig. Ihre Beine ließen sie wiederholt im Stich und wir gerieten immer wieder in Schieflage, trotzdem gelang es mir, sie halbwegs aufrecht zu halten.

Am oberen Treppenabsatz führte ich ihre gefesselten Hände an das Geländer und schob sie vor mir her, die Stufen hinunter, immer noch mit dem Handy den Weg leuchtend.

»Es war Donovan«, keuchte sie. »Er hat mir das angetan.«

»Ich weiß.«

»Hätte auf Sie hören sollen.«

Ich schüttelte den Kopf. Für dieses Gespräch war jetzt nicht der richtige Zeitpunkt.

Im ersten Stock angekommen, leuchtete ich in die Düsternis vor uns hinein.

Und da stand er plötzlich. Sam.

106

Er verstellte uns den Weg.

Sein Hemd war zerrissen und blutbefleckt.

Sein Gesicht glänzte von Schweiß und er war rußverschmiert.

Sein Körper war leicht nach rechts geneigt, um das Bein, das Donovan mit dem Messer erwischt hatte, zu schonen.

Das blutige Küchenmesser hielt er in der rechten Hand.

Ich streckte den Arm aus und bremste Bethany, die weitergehen wollte.

Sam ließ seinen Rucksack neben sich zu Boden fallen. Der Reißverschluss am großen Hauptfach war geöffnet, und ich sah, dass Banknoten hineingestopft waren. Er hatte offenbar Bargeld hier oben deponiert. Vielleicht im großen Badezimmer. Er wusste, dass ich mich nicht gerne darin aufhielt.

»Was ist das hier?«, fragte Bethany verwirrt. »Was spielt sich hier ab?«

»Bleiben Sie zurück, Bethany.« Rasch schob ich sie hinter mich und starrte Sam herausfordernd an. »Die Polizei wird jeden Moment hier sein.«

»Wir müssen hier raus«, kreischte Bethany jetzt und wollte sich an mir vorbeidrängen.

Ich schob sie wieder hinter mich, entschlossener diesmal, und machte einen Schritt auf Sam zu.

Bethany blieb, wo sie war, fing jetzt aber an, Sam anzubrüllen. »Warum haben Sie ein Messer?«

Er blinzelte und sah sie seltsam distanziert an. Das bläuliche

Blinken der Feuermelder erhellte in regelmäßigen Abständen sein Gesicht, ansonsten verbarg sich sein Körper im Schatten. Sam hatte viel zu viel von sich in den Schatten verborgen, wie mir jäh bewusst wurde. Ein zähes Rinnsal geschmolzener Lava kroch über mein Brustbein. Meine Angst war schlagartig weg, sie war einer sengenden Wut gewichen.

»Was hast du mir angetan?«, brüllte ich ihn über das Schrillen des Alarms hinweg an.

Der Ausdruck auf Sams Gesicht schien sich kaum merklich zu verändern. Jetzt lag etwas leicht Selbstgefälliges darin. Im flackernden Licht der Feuermelder, das die Dunkelheit rhythmisch durchbrach, war mir, als nähmen wir beide einander zum ersten Mal richtig wahr.

»Ich denke, du bist zum Teil schon selbst draufgekommen«, schrie er zurück.

»Du hast Oliver umgebracht.«

»Ach, daran erinnerst du dich jetzt?«

»Ansatzweise, ja. Ich weiß, dass wir uns bei einer deiner Selbsthilfegruppen kennengelernt haben.«

»Woran erinnerst du dich noch?«

»An genug.« Ich fasste an meinen unteren Rücken und zog den Hammer aus dem Hosenbund. Jetzt hing er an meiner Seite herab. Ich hielt den hölzernen Griff fest umklammert, Donovans Telefon hatte ich in der anderen Hand. »Ich erinnere mich an genug, um zu wissen, dass du mich gefangen gehalten, an meinem Gedächtnis herumgepfuscht, meine Erinnerungen durcheinandergebracht und mich misshandelt hast.«

Er zuckte zusammen, als hätte ich ihn geohrfeigt.

»Scheiß auf dein Haus«, brüllte ich und schlug mit dem Hammer blindlings um mich. Dabei hieb ich eine Kerbe in die Ständerwand und riss mit der Klaue am Kopf des Werkzeugs ein Stück von der Gipskartonplatte heraus, als ich ihn wieder herauszerrte. »Scheiß auf alles, was du mich daran hast machen lassen.« Wieder ein Schlag. Diesmal traf es die gegenüberliegende Seite. Vom glänzend lackierten Handlauf der Treppe splitterte ein Stück Holz ab. »Aber vor allem: Scheiß auf dich!«

Ich wagte mich einen weiteren Schritt vor, während Bethany ängstlich aufschrie und versuchte, mich zurückzuziehen.

Jetzt stürzte Sam auf mich zu, schwang das verletzte Bein mühsam aus der Hüfte heraus nach vorn, das Messer an seiner Seite fest in der Hand.

Blitzschnell riss ich den Hammer nach oben. Der schwere Hammerkopf traf Sam in der Aufwärtsbewegung am Kinn, sodass sein Kopf nach hinten katapultiert wurde.

Doch Bethany und ich bekamen von alldem nichts mehr mit, weil wir stürzten und übereinanderfielen, ein Knäuel aus verrenkten Gliedmaßen auf dem Boden.

Langsam ließ Sam den Kopf sinken. Ein feiner Blutfaden sickerte ihm aus dem Mundwinkel. Drohend stand er mit dem Messer über uns. Bethany kreischte in einer ohrenbetäubenden Lautstärke los.

Das bremste ihn aus.

Er schien verunsichert, was er tun sollte.

Ich nutzte sein Zögern, um den Strahl des Smartphones auf seine Augen zu richten und ihn zu blenden.

Eine grauenvolle Sekunde lang dachte ich, er würde sich mit dem Messer auf uns werfen, doch dann schirmte er seine Augen mit der Hand ab und taumelte nach hinten. Er grapschte nach seinem Rucksack, jagte auf die Treppe zu und eilte humpelnd ins Erdgeschoss hinunter.

Ich kämpfte mich auf die Beine und beugte mich übers Geländer. Dabei sah ich, wie er den Reißverschluss an seinem Rucksack zuzog und zur Haustür hinkte. Zu meiner Rechten nahm ich auch den Schein der Flammen aus der Küche wahr.

Sam verließ das Haus und stieg über Donovan hinweg.

Dann sah ich, wie Donovans Hand mit einem Mal vorschnellte und sich um das Fußgelenk seines verletzten Beins schloss, um ihn aufzuhalten.

Doch Sam ließ sich nicht beirren. Er trat mit dem anderen Fuß gegen Donovans Kopf, der ihn sofort losließ und sich stöhnend und schlaff auf den Rücken rollte.

Sam sah ein letztes Mal zu mir herauf, mit einem angespannten und wilden Gesichtsausdruck, in dem auch etwas Vorwurfsvolles mitschwang. Dann drehte er sich um, stolperte hinaus in die Nacht und verschwand.

107

Ich half Bethany auf.

»Wir müssen raus hier«, sagte ich. »Das Feuer.« Ich hakte mich bei ihr unter und zog sie mit mir, den Hammer immer noch fest in der Hand. Mit dem Smartphone leuchtete ich uns den Weg und stützte sie, als ihr die Knie plötzlich weich wurden und ihr Kopf schlaff zur Seite kippte. Am oberen Treppenabsatz hielten wir kurz inne. Ich spürte die Hitze, die uns von unten entgegenschlug. Der Rauch wurde dichter, schwärzer.

»Bleiben Sie dicht bei mir.« Ich hustete. »Es ist nicht mehr weit.«

Um ein Haar hätte ich sie verloren, als wir uns Stufe für Stufe nach unten zum Wohnbereich vorantasteten. Sie verfehlte eine davon knapp und kippte nach vorne weg, konnte sich mit den gefesselten Händen nicht abfangen, doch es gelang mir, sie gerade noch rechtzeitig gegen das Geländer zu drücken und dort zu fixieren, bis ich mich selbst wieder halbwegs stabilisiert hatte und sie weiterlotsen konnte.

Dichte Rauchschwaden wehten an uns vorbei. Das Feuer in der Küche flackerte und leuchtete grell. Der Brand griff allmählich auf den Wohnbereich über. Bald würde das ganze Haus in Flammen stehen.

Als wir den Eingangsbereich erreichten, sah Bethany Donovan draußen auf dem Boden liegen, blieb stehen und schrie entsetzt auf. Keuchend und hustend zerrte ich sie an ihm vorbei.

Ihre Beine gaben schließlich wieder unter ihr nach und sie sackte mitten in unserer Einfahrt auf den Kies.

»Hier.« Ich drückte ihr Donovans Telefon in die Hand. »Der Notruf ist dran. Reden Sie mit denen.«

Ich lief zurück zu Donovan. Er hatte einen leuchtend roten Bluterguss an Schläfe und Wange. Eine Blutlache breitete sich unter ihm aus. Er schien nicht bei Bewusstsein zu sein, doch als ich neben ihm in die Hocke ging, flackerten seine Augenlider und öffneten sich. Seine Pupillen zuckten und er murmelte etwas Unverständliches.

Ich schob mein Gesicht näher an ihn heran. Mühsam hob er die Hand und berührte meine Schulter.

»Müssen ... ihn ... finden.«

»Das übernimmt die Polizei. Die Einsatzkräfte sind auf dem Weg.«

»Musste Sie bedrängen. Brauchte ... Antworten. Mein Bruder ...«

»Sie hätten doch einfach mit mir reden können. Sie hätten ...«

Plötzlich verloren seine Pupillen ihren Fokus, seine Lider schlossen sich flatternd. Er war leichenblass.

»Donovan?« Ich schüttelte ihn behutsam. »Donovan?« Aber er kam nicht wieder zu sich.

Die Flammen im Haus züngelten wütend empor, hatten jetzt die Treppe erfasst und reichten bereits bis zur Decke.

Ich hustete in meine Ellbogenbeuge, rollte Donovan mit meinen letzten Reserven in die stabile Seitenlage und kämpfte mich wieder auf die Beine.

Schwankend stand ich da und rang gierig nach Luft. Dann krümmte ich mich vornüber, hustete und würgte und stieß den Rauch aus meiner Lunge, spuckte aus.

Die Rauchmelder im Haus waren mittlerweile etwas leiser

geworden, obwohl die Haustür nach wie vor offen stand. Von den Nachbarn war niemand gekommen, um nachzusehen, was hier los war. Niemand schien etwas von dem Brand mitbekommen zu haben.

Ich wischte mir mit dem Handrücken über den Mund und wandte mich Bethany zu. »Wie lange noch?«, fragte ich.

»Er sagt, weniger als fünf Minuten.«

Sie kniete in der gekiesten Einfahrt, das Telefon in der Hand, den gleißenden Schein der Taschenlampe auf den Boden gerichtet. Ihre Augen waren glasig und feucht.

Ich drehte mich von ihr weg und sah in beide Richtungen die Straße hinunter. Wieder packte mich ein Hustenanfall, aber Sam war nirgends zu sehen.

Gerade wollte ich mich in die andere Richtung wenden und streifte dabei mit dem Blick die Fassade von Johns Haus, als ich aus dem Augenwinkel etwas bemerkte.

Johns Haustür stand offen.

108

Die Tür stand nur einen schmalen Spalt offen, aber ich hatte mit eigenen Augen gesehen, wie Donovan abgesperrt und Johns Schlüssel in eine Ecke des Gartens geschleudert hatte. Allerdings besaß Sam seinen eigenen Schlüssel zu Johns Haus. Aber was sollte er da wollen?

Reglos stand ich da, war mir nicht sicher, was ich tun sollte. Auf der Straße herrschte Totenstille. Noch fünf Minuten, bis die Rettungskräfte einträfen.

Der Gedanke an John versetzte mir einen Stich. Ich wusste, wie schwach und verwundbar unser Nachbar war, wie aufgewühlt und nervös er vorhin gewesen war.

Ich sah nach Bethany, die stocksteif und restlos erschöpft am Boden lag. Dann wanderte mein Blick weiter zu Donovan. Sam hatte ihn mit dem Messer verwundet, hatte rücksichtslos nach ihm getreten. Und im selben Moment gelangte ich zu einer fundamentalen Erkenntnis.

Sam war ein Monster. Er war brutal über Donovan hergefallen. Er hatte Oliver auf dem Gewissen. Er hatte mich unter Vortäuschung falscher Tatsachen zwei Jahre lang in seinem Haus gefangen gehalten.

Und in dieser ganzen Zeit hat Sam John jeden Tag einen Besuch abgestattet.

Ich hatte natürlich angenommen, dass Sam das aus reiner Nächstenliebe tat. Als guter Nachbar. Ich war in dem Glauben gewesen, er würde sich ernsthaft um den alten Mann sorgen.

Aber was, wenn ich mich auch in diesem Punkt geirrt hatte? Was, wenn er für John eine ebenso große Bedrohung gewesen war wie für mich?

Oh Gott, nein.

Ich fühlte mich wie ausgehöhlt, als ich den Blick jetzt von Bethany abwandte und noch einmal zur Straße sah. Noch immer deutete nichts darauf hin, dass irgendeiner von den Nachbarn das Feuer im Haus registriert hatte. Die Hecke schirmte unseren Garten sehr gut von der Straße ab und die Jalousien waren fast alle komplett geschlossen.

Ich hätte brüllen sollen, lautstark »Feuer« rufen.

Ich hätte das hier alles zum Problem von jemand anderem machen sollen.

Aber wie schon zuvor hielt mich irgendetwas davon ab: Diese verflüssigte Wut, sie strömte heiß durch meine Adern.

Wenn Sam wirklich in Johns Haus war, würde ich ihn nicht so einfach davonkommen lassen.

Ich bückte mich und hob den Hammer auf, den ich vorhin hatte fallen lassen.

»Warten Sie hier«, sagte ich zu Bethany. Dann stieß ich das Gartentor auf, trat hinaus auf die Straße und schlich über den Weg in Johns Garten auf dessen Haustür zu.

109

Im Haus brannte Licht, doch mir schlug absolute Stille entgegen.

Leise schob ich mich vorwärts, legte die freie Hand auf die offen stehende Tür, lauschte. Ein leichter Wind zupfte an meiner Kleidung.

Von Sam war nichts zu sehen und nichts zu hören.

»Was haben Sie vor?«, zischte Bethany jenseits des Zauns.

Ich sah zu ihr und legte mir den Zeigefinger an die Lippen.

Dann schob ich die Tür langsam ein Stück weiter auf, setzte vorsichtig einen Fuß über die Schwelle und kämpfte angestrengt gegen einen neuerlichen Hustenanfall an.

Jedes noch so kleine Geräusch wurde vervielfacht und klang überlaut.

Das Rascheln meiner Jeans an den Oberschenkeln. Der Wind, der mein Haar hochwehte. Das sachte Knarzen der Türangel und der Dielenbretter, die unter meinem Gewicht nachgaben.

Ich öffnete die Tür noch ein Stück, bis ich durch den leeren Flur in die Küche sehen konnte, die Treppe vor mir, die geöffneten Türen zu meiner Linken.

Der Hammer fühlte sich unendlich schwer an in meiner Hand.

Ich hörte ein Stöhnen.

Es klang schwach und schmerzerfüllt, hilflos, verloren. Um ein Haar hätte ich Johns Namen geflüstert, aber ich verbiss es mir in letzter Sekunde. Ich streifte meine Schuhe ab und schlich auf Strümpfen weiter.

Das Stöhnen war aus dem zweiten Zimmer links gekommen, dem Raum, den John mittlerweile als Schlafzimmer nutzte. Ich machte ein paar vorsichtige Schritte darauf zu, dann blieb ich wieder stehen und lauschte.

Ich hörte nichts.

Sam war hier nirgends.

Vielleicht bildete ich es mir nur ein, aber ich glaubte, die Hitze des Feuers nebenan durch die Wände sickern zu spüren. Der Rauch schien die Ziegelwände zu durchdringen, aber vielleicht ging er auch von meiner Kleidung und meinen Haaren aus. Ein weiterer Hustenreiz kündigte sich durch ein Kitzeln in der Kehle an.

Wieder ein Stöhnen, diesmal lang gezogen und voll tiefer Verzweiflung. Jetzt war ich mir ganz sicher, dass es aus Johns behelfsmäßigem Schlafzimmer kam. Ich schluckte gegen das trockene Jucken im Hals an und schob mich wachsam vorwärts. Ganz leise schlich ich am Fuß der Treppe vorbei und ging auf Zehenspitzen auf das Zimmer zu.

110

Bevor ich Johns Schlafzimmer betrat, blieb ich noch einmal stehen, blickte zurück zur Haustür, die ich offen gelassen hatte, und machte einen schwachen, flackernden Lichtschein aus.

Als ich mich wieder nach vorne drehte, knackten und knirschten die Wirbel in meinem Nacken. Ich hielt mir die Hand vor den Mund, um den Hustenreiz zu unterdrücken. Schließlich machte ich mich bereit und umfasste den Hammergriff etwas fester.

Eine Sekunde lang fühlte es sich so an, als würde das Haus selbst auf jedes Geräusch von mir horchen. Als könnte ich mich durch einen Atemzug verraten.

Dann war ich mit einem Satz im Schlafzimmer.

Das Erste, was mir auffiel, war der Gestank. Der abgestandene, muffige Geruch nach Bettlaken und Schlaf. Aber da war auch noch etwas anderes. Eine Spur von Ammoniak, wie Schweiß, nur übelriechender.

John saß mit dem Rücken zu mir auf dem Krankenbett, mit dem Gesicht in Richtung des alten, unbenutzten Kaminofens. Seine Schultern waren nach vorne gesackt, sein Kopf hing gebeugt nach unten, seine Hände ruhten in seinem Schoß. Wieder entrang sich ihm ein Stöhnen. Ich ging davon aus, dass er meine Anwesenheit nicht registrierte.

»John?«, flüsterte ich.

Er krümmte sich noch mehr zusammen, sah sich aber nicht nach mir um.

Ich blinzelte. Meine Augen waren trocken und juckten vom Rauch, meine Kehle war ebenfalls staubtrocken und brannte.

Ich schaute mich suchend um, aber falls Sam hier irgendwo lauerte, war er jedenfalls nicht in diesem Zimmer.

John war allein mit seinen wirren Gedanken, die ihm Gesellschaft leisteten.

»John, was ist los?«

Der alte Mann bebte, gab mir aber keine Antwort.

Ich spähte hinter mir zur Tür hinaus, dann trat ich einen Schritt zur Seite, umrundete vorsichtig das Fußende des Betts und näherte mich ihm.

»John, sehen Sie mich bitte an. Ich muss Sie hier rausbringen.«

»John darf nicht schauen«, murmelte er und scheute vor mir zurück. »John muss in diesem Zimmer bleiben.«

Ein ungutes Gefühl machte sich in mir breit, als ich ihn betrachtete, so zusammengekauert und völlig eingeschüchtert, wie er war.

»Oh John, nicht doch.«

Zorn wallte in mir auf, von meinen Zehen bis zum Haaransatz, wenn ich an all die Abende zurückdachte, an denen Sam nach nebenan gegangen war, angeblich um nach John zu sehen. All die Male, da er mir erzählt hatte, wie sie den Abend verbracht hätten.

Sam hatte mir weisgemacht, er hätte John aus Büchern oder der Zeitung vorgelesen. Er hatte behauptet, er hätte Aufsätze korrigiert, während John fernsah.

Doch jetzt kam mir der Verdacht, dass alles gelogen war oder zumindest nur in Teilen der Wahrheit entsprach. Denn Johns gekrümmte Haltung und sein leises, verzweifeltes Wimmern sprachen eine ganz andere Sprache.

»Ach, John. Es tut mir so leid, so unendlich leid.«

Ich griff nach seinen Händen, aber er entzog sie mir und stieß wieder ein Stöhnen aus, lauter diesmal.

Ich war wie erstarrt und warf einen besorgten Blick zur Tür, lauschte angestrengt.

Als nichts zu hören war, senkte ich vorsorglich meine Stimme. »Wissen Sie, wo Sam steckt?«

»John sieht nicht hin. John darf nicht gucken.«

Der Griff des Hammers rutschte mir durch die schweißnassen Finger, ich wischte die Hand ab und packte ihn fester. »John, wo sollst du nicht hinsehen?«

Aber statt zu antworten, schüttelte er nur den Kopf und fixierte eine Stelle am Boden.

Ich hob die Hand an die Brust, legte sie flach auf meine schmerzende Lunge.

»Ich gehe nicht nach oben«, flüsterte er.

»Oben?«

Rasch machte ich drei hastige Schritte, lehnte mich in den Flur hinaus und reckte den Hals, um nach oben zu spähen. Und im selben Moment begriff ich mehrere Dinge gleichzeitig. Weswegen auch immer Sam hergekommen war, konnte nur dort oben sein. War das auch die Erklärung dafür, dass Sam Johns Schlafzimmer ins Erdgeschoss verlegt hatte? Ich nahm an, dass es ihm nicht um Johns Sicherheit gegangen sein konnte.

»Mary ist nach oben gegangen«, murmelte John. »Sie hätte da nicht raufgehen sollen.«

Ich wirbelte blitzschnell zu ihm herum. *Nein.*

Sam war derjenige gewesen, der Mary nach ihrem Sturz gefunden hatte. Es war Sam gewesen, der den Krankenwagen gerufen hatte.

Aber Sam war auch derjenige, der Oliver vom Dach dieses Wohngebäudes gestoßen hatte. Es war Sam, der mich die

Treppe hinunter in den Keller gestoßen hatte. Hatte er auch sie …

Nachdem Mary aus dem Weg gewesen war, hatte nur noch John im Nachbarhaus gewohnt. Er lebte allein und litt an Demenz.

Hatte Mary etwas mitbekommen, das ihren Verdacht erregt hatte? Hatte ich vielleicht geschrien? Gegen die Kellerwände geklopft? Hatte sie Sam deswegen zur Rede gestellt?

Wieder flammte Wut in mir auf.

Ich musste John hier rausschaffen, wollte ihn aber nicht in Aufregung versetzen. Nicht, dass er noch anfing zu schreien.

Ich schob mich den Flur entlang, starrte die Treppe hinauf zum oberen Absatz, sah vor mir, wie Mary aus dieser Höhe heruntergestürzt und hart auf dem Boden aufgeschlagen war, ahnte die Schmerzen, die sie gelitten haben musste.

Sie war ohnmächtig gewesen, als Sam mich gerufen hatte, damit ich ihm half. Ich hatte ihre Hand gehalten, bis die Sanitäter sie auf der Bahre nach draußen gerollt hatten.

Jetzt stand ich am Fuß der Treppe, setzte meinen rechten Fuß auf die erste Stufe und umfasste mit der linken Hand das Geländer, den Hammer immer noch ausholbereit in der anderen.

War es wirklich eine gute Idee, da raufzugehen?

Hinter mir ertönte ein leises Klicken.

Ich drehte mich um und sah Sam mit dem Rücken gegen die Haustür gelehnt dastehen. Der Riegel war vorgeschoben, er hatte hinter sich abgeschlossen.

Schweißgebadet und mit schmerzhaft verzogenem Gesicht lehnte er sein ganzes Gewicht auf sein unverletztes Bein, das andere nur leicht auf den Fußspitzen aufgestützt.

»Jetzt sieh uns nur an«, sagte er. »Da wären wir wieder mal allein miteinander, nur wir beide.«

111

Seine Stimme klang anders, rauer, angestrengter, sodass ich mich unwillkürlich fragte, ob ich ihm durch meinen Schlag mit dem Hammer vielleicht den Kiefer gebrochen hatte.

Oder war das einfach sein wahres Ich, das jetzt aus ihm sprach? Er kam auf mich zu, humpelte in grotesker Weise auf seinem verletzten Bein vorwärts. Das Licht fing sich in der stählernen Klinge des Messers in seiner Hand.

Ich schrie auf und schwang den Hammer mit voller Wucht.

Doch diesmal war er vorbereitet, duckte sich unter dem Schlag weg und rammte mich so hart mit der Hüfte, dass ich nach hinten auf die Stufen stürzte und mir dabei der Hammer aus den Fingern glitt.

Er wollte mich packen, doch ich drehte mich blitzschnell um, kam auf die Beine und zog mich am Handlauf des Geländers mit der linken Hand nach oben, zwei Stufen auf einmal nehmend.

Es fühlte sich an, als wollte ich eine Rolltreppe entgegen der Laufrichtung hochrennen.

Hinter mir war ein Grunzen zu hören.

Etwas streifte meine Ferse.

Ich trat nach hinten und sah mich um. Sam hatte nach meinem Fuß gestochen und ihn haarscharf verfehlt. Jetzt lag er mit dem Messer in der Faust auf den Stufen, hielt sich den Oberschenkel und wand sich vor Schmerzen.

Ein Spuckefaden hing ihm von der Unterlippe.

Er stemmte sich wieder hoch, während ich mich unbeirrt

vorankämpfte und meine Lunge mühsam Luft einzusaugen versuchte.

»Bethany!«, schrie ich.

Mein Herz schlug so stark, als wollte es sich aus meiner Brust befreien.

Ich schaffte es zum oberen Absatz, völlig außer Atem, und schlug die Richtung nach links zur Vorderseite des Hauses ein. Weg vom hinteren Schlafzimmer und dem großen Badezimmer, weil hier alles genau spiegelverkehrt zu unserem Haus angeordnet war. Oder vielmehr zu unserem Haus, wie es vor der Renovierung ausgesehen hatte. Altmodische Tapeten. Ein durchgelaufener Teppich. Stockflecken und feuchte Stellen an Wänden und Decken.

Ich lief an der geschlossenen Schlafzimmertür zu meiner Rechten vorbei.

Noch zwei Türen vor mir.

Anders als in unserem Haus waren die vorderen Zimmer nicht zu einem großen Raum zusammengelegt.

Ich entschied mich für die rechte der beiden Türen, packte die Klinke und warf mich mit der Schulter dagegen.

Ein Fehler. Sie ließ sich nur einen winzigen Spalt öffnen, bevor sie gegen ein festes Hindernis stieß. Ich schob erneut, doch sie rührte sich nicht.

Leider konnte ich mich auch nicht durch den Spalt zwängen, und als ich mich umsah, erreichte Sam gerade den oberen Treppenabsatz.

Er nahm einen rasselnden Atemzug und hielt sich am Handlauf fest, um nicht abbremsen zu müssen, als er zu mir herumschwang. Knurrend und mit zu einer Fratze des Hasses verzerrtem Gesicht humpelte er auf mich zu.

Mein Arm schoss nach links und versuchte es an der anderen Tür.

Sie öffnete sich problemlos, doch als ich in den Raum rannte, prallte ich mit Gesicht, Händen und Oberkörper gegen etwas Flaches, Hartes. Das Objekt verrutschte und kippte. Ich stemmte mich mit den Händen dagegen, um nicht der Länge nach hinzufallen.

Die Vorhänge waren nicht zugezogen. Die Straßenlaternen warfen ein schwaches Licht in den Raum. Als meine Augen sich an die Düsternis gewöhnt hatten, erkannte ich Unmengen an Kartons und Packkisten, die sich um mich herum auftürmten, mit schmalen, labyrinthischen Gängen dazwischen. Ich nahm an, dass sie Johns und Marys Habseligkeiten beinhalteten.

Die Kartons rochen modrig. Es war kalt im Zimmer. Vermutlich war die Heizung abgestellt. Ich duckte mich und schob mich in den Spalt zu meiner Rechten.

Schritte hinter mir.

Ich spürte ihre Vibrationen in den Dielenbrettern.

Sam schob sich durch die Tür ins Zimmer. Ich konnte seinen keuchenden Atem hören. Angst wand sich durch meine Eingeweide, während ich mich in der Hocke kauernd nach links bewegte und direkt unter einem der Fenster herauskam.

Hinter mir türmten sich die Kisten so hoch, dass ich Sam nicht sehen konnte.

Das Gute war, dass auch er mich nicht sehen konnte.

Ich spähte durchs Fenster nach draußen. Noch kein Krankenwagen in Sicht.

Und auch keine Polizei.

Die Flammen hatten inzwischen auch das obere Stockwerk unseres Hauses erfasst. Sie erhellten die nächtliche Dunkelheit vor den Fenstern des Schlafzimmers, das ich mit Sam geteilt hatte. Dunkle Rauchbänder wanden sich hoch in den Himmel.

Bethany stand auf dem Gehweg, direkt vor Johns Gartentor,

und trat abwechselnd vor und wieder zurück. Gehetzt ließ sie den Blick zwischen der Haustür und dem Ende der Straße hin und her wandern. Sie hielt sich Donovans Handy ans Ohr und schrie etwas hinein.

Ich presste beide Hände gegen die Fensterscheibe und wollte sie nach oben schieben, um ihr etwas zuzurufen.

Aber das Fenster wollte sich nicht bewegen. Fieberhaft suchte ich nach einem Riegel.

Ich hieb gegen die Scheibe, hämmerte kräftig mit dem Handballen dagegen und rief Bethanys Namen.

»Ich habe die Fenster zugenagelt«, hörte ich Sam sagen.

Pfeilschnell wirbelte ich herum und sah ihn rechts von mir stehen, eine etwa brusthohe Barriere aus Kisten zwischen uns. Er stand wie vorhin leicht zur Seite geneigt da. Offenbar konnte er sein linkes Bein kaum belasten.

Mein Brustkorb hob und senkte sich in schnellen Atemzügen. Mein Körper war starr vor Angst.

Ich schätzte den Abstand zwischen uns ein, die Schatten im Raum, den Weg zurück zur Tür, den er mir verstellte, die Tatsache, dass er Schwierigkeiten hatte, sich aufrecht zu halten.

»Was willst du?«, schleuderte ich ihm entgegen.

»Dich. Du warst alles, was ich je wollte, Lucy.«

Das Grauen bohrte sich mir mitten ins Herz.

Mein Körper zitterte unkontrolliert, während ich an dem Fenster hinter mir herumtastete. Aber alles, was ich zu fassen bekam, waren solides Holz und Glas.

Ich sah mich über die Schulter nach Bethany um und diesmal schaute sie mit entsetzter Miene zu mir hoch.

»Sie sind fast da«, rief sie.

»Wie hat sich das eigentlich angefühlt?«, fragte Sam jetzt. »Als du deinen Durchbruch hattest?«

Langsam wandte ich ihm mein Gesicht zu und schüttelte den

Kopf. Ich wollte nicht darüber reden. Nein, den Gefallen, seine Neugier zu befriedigen, würde ich ihm nicht tun.

Aber ich begriff auch, dass ich uns irgendwie Zeit verschaffen musste.

»War es schmerzhaft?«, bohrte er weiter.

Ich nickte.

»War es verstörend?«

»Ja.«

»Was noch?«

Ein Wimpernschlag. Dann hörte ich das Heulen der Sirenen, das aus der Ferne herangetragen wurde.

Wir nahmen einander fest ins Visier.

Der Klang der Martinshörner wurde lauter, sie näherten sich mit durchdringendem Jaulen. Ich sah in seinem Blick, wie er eine schnelle Rechnung durchführte. Seine Kiefer spannten sich an.

Er hob das Messer und sah zur Tür. Vielleicht überlegte er, ob er uns beide hier einschließen konnte. Im selben Moment stieß ich mich von der Wand in meinem Rücken ab, legte beide Hände flach an den Kistenstapel zwischen uns und gab ihm einen Stoß.

112

Der Stapel kippte um und landete auf Sam, wobei der Inhalt krachend durcheinanderpurzelte und den Kisten zusätzlichen Schwung verlieh.

Er fluchte, brüllte vor Schmerz.

Ich hörte, wie er rückwärts taumelte.

Doch ich war längst losgerannt, nach rechts auf das zweite Fenster zu, den linken Arm ausgestreckt und die Finger gespreizt, sodass ich mit der flachen Hand über die hüfthohen Kisten zwischen uns glitt, bis ich mich schließlich vom Boden abstieß, mich mit dem Ellbogen oben aufstützte und darüberrollte, als würde ich mich über die Motorhaube eines Autos werfen.

Dann sprang ich auf die nächste Reihe von Kisten.

Aber sie war nicht stabil genug und ich brach ein. Weil ich aber bereits zu viel Schwung hatte, kippte der Stapel mitsamt mir um und spuckte mich auf der anderen Seite wieder aus.

Ich kämpfte mich hoch auf Hände und Füße und wollte gerade zur Tür hinaus auf den Flur stürmen, als er mich von hinten um die Hüften packte und mich zu Boden zerrte.

Ich versuchte, mich freizustrampeln.

Versuchte es erneut.

Ich wand mich in seinem Klammergriff, war mir des Messers in seiner Hand schmerzlich bewusst, doch er ließ nicht locker. Also stemmte ich mich mit beiden Ellbogen in den Boden und robbte, ihn an mir dran, zu der Treppe, die ins

Dachgeschoss führte. Ich stützte mich auf die Unterarme und wuchtete mich hoch, während er gleichzeitig an mir zog. So würde ich nicht wegkommen. Unvermittelt drehte ich mich um, machte die Arme lang und bohrte ihm den Daumen tief in die Wunde an seinem Bein.

Sam jaulte vor Schmerz auf und lockerte seinen Griff, gerade genug, um mich ihm zu entwinden. Dann trat ich zu. Ich trat und trat, immer wieder.

Traf ihn am Arm.

An der Brust.

Im Gesicht.

Seine Nase platzte auf. Brüllend vor Schmerz ließ er von mir ab. Sofort nutzte ich meine Chance und stürzte die Treppe hinauf, im Schein einer einzelnen Glühbirne, die über dem oberen Absatz baumelte.

Ich hatte es schon fast bis ganz nach oben geschafft, als er abermals laut brüllte, und als ich mich umsah, war er schon wieder viel zu dicht, sein Gesicht blutüberströmt, Augen und Nase ebenfalls blutverschmiert.

Jetzt waren die Sirenen draußen auf der Straße vor dem Haus zu hören. Sie schrillten laut und durchdringend. Ihr roter Lichtschein erhellte das Dachgeschoss.

Ich taumelte rückwärts durch die halb offen stehende Tür ins Zimmer rechts von mir, das von einem roten Lichtschein erhellt war. In der Fassung über mir hing eine einzelne rote Glühbirne. Von draußen drang kein Licht herein. Die Fenster waren mit schwarzen Verdunkelungsrollos versehen.

Sam hatte den Treppenabsatz erreicht, humpelte über den Flur und gab dabei grässliche, gurgelnde Laute von sich. Jetzt kam er ins Zimmer, das verletzte Bein hinter sich herziehend, sein Gesicht tiefrot im Schein der Lampe. Seine Nase und seine Zähne glänzten vom Blut.

Den Blick starr auf ihn geheftet, behielt ich gleichzeitig mein Umfeld im Auge.

Wir befanden uns in einer Dunkelkammer, begriff ich. An quer durch den Raum gespannten Leinen hingen Fotoabzüge.

Jedes einzelne Bild zeigte mich, und zwar schlafend in unserem gemeinsamen Bett. Im roten Licht wirkten die Farben und Kontraste ausgewaschen, fast wie verblichen. Oder vielleicht waren sie ja gar nicht farbig. Denn offensichtlich waren die Fotos bei Nacht mit einem speziellen Objektiv aufgenommen worden. Ein schreckliches Gefühl überkam mich, das Gefühl, dass man ohne mein Wissen in meine Privatsphäre eingedrungen war.

Diese Klicklaute in meinen Träumen waren vielleicht nicht meiner konfusen, albtraumhaften Erinnerung an meine Zeit in diesem Keller entsprungen. Vielleicht war das ja das ganz reale Klicken des Kameraverschlusses gewesen.

Sam hatte gar nicht seine komplette Fotoausrüstung verkauft, wie sich jetzt zeigte. Einiges davon war immer noch hier.

Meine Füße stießen gegen etwas und ich sah nach unten. Auf dem Boden hinter mir lag sein Rucksack.

Packenweise Fotos steckten zwischen den Geldscheinen.

Deshalb ist er hergekommen. Um die ist es ihm gegangen.

Mein Blick blieb an einigen der Abzüge hängen, die aus dem Rucksack quollen. Auch darauf wirkte das Farbspektrum eher verwaschen. Ich sah Fotos von mir, wie ich gefesselt und mit herabhängendem Kopf auf einem Stuhl im Keller hockte oder völlig schlaff in der Duschwanne oder zusammengekauert am Fuß der Stufen.

Aber noch viel schlimmer waren diese anderen Bilder. Da waren Schnappschüsse von mir, die er vor meiner Entführung gemacht haben musste. Meine Haare waren damals noch länger gewesen und ich trug andere Kleidung. Es gab Fotos, auf denen saß ich am Fenster eines Cafés in der Londoner Innenstadt. Auf anderen wartete ich auf den Bus oder ging eine Straße entlang. Auf einem stand ich am Fenster meiner Erdgeschosswohnung in Tooting, während ich gerade die Vorhänge teilte und mit besorgter, nachdenklicher Miene nach draußen starrte.

»Ich habe dich beobachtet.«

Er hatte mich also in all der Zeit ausspioniert.

Dieses Gefühl, das ich immer hatte. Diese schreckliche Paranoia, ich könnte gestalkt werden. Dieses Problem, das mich ja ursprünglich dazu gebracht hatte, zu seiner Selbsthilfegruppe zu gehen.

Es war alles real gewesen.

Es war wirklich geschehen.

Er war das gewesen.

113

Sam humpelte auf mich zu und kam immer näher, mit einer Hand das Messer umklammernd, die andere Hand am Oberschenkel. Er war schweißgebadet und hatte sichtlich Schmerzen, seine Kleidung und seine Haare waren schmutzig und in Unordnung. Nase und Kinn waren blutverkrustet und schienen stark angeschwollen zu sein. Er sah wirklich zum Fürchten aus. Sein Atem ging in kurzen, rasselnden Stößen.

»Du bist so krank«, schleuderte ich ihm entgegen.

»Ich. Du. Genau wie alle anderen auch.«

»Ich habe keine Angst vor dir.« Ich streckte die Hand zur Seite hin aus und spürte, wie meine Finger in etwas Nasses griffen. »Ich habe vor gar nichts mehr Angst.«

Blitzschnell langte ich zu und schleuderte den Inhalt der Wanne in sein Gesicht. Die Entwicklerlösung spritzte ihm in die Augen.

Er jaulte auf und wich nach hinten aus, schlug die Hände vors Gesicht.

Ich ließ die Wanne los und stieß ihn beiseite, rammte ihm die Faust gegen den verletzten Oberschenkel und stürmte an ihm vorbei über den Absatz der Treppe ins vordere Zimmer, das dunkel war, aber die Wände leuchteten vom Licht der Rettungsfahrzeuge draußen in regelmäßigen Abständen blau auf.

Direkt vor mir befand sich eine Glastür, die auf einen kleinen Balkon führte, ähnlich wie bei uns nebenan.

Ich hörte, wie Sam hinter mir herstolperte, seine Füße schlugen einen arhythmischen Takt.

Ich blieb nicht stehen, wurde nicht langsamer.

Unbeirrt eilte ich auf die Glastür zu, hob den rechten Fuß hoch in die Luft und trat mit der Ferse gegen das Schloss.

Das Holz der Türflügel barst wie ein Holzscheit, das mit einem Beil entzweigeschlagen wurde.

Meine Fußsohle schmerzte höllisch. Ich taumelte nach draußen, wandte mich nach links, rang keuchend nach Atem, klammerte mich am bröckelnden Mauerwerk der Brüstung fest und beugte mich darüber, um nach unten zu schauen.

Mein Oberkörper kippte nach vorn.

Der Weg zu Johns Haus drehte sich unter mir.

Ich spürte die Hitze, die im Nebenhaus wütete.

Das Haus war ein flammendes Inferno, das sich immer noch ausbreitete.

Die Fenster im Erdgeschoss waren zerbrochen. Flammen wogten himmelwärts und vermischten sich mit dem grellen Flimmern, das durch die Fenster der vorderen Schlafzimmer schien. Funken stoben hoch und schraubten sich spiralförmig durch die Luft in den Nachthimmel.

Ich schirmte mein Gesicht mit den Händen ab und spähte zu den schemenhaften Umrissen der Einsatzfahrzeuge, die mitten auf der Straße schräg parkten. Ich sah zwei Löschfahrzeuge, zwei Krankenwagen, Polizeiautos. Ein Team von Sanitätern schob Donovan auf einer Rolltrage im Laufschritt zu einem der Rettungswagen. Sie pressten ihm medizinische Wundauflagen auf seine Verletzung und sein Gesicht war unter einer Sauerstoffmaske verborgen. Bethany schrie zwei Polizisten in leuchtenden Warnwesten etwas zu und lotste sie in Richtung von Johns Haus.

Im Hintergrund hatte sich jetzt eine größere Zahl Nachbarn

und anderer Schaulustiger versammelt, auf der Straße, auf den Gehsteigen und in den Hauseingängen.

Unter mir lief gerade ein Trupp Feuerwehrleute mit Atemschutzgeräten durch den Vorgarten. Zwei weitere wurden von einem Drehleiterfahrzeug in einem Korb nach oben gefahren. Der Leiterarm ruckelte und schwankte. Sie trugen einen Löschschlauch auf den Schultern.

»Hilfe!«, brüllte ich. »Bethany! Hier oben! Hilfe!«

Einige der Umstehenden starrten zu mir herauf. Vereinzelte Leute deuteten mit den Fingern auf mich. Bethany sah erschüttert zu mir hoch und machte dann die Polizeibeamten auf mich aufmerksam, während eine andere Frau panisch schrie.

Einer der Feuerwehrmänner im Korb tippte seinem Kollegen auf die Schulter und deutete auf mich, dann rief er einem Beamten auf dem Boden etwas zu.

Ich winkte wie wild, die Arme hoch über den Kopf erhoben.

Morsche Ziegel knirschten unter den Sohlen meiner Schuhe. Johns Balkon war in extrem baufälligen Zustand. Der Filzbelag, auf dem ich stand, hing stellenweise durch. Die Ziegel an der Brüstung waren teils lose und bröckelten ab.

»Hilfe!« Ich schrie aus vollem Hals, bis mir die Kehle brannte. Die dichten Rauchschwaden von nebenan machten mir das Atmen schwer.

Dann hörte ich plötzlich ein Grunzen hinter mir, als Sam sich schwankend auf den Balkon schleppte.

Seine Haare und sein Gesicht waren tropfnass. Seine Augen waren stark gerötet und mussten höllisch brennen. Aus Nase und Mund sickerte Blut.

Er schüttelte den Kopf und schlug sich mit dem Handballen gegen das Ohr, torkelte dabei vorwärts und machte sich selbst ein Bild von den Geschehnissen unten auf der Straße, registrierte die Ansammlung von Blaulichtern und die grellen Flammen, die sich auf seiner von Schweiß glänzenden Haut reflektierten und das Blut auf seinem Hemd und der Hose funkeln ließen.

»Es ist vorbei«, sagte ich zu ihm.

Seufzend blickte er hinauf in den Nachthimmel. Das Messer hing locker in seiner Hand.

»Sam?« Leiser jetzt. »Ich sagte, es ist vorbei.«

Er sah mich von der Seite an. »Nein«, gab er zurück. »Nein, Lucy, für uns beide wird es nie vorbei sein.«

Während sein Blick über mein Gesicht huschte, fühlte ich das Gewicht von allem, was uns verband. Dieser Mann kannte mich in- und auswendig. Er hatte mehr über mich gewusst als ich selbst und war dabei für mich die ganze Zeit ein Fremder geblieben.

Aber doch nicht ganz.

Weil ich seine Eigenheiten kannte, seine Tics, die Tausenden bewussten und unbewussten Signale, die er tagtäglich aussandte. Deshalb wusste ich vermutlich nur einen Sekundenbruchteil nach ihm, dass er über seinen nächsten Schritt entschieden hatte. Was auch der Grund war, weshalb ich bereits auf dem Absatz herumwirbelte, der Hals vor Panik wie zugeschnürt, und losstürmte, in Richtung unseres gemeinsamen Zuhauses. Im selben Moment setzte er mir nach, mit ausgestreckten Armen, nachdem er das Messer hatte fallen lassen, bereit, mich vom Balkon zu stoßen, genau wie er Oliver gestoßen hatte. Und Mary.

Nur dass ich ihm zuvorkam und selbst sprang.

In die flimmernde Dunkelheit und die peitschenden Flammen hinein.

Meine Beine traten ins Nichts.

Ich streckte beide Arme aus.

Hart prallte ich gegen die Brüstung am Balkon des Hauses,

das mein Verderben gewesen war. Ich schrammte über den Putz, als ich verzweifelt versuchte, mich mit den Ellbogen und dem Oberkörper über die Kante der gemauerten Umfassung zu ziehen, während die Hitze unter mir wütete. Plötzlich verspürte ich ein heftiges Ziehen und Zerren an meiner Hüfte, mein Oberteil dehnte sich, meine Finger suchten vergeblich nach Halt, ein Ruck und ein Reißen, und dann ein kurzer, überraschter Aufschrei, gefolgt von nichts ... nichts ... bis hinter mir ein schauriger, dumpfer Aufschlag zu hören war – Sam – und kurz darauf der allgemeine Lärm wieder auf mich einstürmte.

Ich hing über der Brüstung, krallte mich mit den Händen fest, meine Wange an die erhitzten Ziegel gepresst. Einer der Feuerwehrmänner im Korb der Drehleiter riss seine Atemmaske herunter und machte ein schockiertes Gesicht, dann streckte er eine behandschuhte Hand nach mir aus und rief: »Halten Sie sich fest, halten Sie sich bitte fest, wir sind gleich bei Ihnen, halten Sie durch.«

»Lassen Sie nicht los!«, rief auch Bethany.

Ich klammerte mich mit beiden Armen an der Mauer fest, die rechte Hand über die Narbe an meinem linken Unterarm gelegt. Zur zusätzlichen Absicherung grub ich die Zehen in die Mauerritzen.

Keine Ahnung, wie lange ich mich so mit brennenden Armen und schmerzenden Händen festklammerte, aber irgendwann packten mich dicke Handschuhe und zerrten mich in den Korb der ausfahrbaren Leiter, legten mich auf den Boden und klopften mir auf den Rücken.

Ich lag da, um Luft ringend, ohne etwas von dem mitzubekommen, das man zu mir sagte, nicht fähig dazu, die Worte zu verarbeiten. Ich starrte nur über den Rand der Plattform, auf der ich lag, runter auf Sams gebrochenen Körper, der über dem Zaun mit den Eisenspitzen zwischen unserem und Johns Grundstück hing, unweit des Schildes mit der Aufschrift »Zu verkaufen«, das durch seinen Sturz umgestoßen worden war und jetzt im Garten lag.

114

»Versuchen Sie bitte, ruhig zu bleiben.«

Ich kniff die Augen zu und hielt die Luft an, während die Sanitäterin behutsam die Verletzung an meinem Hinterkopf betastete. Ich roch das Plastik ihrer OP-Handschuhe. Spürte ihre Hüfte an meinem Rücken, als sie auf die Zehenspitzen ging, um einen besseren Blick auf die Wunde zu haben.

Ich saß auf der Bahre hinten im Krankenwagen, durch die geöffneten Türen war das Chaos auf der Straße zu sehen.

Vor unserem Haus war alles ein einziges blau leuchtendes Geflacker. Weitere Rettungsfahrzeuge waren eingetroffen, uniformierte Polizisten hatten den Tatort mit Absperrband gesichert. Drei Feuerwehrmänner sprachen hinter ihrem Löschfahrzeug völlig benommen miteinander, Helme und Masken in den Händen, ihre Anzüge tropfnass, die Gesichter verschwitzt und rußverschmiert, die Haare platt an den Kopf gedrückt.

Hinter der Polizeiabsperrung standen einige unserer Nachbarn mit betroffenen Mienen vor den qualmenden Überresten von Sams Haus und dem Sichtschutz, den man um seinen Leichnam herum errichtet hatte. Eine Frau rieb sich fröstelnd die Oberarme. Ein Mann wiegte einen Jungen im Pyjama in den Armen, in den Händen des Kindes baumelte ein abgegriffener Teddy.

»Es tut mir so leid, was Ihnen widerfahren ist und was Sie heute durchmachen mussten. Aber nur um das noch einmal klarzustellen, Sie behaupten, dieser Mann habe Sie gegen Ihren Willen festgehalten?«

Das kam von der sympathischen Kriminalkommissarin, einer Frau mittleren Alters, die sich mir mit DS Sloane vorgestellt hatte. Ihre Haare waren von vereinzelten grauen Strähnen durchzogen, sie hatte freundliche, aber müde Augen und eine rücksichtsvolle Art. Sie hatte sich sogar die Mühe gemacht, sich vorab zu überzeugen, dass ich stark genug war, bevor sie mich befragte, und sie war es auch gewesen, die ihr Einverständnis gegeben hatte, dass Bethany am Ende der Bahre sitzen durfte, während sie selbst sich Notizen machte.

Man hatte Bethany eine Rettungsdecke aus glänzender Folie um die Schultern gelegt, die bei jeder ihrer Bewegungen leise knisterte. Sie war vor mir von den Sanitätern untersucht worden und hatte jetzt ihre Hand auf meinen Fuß gelegt. Zwischendurch führte sie immer wieder eine Atemmaske an ihren Mund, um puren Sauerstoff einzuatmen. Ich war dankbar, dass sie bei mir war, und froh, dass ihr nichts Ernsthaftes passiert war. Ich war dankbar, eine so starke Frau wie sie an meiner Seite zu haben.

»Autsch!«

»Entschuldigung«, sagte die Sanitäterin. Sie ließ von mir ab und riss einige sterile Kompressen auf, ehe sie sich weiter an mir zu schaffen machte.

Die Frau trug einen flaschengrünen Overall und hatte die Haare zu einem Pferdeschwanz zurückgebunden.

»Er hat mich einer Gehirnwäsche unterzogen«, sagte ich.

Ich merkte, wie sie sich unwillkürlich versteifte, als könnte sie nicht recht glauben, was sie da hörte. Aber Bethany drückte meinen Fuß zum Zeichen ihrer Solidarität, während DS Sloane meine Worte auf sich wirken ließ.

»Und wie hat er das geschafft?«, erkundigte sie sich.

»Er hat mich im Keller gefangen gehalten. Manchmal hat er mich unter Wasser gedrückt und auch andere Dinge getan, wie ich glaube. Es gibt Fotos, die das beweisen, in Johns Haus.« Ich deutete mit dem Kinn grob Richtung Nachbarhaus. »Ich kann es nicht vollständig erklären, aber Sam ist Dozent an der LSE. *War* es, sollte ich wohl sagen. Am Institut für Psychologie. Ich habe ihn im Rahmen einer Selbsthilfegruppe kennengelernt. Er war Leiter dieser Gruppe.«

»Eine Selbsthilfegruppe für wen?«

»Für Menschen mit Phobien und irrationalen Gedanken. Ich war überzeugt, dass ich mir einredete, ich hätte einen Stalker. Aber wie sich rausstellte, wurde ich *wirklich* gestalkt. Von Sam.«

»Er war nicht ganz richtig im Kopf«, mischte Bethany sich ein. »Das war nicht zu übersehen, als er uns den Weg aus dem Haus mit einem Messer verstellt hat. Er hatte so einen irren Blick. Und wie er redete. Er hatte eine wirklich unangenehme Ausstrahlung. So hatte ich ihn noch nie erlebt.«

Während sie erzählte, sah ich, wie John von einem Polizeibeamten und einem Sanitäter, die ihn zu beiden Seiten stützten, vom Haus weggeführt wurde.

»Was wird jetzt aus John?«, fragte ich.

Sloane folgte meinem Blick. »Man wird sich um ihn kümmern. Der Sozialdienst wird das übernehmen.«

»Kann ich ihn später besuchen?«

»Ich bin mir sicher, das lässt sich arrangieren.«

»Jemand muss sich seine Bankkonten ansehen.«

Sloane hob eine Augenbraue. »Warum das?«

»Uns ging das Geld für die Renovierungsarbeiten aus. Und wenn man sich Johns Zustand ansieht ...« Ich biss mir von innen auf die Wange, um die Tränen zurückzuhalten, als ich an das viele Geld dachte, das ich in Sams Rucksack gesehen hatte.

»Sam sollte sich eigentlich um ihn kümmern, aber jetzt mache ich mir Gedanken, dass er vielleicht Zugriff auf Johns Vermögen hatte. Ich befürchte, daher kam zumindest ein Teil des Geldes.«

»Haben Sie irgendwelche Beweise für all das?«

»Nein.« Allerdings musste ich jetzt wieder an Johns Frau Mary denken und dass Sam sie wahrscheinlich getötet hatte. »Es ist nur so ein Gefühl.«

Sloane musterte mich einen Moment abschätzend, dann nickte sie und machte sich noch eine Notiz in ihr Büchlein.

»Was können Sie mir über diesen Donovan erzählen?«, fragte sie jetzt.

»Entschuldigen Sie, Detective …«

Die Rettungsassistentin hatte mir eine Hand auf die Schulter gelegt und machte Sloane auf die Aufzeichnungen auf dem Monitor aufmerksam, an den sie mich angeschlossen hatte. Ich sah selbst, dass mein Puls ziemlich hoch und unregelmäßig war. Die Anzeige des Oxymeters, das an meinem Zeigefinger klemmte, ließ keinen Zweifel daran, dass die Sauerstoffsättigung meines Blutes ziemlich gering war. Die beklemmende Enge und das Kratzen in meiner Brust wollten einfach nicht weggehen.

Bethany reichte mir die Sauerstoffmaske und ich presste sie mir auf Mund und Nase und nahm einen tiefen, reinigenden Atemzug.

»Kann das nicht warten?«, fragte die Sanitäterin. »Sie steht unter Schock. Sie hat eine Kopfverletzung erlitten. Wir müssen sie ins Krankenhaus bringen.«

»Verstehe«, sagte Sloane, klappte ihr Notizbuch zu und lächelte mich aufmunternd an.

Ich zog die Maske herunter. »Er meinte, Sam habe seinen Bruder getötet«, platzte ich heraus. »Oliver Downing. Es muss irgendwo in Farringdon passiert sein. Vor zwei Jahren. Die Polizei dachte damals, Oliver sei freiwillig vom Dach seines Wohnhauses gesprungen, aber so war es nicht.« Ich setzte mich viel zu schnell auf der Bahre vor, sodass das Innere des Krankenwagens sich langsam um mich zu drehen begann. »Er wurde gestoßen. Sam war das. Er ...«

Ich verzog das Gesicht und presste die Finger beider Hände an die Schläfen, als ein neuerlicher stechender Schmerz durch meine Stirn jagte. Ich hielt mir die Sauerstoffmaske auf den Mund und atmete ein. Bethany neben mir nickte jetzt eifrig. »Er hat alles gestanden. Ich habe es gehört.«

Sloane hielt inne und ließ den Blick mit besorgter und fassungsloser Miene zwischen uns beiden hin und her wandern.

Ich ließ die Maske wieder sinken. »Ich habe zu dem Zeitpunkt mit dem Notruf telefoniert. Vielleicht hat der Telefonist in der Zentrale etwas mitgehört.«

»Diese Anrufe werden aufgezeichnet. Wir können das überprüfen. Sonst noch etwas?«

»Detective, gönnen Sie ihr eine Pause«, unterbrach die Sanitäterin abermals das Gespräch und half mir, die Maske wieder vors Gesicht zu heben. »Sie sehen doch, dass sie keine Kraft mehr hat.«

Sloane schien kurz darüber nachzudenken, ehe sie ihre Aufmerksamkeit Bethany zuwandte. »Dann lassen Sie uns beide sprechen.«

»Das machen wir.«

Bethany streckte beide Arme unter der Rettungsdecke hervor und umarmte mich sanft. »Pass gut auf dich auf«, flüsterte sie.

Ich nickte.

»Du weißt, dass du mir das Leben gerettet hast, ja?«

Ich schüttelte den Kopf.

»Oh doch, das hast du. Du hast mich da rausgeholt. Und jetzt werde ich für dich da sein, ob du es willst oder nicht. Wir stehen das gemeinsam durch.«

Plötzlich wurde mir alles zu viel.

Die Tränen, die sich in meinen Augen gesammelt hatten, quollen über und liefen mir über die Wangen. Ich kam nicht gegen das Schluchzen an, das meinen Körper schüttelte, und wurde überwältigt von einer Woge intensiver, betäubender Kälte.

»Also gut, das wäre dann geklärt.« Bethany tätschelte meinen Oberschenkel und Sloane legte ihr den Arm um die Schultern und half ihr beim Aussteigen aus dem Krankenwagen. Als sie auf beiden Beinen fest auf dem Boden stand, drehte Bethany sich noch ein letztes Mal zu mir um. »Ich rufe dich an. Wir sehen uns, in Ordnung?«

Ich nickte. Ja, das wollte ich, mehr als ich selbst erwartet hätte. Ich hatte mich viel zu lange von der Welt zurückgezogen. Wenn ich das hier durchstehen wollte, würde ich eine Freundin wie Bethany brauchen.

Die Sanitäterin trat an die Kante der Ladefläche, lehnte sich hinaus und schloss die Hecktüren. Doch ich hatte noch eine allerletzte Frage an Sloane.

»Wie geht es ihm?«, rief ich, nachdem ich die Sauerstoffmaske heruntergenommen hatte. »Donovan?«

Zischend zog sie die Luft durch ihre Lippen, als wäre sie nicht ganz sicher, wie sie mir darauf antworten sollte. »Es ist noch zu früh, um eine verlässliche Prognose zu treffen. Er hat viel Blut verloren. Aber ich habe schon schlimmere Fälle erlebt, die es geschafft haben. Wir halten Sie auf dem Laufenden, versprochen. Zwei meiner Leute werden Sie ins Krankenhaus begleiten.«

115

»Vielen Dank«, sagte ich leise, nachdem die Sanitäterin beide Türen geschlossen hatte.

»Kein Problem.«

Sie lehnte sich gegen die hüfthohen Aufbewahrungsschränke gegenüber der Krankenliege, die behandschuhten Hände zu beiden Seiten ihres Körpers aufgestützt, das Gesicht von mir abgewandt. Sie blickte durch das getönte Seitenfenster nach draußen auf den Tatort, den wir gerade hinter uns ließen.

Ich starrte auf die qualmenden Überreste des Hauses, in dem ich die letzten beiden Jahre verbracht hatte, und sah zu, wie es unkenntlicher wurde, in dem bereits verfestigten Wissen, dass ich es nie wiedersehen würde.

Es würde schwer werden, mich mit dem Gedanken abzufinden, dass Sam mich von Anfang an belogen hatte. Ich hatte keinerlei Vorstellung, weshalb er sich ausgerechnet mich ausgesucht hatte, und auch seine langfristigen Motive blieben mir verborgen. Hatte er wirklich vorgehabt, mit mir auf Reisen zu gehen, oder hätte er versucht, mich auf andere Weise einzusperren? Fragen über Fragen, auf die ich keine Antwort wusste.

Der Krankenwagen bog am Ende unserer Straße ab, schaukelte hin und her und brauste dann weiter. Der Fahrer hatte weder Blaulicht noch Sirene eingeschaltet, worüber ich sehr froh war. Ich brauchte dringend ein wenig Ruhe, damit etwas von dem Druck von mir abfallen konnte.

Ich sah hinunter auf meine Arme und betrachtete die frischen Schürfwunden an den Innenseiten, die ich mir bei meinem Sprung auf die Brüstung am rauen Putz zugezogen hatte. Vorsichtig streckte ich den Zeigefinger aus und strich sachte über die feine Linie meiner Narbe.

»Ist das wahr?«, fragte die Sanitäterin. Ich hob das Gesicht, ein wenig verwundert über ihren Tonfall. »Das, was Sie dieser Kommissarin eben über Sam erzählt haben, von wegen, er habe gestanden, Oliver gestoßen zu haben?«

Ihre Stimme brach bei diesen Worten und zum ersten Mal fiel mir der verschleierte Ausdruck in ihren Augen auf, die Art und Weise, wie sie die Lippen fest aufeinanderpresste. Ein Muskel in ihrer Wange zuckte, als kämpfte sie gegen die aufwallenden Emotionen an.

Mit einem Mal war mir alles sonnenklar.

Jetzt neigte sie den Kopf zur Seite, schob ihren Pferdeschwanz zurück und griff mit der Hand an ihr Ohr. Sie zupfte etwas heraus, hielt es zwischen Zeigefinger und Daumen hoch und zeigte es mir.

Die Person am anderen Ende der Leitung trägt einen Ohrstöpsel. Sam wird gar nichts von meinem Anruf mitbekommen haben …

Ich bemerkte etwas an der Innenseite ihres Handgelenks, knapp über der Stelle, wo ihre blauen Nitrilhandschuhe endeten. Es sah aus wie verschmierte Tinte.

… sie ein Tattoo hatte … Auf der Innenseite ihres Handgelenks … eine tätowierte Hummel …

Und als Letztes dachte ich an Donovan und an das, was er zu mir gesagt hatte, nachdem ich aus dem Keller entkommen war.

… Krankenwagen … kommt …

Ich hatte angenommen, er wollte mir damit mitteilen, er habe den Krankenwagen gerufen, in der Hoffnung, es könnte ihm das Leben retten. Aber was, wenn das nicht der einzige

Grund gewesen war? Was, wenn er versucht hatte, mir etwas anderes damit zu sagen?

... Krankenwagen ... kommt ...

Natürlich ... ich hatte mich doch gefragt, wie Donovan mich unbemerkt vom Haus fortschaffen wollte.

»Sagen Sie mir die Wahrheit«, sagte die Sanitäterin und sah mich fest an, als hinge für sie alles von meinen nachfolgenden Sätzen ab.

Ich grub die Finger in den Plastiküberzug der Unterlage, auf der ich lag. Gerade fuhren wir durch eine Kurve. Es war nur eine kurze Fahrt bis zum nächsten Krankenhaus. Wir müssten bald da sein.

»Wer sind Sie?«

»Amy. Olis Schwester. Ich war es, die Sam heute im Auge behalten hat. Ich habe an einer seiner Selbsthilfegruppen teilgenommen. Anschließend bin ich ihm gefolgt.«

Es war genau, wie Donovan gesagt hatte. Sie war das am anderen Ende der Leitung gewesen, diejenige, mit der Donovan telefoniert hatte. Sie musste mit Sam in der Tube gefahren sein, doch statt mit ins Haus zu kommen, hatte sie diesen Krankenwagen organisiert.

Wenn sie wirklich Olivers Schwester war, dann war sie auch Donovans Schwester. Als Familie hatten sie sehr viel in diese Sache investiert.

»Ja, es stimmt«, sagte ich.

Sie ließ den Kopf hängen und stieß verbittert die Luft aus. »So sollte es eigentlich nicht laufen.«

»Wie sollte es denn dann laufen?«

»Wir wollten Sie unter Betäubung von hier fortschaffen. Sie in das Haus unserer Mutter bringen und Sie dazu zwingen, ihr in die Augen zu sehen.«

»Ihr Bruder hat Bethany betäubt.«

Sie nickte traurig und brachte ein brüchiges Lächeln zustande. »Sie sollte eigentlich nicht dabei sein.«

»Aber sie war da.«

Wieder nickte sie, als fühlte sie sich schlecht deswegen. »Ich habe ihm gesagt, er soll mich in dieses Haus mitkommen lassen.« Sie seufzte und hieb frustriert mit der Faust auf die schmale Arbeitsfläche neben ihr.

»Donovan?«

»Er ist mein großer Bruder. Oli war auch älter als ich. Seit unser Dad gestorben ist ...« – sie hielt inne – »hat er immer versucht, für uns da zu sein, uns zu beschützen. Sie haben ja keine Vorstellung, wie sehr ihn das, was mit Oli passiert ist, von innen zerfressen hat. Er hat sich schwere Vorwürfe gemacht, weil er zu dem Zeitpunkt im Ausland war und uns nicht beistehen konnte. Wissen Sie, was er zu mir gesagt hat? Er meinte, ich sei in diesem Haus nicht sicher.«

Und wie recht er damit hatte, ging es mir durch den Kopf. Es war nicht sicher gewesen. Für keinen von uns.

»Tut mir leid«, murmelte ich und ich meinte es ernst. Alles, was geschehen war, tat mir leid. Es tat mir leid, dass er verletzt worden war, dass er mich terrorisiert hatte, dass er Bethany außer Gefecht gesetzt und John bedroht hatte.

»Sie haben ihn aus dem Feuer gerettet«, sagte sie. »Dank Ihnen hat er noch eine Chance.«

Bei diesen Worten griff sie in die Hosentasche ihres Overalls und brachte ein Handy zum Vorschein. Sie schniefte und wischte sich mit den Knöcheln ihrer behandschuhten Hand über die Nase, dann hob sie die Displaysperre auf.

»Die DNA-Ergebnisse sind da«, sagte sie mit stockender Stimme. »Das Blut unter Olis Fingernägeln war Ihres. Aber etwas sollten Sie wissen. Gehirnwäsche?« Zischend sog sie die Luft ein. »Als Ärztin glaube ich nicht an so etwas. Jedenfalls nicht in der Form, wie Sie sich das vielleicht vorstellen. Aber Donovan hat mir ein Foto geschickt, während er drinnen war. Von Ihrem Medizinschrank.«

Sie drehte ihr Handy herum und zeigte mir die Aufnahme. Darauf war das Innere des Schränkchens in unserem Badezimmer zu sehen.

»Das sind meine Medikamente gegen die Angst«, sagte ich.

»Manche vielleicht. Doch bei einigen kommt es ganz auf die Dosis an, die Sie genommen haben, die Kombination, die Menge. Es ist vorstellbar, dass sie eine retrograde Amnesie ausgelöst haben, die Ihren Verstand beeinträchtigt und Sie empfänglicher für Suggestion gemacht haben. Sam hat viel an Patienten in Reha-Kliniken und in psychiatrischen Einrichtungen geforscht, stimmt's? Ich gehe davon aus, dass er dort an die nötigen Medikamente rangekommen ist.«

Es war ein herber Schock, aber irgendwie auch ein kleines Geschenk, wie mir jetzt dämmerte. Vielleicht konnte ich, einfach, indem ich die Tabletten nicht mehr nahm, das Grauen begreifen, dem ich ausgesetzt gewesen war, und meinen Frieden damit machen?

»Haben Sie das Ihrem Bruder mitgeteilt?«, fragte ich.

»Ich habe ihm eine Nachricht geschickt, in der ich es angedeutet habe. Ja.«

Während wir uns bereits dem Krankenhaus näherten, ließ ich mir ihre Worte durch den Kopf gehen. Ob das der Moment war, wo Donovan die ersten Zweifel gekommen waren in Bezug auf das, was mit Oliver passiert war, und auch, was meine Situation betraf? Das war vielleicht die Erklärung, warum er so unbedingt wollte, dass Sam nach Hause kam. Ich erinnerte mich auch, wie Donovan mich in Sams Beisein gefragt hatte, ob ich die Medikamente gegen meine Angst selbst abholen würde.

Während ich mir das alles durch den Kopf gehen ließ, stemmte Amy sich mit einer Hand gegen die hintere Tür und spähte aus dem Seitenfenster. Der Krankenwagen wurde langsamer und kam unter dem beleuchteten Vordach vor der Notaufnahme zum Stehen.

»Ich muss meinen Bruder finden«, sagte sie. »Er ist stark. Stärker als irgendjemand, den ich kenne.« Sie warf mir einen Blick über die Schulter zu, schien innerlich mit sich zu ringen, ob sie noch etwas sagen sollte. »Donovan hat sich über Sam schlau gemacht und ein paar Hintergrundrecherchen durchgeführt. Etwa vor acht, neun Monaten hat eine ehemalige Studentin Vorwürfe gegen ihn erhoben, er habe sich ihr gegenüber unangemessen verhalten. Das muss vor drei Jahren gewesen sein. Sie hat behauptet, Sam habe sie in eine Beziehung genötigt und Zwang auf sie ausgeübt, bevor sie ihren Abschluss machte und die Sache beendete. Allerdings kam es nicht zu Disziplinarmaßnahmen, weil sie, ohne irgendwelche Gründe anzuführen, die Vorwürfe innerhalb kürzester Zeit wieder zurückzog.«

Drei Jahre. Es musste nicht allzu lange danach gewesen sein, dass er mich ins Visier genommen hatte. Gerade dachte ich noch über die Tragweite dessen nach, was ich da eben erfahren hatte, als Amy die Hand nach dem Türgriff ausstreckte und dann innehielt.

»Noch eine letzte Frage«, sagte sie.

Ich sah sie abwartend an.

»Sam. Als er abgestürzt ist. Ich habe gehört, wie Sie gegenüber der Polizei ausgesagt haben, Sie hätten ihn nicht zu fassen bekommen. Er sei abgerutscht. Ich wollte nur wissen … Sind Sie sich da ganz sicher? Dass Sie ihn nicht abgeschüttelt oder nach ihm getreten haben?«

Ich sah sie einen Wimpernschlag zu lange an und öffnete den Mund, ohne dass auch nur ein Wort herauskam.

»Gut.« Sie nickte. »Er hat es verdient.« Dann stieß sie die beiden Türflügel auf und sprang auf den Asphalt. Sie sah sich über die Schulter hinweg zu den Polizeibeamtinnen um, die aus dem Streifenwagen hinter uns stiegen. »Erzählen Sie denen von mir oder nicht, es bleibt Ihnen überlassen. Aber noch eine letzte Sache. Diese Party. Ich habe Sie damals nicht richtig zusammen mit Oli gesehen, deshalb kann ich nicht mit absoluter Gewissheit sagen, ob wirklich Sie es waren, aber als sie dort zusammen eintrafen, kam er auf mich zu und unterhielt sich kurz mit mir. Ich hatte Oli schon lange nicht mehr so glücklich und lebendig erlebt wie an diesem Abend. Und daran klammere ich mich bis heute fest in meinen dunkelsten Stunden. Ich finde, das sollten Sie ab jetzt auch tun.«

116

Sechs Wochen später

»Also, was meinst du?« Bethany sah mich abwartend an.

»Ich überleg's mir, okay?«

Ich saß Bethany gegenüber an ihrem Schreibtisch in ihrer Immobilienagentur. Wir waren allein. Die Räume waren lichtdurchflutet, die Möbel farbenfroh. Gerahmte Fotos und Informationen zu verschiedenen Immobilien hingen im großen Schaufenster zur Straße hin.

Bethany drehte ihren Touchscreen-Monitor herum, damit ich einen Blick darauf werfen konnte, und wischte sich durch eine Reihe von Aufnahmen.

»Diese Wohnung hat alles, was du dir gewünscht hast. Moderne Ausstattung, auf dem Mittelgeschoss einer sicheren Wohnanlage. Ich kann miettechnisch einen spitzenmäßigen Deal für dich aushandeln.«

»Das hast du bisher über jede Wohnung gesagt, die du mir gezeigt hast.«

»Weil es stimmt. Ich will, dass du glücklich bist.«

Ich erhob mich von meinem Stuhl, knöpfte meinen Mantel zu und nahm meine Handtasche.

»Dann vereinbare einen Termin für eine Besichtigung, in Ordnung?«, sagte ich zu ihr. »Wir gehen gemeinsam hin.«

»Bestens.« Bethany stand nun ebenfalls auf und klatschte in die Hände. Ich beugte mich vor, um ihr zum Abschied ein Küsschen auf die Wange zu drücken, aber als ich mich wieder zurückzog, hob sie beide Hände und legte sie mir auf die Schultern. Sie sah mir fest in die Augen. »Bist du sicher, dass ich nicht mitkommen soll? Ich sollte ohnehin eine Pause machen.«

Während sie sprach, ging die Tür hinter uns auf und ein Paar mittleren Alters trat ein.

»Nein, schon gut«, gab ich zurück. »Du hast Kundschaft. Diesen Teil muss ich alleine bewältigen.«

Auf dem Weg zur Tür lächelte ich dem Paar im Vorbeigehen zu.

Der Regen hatte aufgehört, aber das Pflaster war noch nass. Das Wasser spritze fächerartig von den Reifen der vorüberrauschenden Fahrzeuge auf, während ich darauf wartete, die Straße zu überqueren.

Als die Fußgängerampel auf Grün umschaltete, sah ich mich noch einmal kurz über die Schulter zu Bethany um. Die war bereits in ein angeregtes Gespräch mit dem Paar vertieft und zeigte ihnen eine ihrer Broschüren.

Ich lächelte in mich hinein. Bethany war entschlossen, mir wieder auf die Beine zu helfen, koste es, was es wolle, und sie war ebenso entschlossen, ihre Karriere weiter voranzutreiben.

Erst neulich hatte ich erfahren, dass sie Visitenkarten für mich entworfen hatte und sämtliche Angestellten der Immobilienfirma dazu brachte, sie an Kunden zu verteilen, die vielleicht Hilfe bei der Raumgestaltung gebrauchen könnten. Um ehrlich zu sein, war ich mir nicht sicher gewesen, ob ich dieses Business wirklich noch einmal in Erwägung ziehen sollte, aber als mich dann die ersten Anrufe erreicht hatten und sich herausstellte, dass einige der Projekte doch recht interessant waren, war ich Feuer und Flamme gewesen.

Auf der anderen Straßenseite angekommen, marschierte ich geradewegs zu dem kleinen Café direkt gegenüber von Bethanys Agentur. Plötzlich blieb ich wie angewurzelt stehen.

An einem der Tische im Freien unter der noch tropfenden Markise saß Donovan. Er trug eine dunkle wattierte Steppjacke zu Stonewashed-Jeans und Lederstiefeln. Als er mich sah, legte er die Zeitung beiseite, in der er gerade noch gelesen hatte, und ließ keinen Zweifel daran, dass er genau gewusst hatte, dass ich heute hier aufkreuzen würde.

»Nehmen Sie doch bitte Platz«, forderte er mich auf. »Ich halte Sie auch nicht lange auf.«

Langsam schüttelte ich den Kopf und kämpfte gegen den Drang an, mich einfach umzudrehen und wegzulaufen oder gar um Hilfe zu rufen.

»Was wollen Sie?«, presste ich mühsam hervor.

»Mich verabschieden. Nach dem heutigen Tag werden Sie mich nie wiedersehen. Sie haben genug Traumatisches erlebt. Ich wollte nicht, dass Sie sich meinetwegen auch noch Sorgen machen müssen.«

Ich hatte gehört, dass er lange in Lebensgefahr geschwebt hatte. Als ich ihn jetzt musterte, waren nur noch wenige Anzeichen der erlittenen Verletzungen zu sehen. Ich entdeckte eine winzige Narbe an seiner Wange, unweit des Auges, sowie eine leichte Steifheit in seinen Bewegungen, die zu verbergen er sich sichtlich bemühte.

»Man sagte mir, Sie hätten darum gebeten, die Anzeige gegen mich fallen zu lassen«, sagte er.

»Mir sagte man, ich könnte da nichts bewirken.«

»So ist es auch.«

»Und doch sind Sie jetzt hier.«

Er zog die Augenbrauen nach oben und breitete die Hände aus, als wäre die Anzeige wegen tätlichen Angriffs, die gegen ihn erhoben würde, nichts weiter als eine kleinere Unannehmlichkeit.

»Ich sagte doch, ich bin Geheimdienstoffizier.«

Ich sah ihn abwartend an. Den Gefallen, dass ich nachfragte, was für eine Rolle das denn spielte, würde ich ihm nicht tun.

»Sagen wir es so, ich habe einflussreiche Freunde. Leute, die es vorziehen, dass ich weiter für sie tätig sein kann.«

»Bethany wird nicht glücklich darüber sein.«

Donovan presste die Lippen aufeinander und blickte nachdenklich an mir vorbei hinüber zum Immobilienbüro. »Nein«, sagte er. »Ich schätze nicht.«

Ich war hin- und hergerissen. Zum einen hatte ich das Gefühl, ihm etwas zu schulden, das über die simple Wahrheit hinausging, auf die er aus gewesen war, trotz des Schreckens, den er über uns gebracht hatte. Und zum anderen war ich mir schmerzhaft bewusst, dass Donovans Mutter bereits einen Sohn verloren hatte. Deshalb wollte ich nicht, dass sie mit Donovan nun auch noch ihren zweiten Sohn verlor, weil er ins Gefängnis musste.

»Ich habe der Polizei nicht gesagt, dass Amy mit mir in diesem Krankenwagen war«, sagte ich.

Er nickte.

Nach allem, was ich von DS Sloane mitbekommen hatte, hatte Donovan geleugnet, einen Komplizen gehabt zu haben. In meinen Augen hätte es für die Polizei ein Kinderspiel sein müssen, ihm das Gegenteil zu beweisen. Sie hatten das Mobiltelefon, das Donovan für die Kontaktaufnahme zu Amy benutzt hatte, und auch wenn ich stark vermutete, dass sie ein Prepaid-Handy verwendet hatten, mussten sich Donovans Anrufe trotz allem irgendwie nachweisen lassen. Hinzu kam, dass die London School of Economics die Polizei in ihren Ermittlungen hätte unterstützen können, zum Beispiel, indem man die Kontaktdaten zu einigen der anderen Teilnehmerinnen und Teilnehmer dieser Selbsthilfegruppe herausgab. So hätte man Amy vielleicht identifizieren können. Oder die Polizei hätte die

Überwachungsvideos von Sams Heimfahrt mit der Tube überprüfen können.

Jetzt hatte ich zumindest die Antwort darauf, warum nichts von alldem passiert war.

»Wie geht es John?«, erkundigte sich Donovan.

Ich schüttelte lediglich den Kopf, ohne ihm eine Antwort zu liefern. Nicht einfach nur, weil er es nicht verdiente, zu erfahren, dass John mittlerweile in einem speziellen Pflegeheim untergekommen war, sondern auch, weil ich überzeugt war, dass er es längst wusste.

Ich hatte John ein paarmal besucht. Es ging ihm den Umständen entsprechend gut. Dass er sich nicht an mich erinnerte, war für mich in Ordnung. Im Pflegeheim gab es eine Katze, darüber war er sicher sehr glücklich.

Mein Verdacht, was Sam und das Geld anging, bewahrheitete sich. Die Ermittlungen der Polizei ergaben, dass er über einen Zeitraum von mindestens einem Jahr regelmäßig etwas von Johns Ersparnissen abgezweigt hatte. Anfangs nur kleinere Summen, dann immer größere Beträge. Bethany hatte mir erklärt, dass die Bauträger Schlange stehen würden, um sich Johns Haus unter den Nagel zu reißen, sobald es auf den Markt ging. Der Erlös aus dem Verkauf würde die laufenden Kosten für seine Pflege decken.

Was Sams Haus betraf, so war ich mir sicher, dass sich auch das in absehbarer Zeit zu einem guten Preis verkaufen würde, trotz der erheblichen Brandschäden. Ich wusste, dass Bethany kein Interesse daran hatte, die Immobilie selbst zu verkaufen. Einige wohlmeinende Leute hatten mir erklärt, ich solle Sams Nachlassverwalter auf Schadenersatz verklagen, sobald der Verkauf über die Bühne gegangen wäre, aber ich wollte nichts davon wissen. Ich war mehr als bereit, nur noch nach vorne zu schauen.

»Wie lange haben Sie die Sache geplant?«, fragte ich Donovan jetzt.

»Gar nicht lange.« Reumütig blickte er auf den Tisch. »Nicht lange genug, im Nachhinein betrachtet.«

»Und Sam? Hatten Sie ihn von Anfang an im Verdacht?«

»Nun ja, ich wusste einiges über ihn. Aber ich hielt es auch für möglich, dass er Sie nur beschützen wollte. Und dann bestand noch die geringfügige Chance, dass Sie ihn reingelegt hatten und er von nichts eine Ahnung hatte. Deshalb wollte ich auch unbedingt in dieses Haus mit Ihnen, um mir einen Eindruck von Ihnen zu verschaffen. Und als es mir dann schließlich gelang ...« Er musterte mich eingehend, als ob er erst abwägen müsste, wie viel er mir noch erzählen sollte. »In meinem Berufsfeld sieht man Dinge, von denen man sich in den meisten Fällen wünscht, man hätte sie nie gesehen. Als Sie mich durch Ihr Haus führten, Ihre Art, zu reden, einiges von dem, was ich zu sehen bekam, da drang eine Art Echo zu mir.«

Ich zitterte, was ihm nicht zu entgehen schien. Er drehte sich leicht zur Seite, legte die Hand an die Rückenlehne seines Stuhls und erhob sich mühsam und mit sichtlichem Unbehagen.

»Immer noch nicht ganz verheilt«, sagte er.

»Bei mir auch nicht.«

Einen Moment taxierte er mich, als müsste er sich ein ganz neues Urteil über mich bilden. Dann griff er nach seiner Zeitung und deutete damit zum Eingang ins Café.

»Gehen Sie besser rein. Die anderen warten schon auf Sie.«

Damit ging er davon, ohne sich noch mal umzudrehen. Mit wild klopfendem Herzen, die Kehle wie zugeschnürt, stand ich da und wartete, bis er um eine Ecke bog, sodass ich ihn aus den Augen verlor.

Ich sah hinüber zur anderen Straßenseite und stellte fest, dass Bethany immer noch mit dem Paar redete. Zum Glück hatte sie keinen Schimmer von dem, was eben passiert war, und in dem Moment kam ich zu dem Schluss, es auch dabei zu belassen.

Mir war leicht schwindelig. Ich hatte weiche Knie. Aber ich weigerte mich zuzulassen, dass Donovan mich von dem ablenkte, weswegen ich heute eigentlich hergekommen war. Nachdem ich ein paarmal tief durchgeatmet und kurz die Augen zugekniffen hatte, schüttelte ich die Arme, um die Anspannung und den Stress zu lösen, strich mir die Haare aus dem Gesicht und marschierte dann geradewegs auf die beschlagene Glastür des Cafés zu. Eine Frau in hellbrauner Schürze blickte hinter dem Tresen auf, als ich eintrat.

Ich deutete auf einen Tisch am Fenster, wo bereits drei Gäste saßen, mit Kaffeetassen vor sich. »Ich habe meine Leute schon gefunden.«

Ich geriet leicht ins Wanken, als ich mich ihnen näherte, und blieb kurz stehen, um mich wieder zu fangen. Dann nahm ich am Tisch Platz. Ich spürte ein nervöses Flattern unter meinen Rippen, Tränen, die in mir aufstiegen. Ich war mir des leeren Tischs draußen, an dem Donovan eben noch gesessen hatte, mehr als bewusst, und als ich jetzt dorthin sah, überkam mich für einen kurzen Moment Verunsicherung. Dann aber ballte ich die Hände zu Fäusten und gab mir einen Ruck.

»Danke, dass ihr alle gekommen seid«, sagte ich. »Wie geht's euch denn?«

»Gut.«

»Besser.«

»Mir geht's ganz okay.«

Ich glaubte ihnen.

Der Taxifahrer hatte ein wenig an Gewicht verloren. Er trug einen schwarzen Anzug, ein frisches weißes Hemd und eine gestreifte Krawatte dazu.

Das Haar von diesem früheren Emo-Mädchen war länger und heller. Ich nahm an, dass es sich um ihren natürlichen Farbton handelte. Sie trug eine hübsche Bluse zu Jeans und ihr Make-up war weit weniger düster und dramatisch als damals, obwohl sie immer noch ihr Lippenpiercing trug.

Der dürre Typ, der damals mit dieser Schere gefuchtelt hatte, war immer noch dürr. Er saß wie schon damals leicht gebückt da und wirkte nervös. Aber er begegnete meinem Blick und hielt ihn, ohne nach unten oder wegzuschauen, und sein Lächeln wirkte echt.

»Und wie sieht es mit euren Phobien aus?«, fragte ich.

»Darüber haben wir gerade geredet«, meinte der Taxifahrer. »Ich bin mehr oder weniger darüber hinweg. Ich habe es dank der Hypnotherapie geschafft. Das hat mir wirklich geholfen. Hab jetzt einen Job als Privatchauffeur für einen stinkreichen Typen.«

»Und ich schlafe inzwischen fast normal«, sagte die blonde junge Frau. »Einiges von dem, was wir im Rahmen dieser Selbsthilfegruppe gelernt haben ...« Sie unterbrach sich und wirkte einen kurzen Moment verlegen.

»Schon gut«, ermunterte ich sie. »Du kannst es ruhig sagen.«

»Tut mir leid, aber es hat wirklich geholfen. Ich habe jetzt sogar einen Freund. Er hält jeden Abend meine Hand, bis ich eingeschlafen bin.«

»Das freut mich zu hören«, sagte ich. »Ehrlich.«

»Ich bin da eher ein laufendes Projekt«, gestand der dürre Typ. »Aber mir geht es auch viel besser als damals. Ich war wirklich am Ende. Jetzt gehe ich regelmäßig zu einem Therapeuten. Ich weiß genau, auf welche Warnsignale ich zu achten habe. Meine Vorgesetzten an der Uni waren ziemlich unterstützend und ich habe mich auch ein paar Freunden anvertraut.«

»Das ist toll«, sagte ich. »Du kannst dir gar nicht vorstellen, wie sehr es mich freut, das zu hören. Aber bevor wir weiter plaudern … macht es euch was aus, wenn wir eine Kleinigkeit nachholen? Können wir uns diesmal richtig vorstellen, mit unseren echten Namen?«

»Mike«, sagte der ältere Mann mit einem Nicken und einem Lächeln.

»Caroline.«

»Ross.«

»Tja, ihr wisst mittlerweile ja alle, wer ich bin.« Es war schließlich groß durch die Presse gegangen. Sie mussten etwas darüber in den Zeitungen gelesen haben. Die Medien hatten sich umfangreich mit den Ereignissen in der Nummer 18 Forrester Avenue befasst. Ich denke also, es überraschte keinen von ihnen, als ich mit zittriger Stimme und Tränen in den Augen sagte: »Es ist mir eine Freude, euch alle wiederzusehen. Ich bin Louise.«

Danksagung

Ein riesiges Dankeschön geht an die folgenden Personen, für ihre tatkräftige Hilfe und Unterstützung bei der Arbeit an diesem Buch:

Vicky Mellor sowie Lucy Hale, Samantha Fletcher, Philippa McEwan, Karen Whitlock, alle im Bereich Sales, Marketing und Publicity sowie das gesamte Team bei Pan Macmillan.

Beth deGuzman, Kirsiah Depp, Karen Kosztolnyik und alle bei Grand Central Publishing.

Camilla Bolton, meine Agentin, und alle bei der Darley Anderson Literary Agency, darunter auch Mary Darby, Kristina Egan, Georgia Fuller, Salma Zarugh, Jade Kavanagh und Sheila David.

Sylvie Rabineau von WME.

Lucy Hanington, Clare Donoghue und Tim Weaver.

Und Mum, Allie, Jessica, Jack und meine Frau Jo.